Concepción López

EL SIGLO DE LAS LUCES

ALEJO CARPENTIER

EL SIGLO
DE LAS LUCES

BIBLIOTECA FORMENTOR

SEIX BARRAL

Octava edición: enero de 1979

Tambor del Bruch, s/n - Sant Joan Despí (Barcelona)

ISBN: 84 322 1874 X
Depósito Legal: B. 433 - 1979

Printed in Spain

Para Lilia,
mi esposa.

Las palabras no caen en el vacío.

ZOHAR

Esta noche he visto alzarse la Máquina nuevamente. Era, en la proa, como una puerta abierta sobre el vasto cielo que ya nos traía olores de tierra por sobre un Océano tan sosegado, tan dueño de su ritmo, que la nave, levemente llevada, parecía adormecerse en su rumbo, suspendida entre un ayer y un mañana que se trasladaran con nosotros. Tiempo detenido entre la Estrella Polar, la Osa Mayor y la Cruz del Sur —ignoro, pues no es mi oficio saberlo, si tales eran las constelaciones, tan numerosas que sus vértices, sus luces de posición sideral, se confundían, se trastocaban, barajando sus alegorías, en la claridad de un plenilunio, empalidecido por la blancura del Camino de Santiago... Pero la Puerta-sin-batiente estaba erguida en la proa, reducida al dintel y las jambas con aquel cartabón, aquel medio frontón invertido, aquel triángulo negro, con bisel acerado y frío, colgando de sus montantes. Ahí estaba la armazón, desnuda y escueta, nuevamente plantada sobre el sueño de los hombres, como una presencia —una advertencia— que nos concernía a todos por igual. La habíamos dejado a popa, muy lejos, en sus cierzos de abril, y ahora nos resurgía sobre la misma proa, delante, como guiadora —semejante, por la necesaria exactitud de sus paralelas, su implacable geometría, a un gigantesco instrumento de marear. Ya no la acompañaban pendones, tambores ni turbas; no conocía la emoción, ni la cólera, ni el llanto, ni la ebriedad de quienes, allá, la rodeaban de un coro de tragedia antigua, con el crujido de las carretas de rodar-hacia-lo-mismo, y el acoplado re-

doble de las cajas. Aquí, la Puerta estaba sola, frente a la noche, más arriba del mascarón tutelar, relumbrada por su filo diagonal, con el bastidor de madera que se hacía el marco de un panorama de astros. Las olas acudían, se abrían, para rozar nuestra eslora; se cerraban, tras de nosotros, con tan continuado y acompasado rumor que su permanencia se hacía semejante al silencio que el hombre tiene por silencio cuando no escucha voces parecidas a las suyas. Silencio viviente, palpitante y medido, que no era, por lo pronto, el de lo cercenado y yerto... Cuando cayó el filo diagonal con brusquedad de silbido y el dintel se pintó cabalmente, como verdadero remate de puerta en lo alto de sus jambas, el Investido de Poderes, cuya mano había accionado el mecanismo, murmuró entre dientes: "Hay que cuidarla del salitre". Y cerró la Puerta con una gran funda de tela embreada, echada desde arriba. La brisa olía a tierra —humus, estiércol, espigas, resinas— de aquella isla puesta, siglos antes, bajo el amparo de una Señora de Guadalupe que en Cáceres de Extremadura y Tepeyac de América erguía la figura sobre un arco de luna alzado por un Arcángel.

Detrás quedaba una adolescencia cuyos paisajes familiares me eran tan remotos, al cabo de tres años, como remoto me era el ser doliente y postrado que yo hubiera sido antes de que Alguien nos llegara, cierta noche, envuelto en un trueno de aldabas; tan remotos como remoto me era ahora el testigo, el guía, el iluminador de otros tiempos, anterior al hosco Mandatario que, recostado en la borda, meditaba —junto al negro rectángulo encerrado en su funda de inquisición, oscilante como fiel de balanza al compás de cada ola... El agua era clareada, a veces, por un brillo de escamas o el paso de alguna errante corona de sargazos.

CAPÍTULO PRIMERO

DETRAS de él, en acongojado diapasón, volvía el Albacea a su recuento de responsos, crucero, ofrendas, vestuario, blandones, bayetas y flores, obituario y requiem —y había venido éste de gran uniforme, y había llorado aquél, y había dicho el otro que no éramos nada...— sin que la idea de la muerte acabara de hacerse lúgubre a bordo de aquella barca que cruzaba la bahía bajo un tórrido sol de media tarde, cuya luz rebrillaba en todas las olas, encandilando por la espuma y la burbuja, quemante en descubierto, quemante bajo el toldo, metido en los ojos, en los poros, intolerable para las manos que buscaban un descanso en las bordas. Envuelto en sus improvisados lutos que olían a tintas de ayer, el adolescente miraba la ciudad, extrañamente parecida, a esta hora de reverberaciones y sombras largas, a un gigantesco lampadario barroco, cuyas cristalerías verdes, rojas, anaranjadas, colorearan una confusa rocalla de balcones, arcadas, cimborrios, belvederes y galerías de persianas —siempre erizada de andamios, maderas aspadas, horcas y cucañas de albañilería, desde que la fiera de la construcción se había apoderado de sus habitantes enriquecidos por la última guerra de Europa. Era una población eternamente entregada al aire que la penetraba, sedienta de brisas y terrales, abierta de postigos, de celosías, de batientes, de regazos, al primer aliento fresco que pasara. Sonaban entonces las arañas y girándulas, las lámparas de flecos, las cortinas de abalorios, las veletas alborotosas, pregonando el suceso. Quedaban en suspenso los abanicos de penca, de seda china, de papel pintado. Pero al cabo del fugaz alivio, volvían las gentes a su tarea de remover un aire inerte, nuevamente detenido entre las altísimas paredes de los aposentos.

Aquí la luz se agrumaba en calores, desde el rápido amanecer que la introducía en los dormitorios más resguardados, calando cortinas y mosquiteros; y más ahora, en estación de lluvias, luego del chaparrón brutal de mediodía —verdadera descarga de agua, acompañada de truenos y centellas— que pronto vaciaba sus nubes dejando las calles anegadas y húmedas en el bochorno recobrado. Bien podían presumir los palacios de tener columnas señeras y blasones tallados en la piedra; en estos meses se alzaban sobre un barro que les pegaba al cuerpo como un mal sin remedio. Pasaba un carruaje y eran salpicaduras en mazo, disparadas a portones y enrejados, por los charcos que se ahondaban en todas partes, socavando las aceras, derramándose unos en otros, con un renuevo de pestilencias. Aunque se adornaran de mármoles preciosos y finos alfarjes de rosáceas y mosaicos —de rejas diluidas en volutas tan ajenas al barrote que eran como claras vegetaciones de hierro prendidas de las ventanas— no se libraban las mansiones señoriales de un limo de marismas antiguas que les brotaba del suelo apenas empezaban los tejados a gotear... Carlos pensaba que muchos asistentes al velorio habrían tenido que cruzar las esquinas caminando sobre tablas atravesadas en el fango, o saltando sobre piedras grandes, para no dejar encajado el calzado en las profundidades de la huella. Los forasteros alababan el color y el gracejo de la población, luego de pasar tres días en sus bailes, fondas y garitos, donde tantas orquestas alborotaban las tripulaciones rumbosas, prendiendo fuego al caderamen de las hembras; pero quienes la padecían a todo lo largo del año sabían de sus polvos y lodos, y también del salitre que verdecía las aldabas, mordía el hierro, hacía sudar la plata, sacaba hongos de los grabados antiguos, empañando perennemente el cristal de dibujos y aguafuertes, cuyas figuras, ya onduladas por la humedad, se veían como a través de un vidrio aneblado por el cierzo. Allá en el muelle de San Francisco acababa de atracar una nave norteamericana, cuyo nombre deletreaba Carlos maquinalmente: *The Arrow*... Y proseguía el Albacea en la pintura del funeral, que había sido magnífico ciertamente, en todo digno de un varón de tales virtudes —con tantos sacristanes y acólitos, tanto paño de pompa mayor, tanta solemnidad; y aquellos empleados del almacén, que habían llorado discretamente, virilmente, como cuadra a hombres, desde los Salmos de la Vigilia hasta el Memento de Difuntos...—, pero el hijo permanecía ausente, metido en su disgusto y su fatiga, después de cabalgar desde el alba, de caminos reales a atajos de nunca acabar. Apenas llegado a la hacienda donde la soledad le daba una ilusión de independencia —allí podía tocar sus sonatas hasta el amanecer, a la luz de una vela, sin molestar a nadie— lo había alcanzado la noticia, obligándole a regresar a matacaballos, aunque no lo bastante pronto para seguir el entierro. («No quisiera entrar en detalles penosos —dice el otro—... Pero ya no podía esperarse más. Sólo yo y su santa hermana velábamos ya tan cerca del ataúd...») Y pensaba en el duelo; en ese duelo que, durante un año, condenaría la flauta nueva, traída de donde se hacían las mejores, a permanecer en su estuche forrado de hule negro, por tener que conformarse, ante la gente, con la tonta idea de que no pudiera sonar música alguna donde hubiese dolor. La muerte del padre iba a privarlo de cuanto amaba, torciendo sus propósitos, sacándolo de sus sueños. Quedaría condenado a la administración del negocio, él que nada entendía de números, vestido de negro tras de un escritorio manchado de tinta, rodeado de tenedores de libros y empleados tristes que ya no tenían nada que decirse por conocerse demasiado. Y se acongojaba de su destino, haciendo la promesa de escapar un día próximo, sin despedidas ni reparos, a bordo de cualquier nave propicia a la evasión, cuando la barca arrimó a un pilotaje donde esperaba Remigio, cariacontecido con una escarapela de luto prendida en el ala del sombrero. Apenas el coche enfiló la primera calle, arrojando lodo a diestro y siniestro, quedaron atrás los olores marítimos, barridos por el respiro de vastas casonas repletas de cueros, salazones, panes de cera y azúcares prietas, con las cebollas de largo tiempo almacenadas, que retoñaban en sus rincones oscuros, junto al café verde y al cacao derramado por las balanzas. Un ruido de cencerros llenó la tarde, acompañando la acostumbrada migración de vacas ordeñadas hacia los potreros de extramuros. Todo olía fuertemente en esa hora próxima a un crepúsculo que pronto incendiaría el cielo durante unos minutos, antes de disolverse en una noche repentina: la leña mal prendida y la boñiga pisoteada, la lona mojada de los toldos, el cuero de las talabarterías y el alpiste de las jaulas de canarios colgadas de las ventanas. A arcilla olían los tejados húmedos; a musgos viejos los paredones todavía mojados; a aceite muy hervido las frituras y torrejas de los puestos esquineros; a fogata en Isla de Especias, los tostadores de café con el humo pardo, que a resoplidos, arrojaban hacia las cornisas de clásico empaque, donde demoraba entre pretil y pretil, antes de disolverse, como una niebla caliente, en torno a algún santo de campanario. Pero el tasajo, sin equívoco posible, olía a tasajo; tasajo omnipresente, guardado en todos los sótanos y transfondos, cuya acritud reinaba en la ciudad, invadiendo los palacios, impregnando las cortinas, desafiando el incienso de las iglesias, metido en las funciones de ópera. El tasajo, el barro y las moscas eran la maldición de aquel emporio, visitado por todos los barcos del mundo, pero donde sólo las estatuas —pensaba Carlos— paradas en sus zócalos mancillados de tierra colorada, podían estar a gusto. Como antídoto de tanta cecina presente, desembocaba de pronto, por el respiradero de una calleja sin salida, el noble aroma del tabaco amontonado en galpones, amarrado, apretado, lastimado por los nudos que ceñían los tercios de fibra de palmera —aún con tiernos verdores en el espesor de las hojas; con ojos de un dorado claro en la capa mullida—, todavía viviente y vegetal en medio del tasajo que lo encuadraba y dividía. Aspirando un olor que por fin le era grato y alternaba con los humos de un nuevo tostadero de café hallado en la vuelta de una capilla. Carlos pensaba, acongojado, en la vida rutinaria que ahora le esperaba, enmudecida su música, condenado a vivir en aquella urbe ultramarina, ínsula dentro de una ínsula, con barreras de océano cerradas sobre toda aventura posible; sería como verse amortajado de antemano en el hedor del tasajo, de la cebolla y de la salmuera, víctima de un padre a quien reprochaba —y era monstruoso hacerlo— el delito de haber tenido una muerte prematura. El adolescente padecía como nunca, en aquel momento, la sensación de encierro que produce vivir en una isla; estar en una tierra sin caminos hacia otras tierras a donde se pudiera llegar rodando, cabalgando, caminando, pasando fronteras, durmiendo en albergues de un día, en un vagar sin más norte que el antojo, la fascinación ejercida por una montaña pronto desdeñada por la visión de otra montaña —acaso el cuerpo de una actriz, conocida en una ciudad ayer ignorada, a la que se sigue durante meses, de un escenario a otro, compartiendo la vida azarosa de los cómicos... Después de escorarse para doblar la esquina amparada por una cruz verdecida de salitre, el coche paró frente al portón claveteado, de cuya aldaba colgaba un lazo negro. El zaguán, el vestíbulo, el patio, estaban alfombrados de jazmines, nardos, claveles blancos y siemprevivas, caídos de coronas y ramos. En el Gran Salón, ojerosa, desfigurada —envuelta en ropas de luto que, por ser de talla mayor que la suya, la tenían como presa entre tapas de cartón— esperaba Sofía, rodeada de monjas clarisas que trasegaban frascos de agua de melisa, esencias de azahar, sales o infusiones, en un repentino alardear de afanosas ante los recién llegados. En coro se alzaron voces que recomendaban valor, conformidad, resignación a quienes permanecían acá abajo, mientras otros conocían ya la Gloria que ni defrauda ni cesa. «Ahora seré vuestro padre», lloriqueaba el Albacea desde el rincón de los retratos de familia. Dieron las siete en el campanario del Espíritu Santo. Sofía hizo un gesto de despedida que los demás entendieron, retrocediendo hacia el vestíbulo en condolido mutis. «Si necesitan de algo...», dijo don Cosme. «Si necesitan de algo...», corearon las monjas... La gran puerta quedó cerrada por todos sus cerrojos. Cruzando el patio donde, en medio de las malangas, tal columnas ajenas al resto de la arquitectura, se erguían los troncos de dos palmas cuyos penachos se confundían en la incipiente noche, Carlos y Sofía fueron hasta el cuarto contiguo a las caballerizas, acaso el más húmedo y oscuro de la casa:

el único, sin embargo, donde Esteban lograba dormir, a veces, una noche entera sin padecer sus crisis.

Pero ahora estaba asido —colgado— de los más altos barrotes de la ventana, espigado por el esfuerzo, crucificado de bruces, desnudo el torso, con todo el costillar marcado en relieves, sin más ropa que un chal enrollado en la cintura. Su pecho exhalaba un silbido sordo, extrañamente afinado en dos notas simultáneas, que a veces moría en una queja. Las manos buscaban en la reja un hierro más alto del que prenderse, como si el cuerpo hubiese querido estirarse en su delgadez surcada por venas moradas. Sofía, impotente ante un mal que desafiaba las pócimas y sinapismos, pasó un paño mojado en agua fresca por la frente y las mejillas del enfermo. Pronto sus dedos soltaron el hierro, resbalando a lo largo de los barrotes, y, llevado en un descendimiento de cruz por los hermanos, Esteban se desplomó en una butaca de mimbre, mirando con ojos dilatados, de retinas negras, ausentes a pesar de su fijeza. Sus uñas estaban azules; su cuello desaparecía entre hombros tan alzados que casi se le cerraban sobre los oídos. Con las rodillas apartadas en lo posible, los codos llevados adelante, parecía, en la cerosa textura de su anatomía, un asceta de pintura primitiva, entregado a alguna monstruosa mortificación de su carne. «Fue el maldito incienso», dijo Sofía, olfateando las ropas negras que Esteban había dejado en una silla: «Cuando vi que empezaba a ahogarse en la iglesia...» Pero calló, al recordar que el incienso cuyo humo no podía soportar el enfermo había sido quemado en los solemnes funerales de quien fuera calificado de padre amantísimo, espejo de bondad, varón ejemplar, en la oración fúnebre pronunciada por el Párroco Mayor. Esteban, ahora, había echado los brazos por encima de una sábana enrollada a modo de soga, entre dos argollas fijas en las paredes. La tristeza de su vencimiento se hacía más cruel en medio de las cosas con que Sofía, desde la niñez, había tratado de distraerlo en sus crisis: la pastorcilla montada en caja de música; la orquesta de monos, cuya cuerda estaba rota; el globo con aeronautas, que colgaba del techo y podía subirse o bajarse por medio de un cordel; el reloj que ponía una rana a bailar en un estrado de bronce, y el teatro de títeres, con su decorado de puerto mediterráneo, cuyos turcos, gendarmes, camareras y barbones yacían revueltos en el escenario —éste con la cabeza trastocada, el otro rapado de peluca por las cucarachas, aquél sin brazos; el matachín vomitando arena de comején por los ojos y las narices. «No volveré al convento —dijo Sofía, abriendo el regazo para descansar la cabeza de Esteban, que se había dejado caer en el suelo, blandamente, buscando el seguro frescor de las losas—. Aquí es donde debo estar».

II

Mucho les había afectado la muerte del padre, ciertamente. Y, sin embargo, cuando se vieron solos, a la luz del día, en el largo comedor de los bodegones embetunados —faisanes y liebres entre uvas, lampreas con frascos de vino, un pastel tan tostado que daban ganas de hincarle el diente— hubieran podido confesarse que una casi deleitosa sensación de libertad los emperezaba en torno a una comida encargada al hotel cercano —por no haberse pensado en mandar gente al mercado. Remigio había traído bandejas cubiertas de paños, bajo los cuales aparecieron pargos almendrados, mazapanes, pichones a la crapaudine, cosas trufadas y confitadas, muy distintas de los potajes y carnes mechadas que componían el ordinario de la mesa. Sofía había bajado de bata, divertida en probarlo todo, en tanto que Esteban renacía al calor de una garnacha que Carlos proclamaba excelente. La casa, a la que siempre había contemplado con ojos acostumbrados a su realidad, como algo a la vez familiar y ajeno, cobraba una singular importancia, poblada de requerimientos, ahora que se sabían responsables de su conservación y permanencia. Era evidente que el padre —tan metido en sus negocios que hasta salía los domingos, antes de misa, para cerrar tratos y hacerse de mercancías en los barcos, madrugando a los compradores del lunes—, había descuidado mucho la vivienda, tempranamente abandonada por una madre que había sido víctima de la más funesta epidemia de influenza padecida por la ciudad. Faltaban baldosas en el patio; estaban sucias las estatuas; demasiado entraban los lodos de la calle al recibidor; el moblaje de los salones y aposentos, reducido a piezas desemparejadas, más parecía destinado a cualquier almoneda que al adorno de una mansión decente. Hacía muchos años que no corría el agua por la fuente de los delfines mudos y faltaban cristales a las mamparas interiores. Algunos cuadros, sin embargo, dignificaban los testeros ensombrecidos por manchas de humedad, aunque con el revuelco de asuntos y escuelas debido al azar de un embargo que había traído a la casa, sin elección posible, las piezas invendidas de una colección puesta a subasta. Acaso lo quedado tuviese algún valor, fuese obra de maestros y no de copistas; pero era imposible determinarlo, en esta ciudad de comerciantes, por falta de peritos en tasar lo moderno o reconocer el gran estilo antiguo bajo las resquebrajaduras de una tela maltratada. Más allá de una *Degollación de Inocentes* que bien podía ser de un discípulo de Berruguete, y de un *San Dionisio* que bien podía ser de un imitador de Rivera, se abría el asoleado jardín con arlequines enmascarados que encantaba a Sofía, aunque Carlos estimara que los artistas de comienzos de este siglo hubiesen abusado de la figura del arlequín por el mero placer de jugar con los colores. Prefería unas escenas realistas, de siegas y vendimias, reconociendo, sin embargo, que varios cuadros sin asunto, colgados en el vestíbulo —olla, pipa, frutero, clarinete descansando junto a un papel de música...— no carecían de una belleza debida a las meras virtudes de la factura. Esteban gustaba de lo imaginario, de lo fantástico, soñando despierto ante pinturas de autores recientes, que mostraban criaturas, caballos espectrales, perspectivas imposibles —un hombre árbol, con dedos que le retoñaban; un hombre armario, con gavetas vacías saliéndole del vientre... Pero su cuadro predilecto era una gran tela, venida de Nápoles, de autor desconocido que, contrariando todas las leyes de la plástica, era la apocalíptica inmovilización de una catástrofe. *Explosión en una catedral* se titulaba aquella visión de una columnata esparciéndose en el aire a pedazos —demorando un poco en perder la alineación, en flotar para caer mejor— antes de arrojar sus toneladas de piedra sobre gentes despavoridas. («No sé cómo pueden mirar eso», decía su prima, extrañamente fascinada, en realidad, por el terremoto estático, tumulto silencioso, ilustración del fin de los tiempos, puesto ahí, al alcance de las manos, en terrible suspenso. «Es para irme acostumbrando», respondía Esteban sin saber por qué, con la automática insistencia que puede llevarnos a repetir un juego de palabras que no tiene gracia, ni hace reír a nadie, durante años, en las mismas circunstancias.) Al menos, el maestro francés de más allá, que había plantado un monumento de su invención en medio de una plaza desierta —suerte de templo asiático-romano, con arcadas, obeliscos y penachos—, ponía una nota de paz, de estabilidad, tras de la tragedia, antes de llegarse al comedor cuyo inventario se establecía en valores de bodegones y muebles importantes: dos armarios de vajilla, resistidos al comején, de dimensiones abaciales; ocho sillas tapizadas y la gran mesa del comedor, montada en columnas salomónicas. Pero, en cuanto a lo demás: «Vejestorios de rastro», sentenciaba Sofía, pensando en su estrecha cama de caoba, cuando siempre había soñado con un lecho de dar vueltas y revueltas, donde dormir atravesada, ovillada, aspada, como se le antojara. El padre, fiel a hábitos heredados de sus abuelos campesinos, había descansado siempre en una habitación del primer piso, sobre un camastro de lona con crucifijo en la cabecera, entre un arcón de nogal y una bacinilla mexicana, de plata, que él mismo vaciaba al amanecer en el tragante de orines de la caballeriza, con gesto amplio de sembrador augusto. «Mis antepasados eran de Extremadura», decía, como si eso lo explicara todo, alardeando de una austeridad que nada sabía de saraos ni de besamanos. Vestido de negro, como lo estaba siempre, desde la muerte de su esposa, lo había traído don Cosme de la oficina, donde acababa de firmar un documento, derribado por una apoplejía sobre la tinta fresca de su rúbrica. Aun muerto conservaba el rostro impasible y duro de quien no hacía favores a nadie, no habiéndolos solicitado nunca para sí. Apenas si Sofía lo había visto un domingo que otro, durante los últimos años, en almuerzos de cumplido familiar que la sacaban, por unas horas, del convento de las clarisas. Por lo que miraba a Carlos, concluidos sus primeros estudios se le había tenido casi constantemente en viajes a la hacienda, con encargos de hacer talar, limpiar o sembrar, que bien hubiesen podido darse por escrito, ya que las tierras eran de poca extensión y estaban entregadas, principalmente, al cultivo de la caña de azúcar. «He cabalgado ochenta leguas para traer doce coles», observaba el adolescente, cuando vaciaba sus alforjas, luego de otro viaje al campo. «Así se templan los caracteres espartanos», respondía el padre, tan dado a vincular Esparta con las coles, como explicaba las portentosas levitaciones de Simón el Mago a base de la atrevida hipótesis de que éste hubiese tenido algún conocimiento de la electricidad, aplazando siempre el proyecto de hacerle estudiar leyes, por un instintivo miedo a las ideas nuevas y peligrosos entusiasmos políticos que solían propiciar los claustros universitarios. De Esteban se preocupaba muy poco; aquel sobrino endeble, huérfano desde la niñez, había crecido con Sofía y Carlos como un hijo más; de lo que hubiese para los otros, habría siempre para él. Pero irritaban al comerciante los hombres faltos de salud —y más si pertenecían a su familia— por lo mismo que nunca se enfermaba, trabajando de sol a sol durante el año corrido. Se asomaba a veces al cuarto del doliente, frunciendo el ceño con disgusto cuando lo hallaba en padecimiento de crisis. Mascullaba algo acerca de la humedad del lugar; de la gente que se empeñaba en dormir en cuevas, como los antiguos celtíberos, y después de añorar la Roca Tarpeya se ofrecía a regalar uvas recién recibidas del Norte, evocaba las figuras de tullidos ilustres, y se marchaba encogiéndose de hombros —rezongando condolencias, frases de aliento, anuncios de nuevos medicamentos, excusas por no poder gastar más tiempo en el cuidado de quienes permanecían confinados, por sus males, en las orillas de una vida creadora y progresista. Después de haber demorado en el comedor probando de esto y de aquello con el mayor desorden, pasándose los higos antes que las sardinas, el mazapán con la oliva y la sobreasada «los pequeños» —como los llamaba el Albacea— abrieron la puerta que conducía a la casa aledaña, donde se tenía el comercio y el almacén, ahora cerrado por tres días a causa del duelo. Tras de los escritorios y cajas fuertes, empezaban las calles abiertas entre montañas de sacos, toneles, fardos de todas procedencias. Al cabo de la Calle de la Harina, olorosa a tahonas de ultramar, venía la Calle de los Vinos de Fuencarral, Valdepeñas y Puente de la Reina, cuyas barricas goteaban el tinto por todas las canillas, despidiendo alientos de bodega. La Calle de los Cordajes y Jarcias conducía al hediondo rincón de pescado curado, cuyas pencas sudaban la salmuera sobre el piso. Regresando por la Calle de los Cueros de Venado, los adolescentes volvieron al Barrio de las Especias, con sus gavetas que pregonaban, de sólo olerlas, el jengibre, el laurel, los azafranes y la pimienta de la Veracruz. Los quesos manchegos se alineaban sobre tablados paralelos, conduciendo al Patio de los Vinagres y Aceites en cuyo fondo, bajo bóvedas, se guardaban mercancías disparatadas: hatos de barajas, estuches de barbería, racimos de candados, quitasoles verdes y rojos, molinillos de cacao, con las mantas andinas traídas de Maracaibo, el desparramo de los palos de tintura y los libros de hojas para dorar y platear, que venían de México. Más acá estaban las tarimas donde descansaban sacos de plumas de aves —hinchados y blandos, como grandes edredones de estameña—, sobre los cuales se arrojó Carlos de bruces, remedando gestos de nadador. Una esfera armilar, cuyos círculos hizo girar Esteban con mano distraída, se erguía como un símbolo del Comercio y la Navegación en medio de aquel mundo de cosas viajadas por tantos rumbos oceánicos —todo dominado por el hedor del tasajo, también presente allí, aunque menos molesto por estar almacenado en los trasfondos del edificio. Por la Calle de las Mieles regresaban los hermanos al área de los escritorios. «¡Cuántas porquerías! —murmuraba

Sofía, con el pañuelo en las narices—: ¡Cuántas porquerías!» Subido ahora sobre sacos de cebada, Carlos contemplaba el panorama bajo techo, pensando con miedo en el día en que tuviera que ponerse a vender todo aquello, y comprar y revender, y negociar y regatear, ignorante de precios, sin saber distinguir un grano de otro, obligado a remontarse a las fuentes a través de millares de cartas, facturas, órdenes de pago, recibos, aforos, guardados en los cajones. Un olor a azufre apretó la garganta de Esteban, congestionándole los ojos y haciéndole estornudar. Sofía estaba mareada por los efluvios del vino y del arencón. Sosteniendo al hermano amenazado por una nueva crisis, regresó rápidamente a la casa, donde ya la acechaba la Superiora de las Clarisas con un libro de edificante lectura. Carlos volvió de último, cargado con la esfera armilar, para instalarla en su cuarto. La monja hablaba quedamente de las mentiras del mundo y de los gozos del claustro, en la penumbra del salón de ventanas cerradas, mientras los varones se distraían en mover Trópicos y Elípticas en torno al globo terráqueo. Comenzaba una vida distinta, en el bochorno de aquella tarde que el sol hacía particularmente calurosa, levantando fétidas evaporaciones de los charcos callejeros. Nuevamente reunidos por la cena, bajo las frutas y volaterías de los bodegones, los adolescentes hicieron proyectos. El Albacea les aconsejaba que pasaran sus lutos en la hacienda, mientras él se ocupara de poner en claro los asuntos del difunto —llevados de palabras, por costumbre, sin dejar constancia de algunos tratos que en su memoria guardaba. Así, Carlos lo encontraría todo en orden a su regreso, cuando se resolviera a formalizarse en los rumbos del comercio. Pero Sofía recordó que los intentos de llevar a Esteban al campo «para respirar aire puro» no habían servido sino para empeorar su estado. Donde menos padecía, en fin de cuentas, era en su habitación de bajo puntal, junto a las caballerizas... Se habló de viajes posibles: México, con sus mil cúpulas, les rutilaba en la otra orilla del Golfo. Pero los Estados Unidos, con su progreso arrollador, fascinaban a Carlos, que estaba muy interesado en conocer el puerto de Nueva York, el

Campo de Batalla de Lexington y las Cataratas del Niágara. Esteban soñaba con París, sus exposiciones de pintura, sus cafés intelectuales, su vida literaria; quería seguir un curso en aquel Colegio de Francia donde enseñaban lenguas orientales cuyo estudio —si no muy útil para ganar dinero— debía ser apasionante para quien aspirara, como él, a leer directamente, sobre los manuscritos, unos textos asiáticos recién descubiertos. Para Sofía quedaban las funciones de la Opera y del Teatro Francés, en cuyo vestíbulo podía admirarse algo tan bello y famoso como el Voltaire de Houdon. En sus itinerantes imaginaciones, iban de las palomas de San Marcos al Derby de Epsom; de las funciones del Teatro Saddler's Wells a la visita del Louvre; de las librerías renombradas a los circos famosos, paseándose por las ruinas de Palmira y Pompeya, los caballitos etruscos y los vasos jaspeados exhibidos en el Greek Street, queriendo verlo todo, sin decidirse por nada —secretamente atraídos, los varones, por un mundo de licenciosas diversiones, apetecidas por sus sentidos, y que ya sabrían encontrar y aprovechar cuando la joven anduviera de compras o visitando monumentos. Después de rezar, sin haberse tomado determinación alguna, se abrazaron llorando, sintiéndose solos en el Universo, huérfanos desamparados en una urbe indiferente y sin alma, ajena a todo lo que fuese arte o poesía, entregada al negocio y a la fealdad. Agobiados por el calor y los olores a tasajo, a cebollas, a café, que les venían de la calle, subieron a la azotea, envueltos en sus batas, llevando mantas y almohadas sobre las que acabaron por dormirse, luego de hablar, con las caras puestas en el cielo, de planetas habitables —y seguramente habitados— donde la vida sería acaso mejor que la de esta Tierra perennemente entregada a la acción de la muerte.

III

Sintiéndose rondada por las monjas que la instaban —tenazmente, pero sin prisa; suavemente, pero con reiteración— a que se hiciera una sierva del Señor, Sofía reaccionaba ante sus propias dudas, extremándose en servir de madre de Esteban —madre tan posesionada de su nuevo oficio que no vacilaba en desnudarlo y darle baños de esponja cuando era incapaz de hacerlo por sí mismo. La enfermedad de quien había mirado siempre como un hermano la ayudaba en su instintiva resistencia a retirarse del mundo, erigiendo su presencia en una necesidad. En cuanto a Carlos, fingía ignorar su robusta salud, aprovechando la menor tos para meterlo en cama y hacerle tragar unos ponches muy cargados que le ponían de magnífico humor. Un día recorrió las habitaciones de la casa, pluma en mano —y llevaba el tintero la mulata, detrás, como si alzara el Santísimo—, haciendo un inventario de los trastos inservibles. Estableció una laboriosa lista de cosas que se necesitaban para amoblar una vivienda decente y la pasó al Albacea —siempre empeñado en oficiar de «segundo padre» para satisfacer cualquier deseo de los huérfanos... En vísperas de las Navidades comenzaron a llegar cajas y embalajes que se metieron, según iban apareciendo, en las estancias de la planta baja. Del Gran Salón a las cocheras era una invasión de cosas que se dejaban medio guardadas entre sus tablas, vestidas de paja y de virutas, en espera de un arreglo final. Así, un pesado aparador, traído por seis cargadores negros, demoraba en el vestíbulo, mientras un paraván de laca, arrimado a una pared, no acababa de salir de su envoltura claveteada. Las tazas chinas permanecían en el serrín de su viaje, en tanto que los libros destinados a constituir una biblioteca de ideas nuevas y nueva poesía, iban saliendo, docena aquí, docena allá, apilándose según se pudiera, sobre butacas y veladores, que aún olían a barniz fresco. El tapiz del billar era pradera tendida entre la luna de un espejo rococó y el severo perfil de un escritorio de marquetería inglesa. Una noche se oyeron disparos dentro de una caja: el arpa, que Sofía había encargado a un factor napolitano, reventaba sus cuerdas tensas por la humedad del clima. Como los ratones del vecindario se dieron a anidar en todas partes, vinieron gatos que afilaban sus uñas en los primores de la ebanistería y deshilachaban los tapices habitados por unicornios, cacatúas y lebreles. Pero el desorden llegó a su colmo cuando llegaron los artefactos de un Gabinete de Física, que Esteban había encargado para sustituir sus autómatas y cajas de música por entretenimientos que instruyeran deleitando. Eran telescopios, balanzas hidrostáticas, trozos de ámbar, brújulas, imanes, tornillos de Arquímedes, modelos de cabrias, tubos comunicantes, botellas de Leyden, péndulos y balancines, machinas en miniatura, a los que el fabricante había añadido, para suplir la carencia de ciertos objetos, un estuche matemático con lo más adelantado en la materia. Así, ciertas noches, los adolescentes se afanaban en armar los más singulares aparatos, perdidos en los pliegos de instrucciones, trastocando teorías, esperando el alba para comprobar la utilidad de un prisma —maravillados al ver pintarse los colores del arco iris en una pared. Poco a poco se habían acostumbrado a vivir de noche, llevados a ello por Esteban, que dormía mejor durante el día y prefería velar hasta el amanecer, pues las horas de la madrugada eran harto propicias al inicio de largas crisis, cuando lo sorprendían amodorrado. Rosaura, la mulata cocinera, aderezaba la mesa del almuerzo a las seis de la tarde, dejando una cena fría para la medianoche. De día en día se había ido edificando un laberinto de cajas dentro de la casa, donde cada cual tenía su rincón, su piso, su nivel, para aislarse o reunirse en conversación en torno a un libro o a un artefacto de física que se había puesto a funcionar, de pronto, de la manera más inesperada. Había como una rampa, un camino alpestre, que salía del quicio del salón, pasando por sobre un armario recostado, para subir a las Tres Cajas de Vajilla, puestas una sobre otra, desde las cuales podía contemplarse el paisaje de abajo, antes de ascender, por riscosos vericuetos de tablas rotas y listones parados a modo de cardos —con algún clavo estirado como espina— hasta la Gran Terraza, constituida por las Nueve Cajas de Muebles, que dejaban al expedicionario de nuca pegada a las vigas del techo. «¡Qué hermosa vista!», gritaba Sofía, riendo y apretando sus faldas a las rodillas cuando a tales cimas llegaba. Pero Carlos sostenía que había otros medios de alcanzarlas, más riesgosos, atacando el macizo de embalajes por la otra banda, y trepando con mañas montañesas, hasta asomarse al remate, de bruces, halando del cuerpo propio con noble sofoco de perro San Bernardo. En los caminos y mesetas, escondrijos y puentes, se daba cada cual a leer lo que le pareciera: periódicos de otros días, almanaques, guías de viajeros, o bien una Historia Natural, alguna tragedia clásica o una novela nueva, que se robaban a ratos, cuya acción transcurría en el año 2240 —cuando Esteban, subido en una cumbre, no remedaba impíamente las monsergas de algún predicador conocido, glosando un encendido versículo del Cantar de los Cantares para divertirse con el enojo de Sofía, que se tapaba los oídos y clamaba que todos los hombres eran unos cochinos. Puesto en el patio, el reloj de sol se había transformado en reloj de luna, marcando invertidas horas. La balanza hidrostática servía para comprobar el peso de los gatos; el telescopio pequeño, sacado por el roto cristal de una luceta, permitía ver cosas, en las casas cercanas, que hacían reir equívocamente a Carlos, astrónomo solitario en lo alto de un armario. La flauta nueva, por lo demás, había salido de su estuche en una habitación tapizada de colchones, como celda de locos, para que los vecinos no se enteraran. Allí, sesgada la cara ante el atril, parado en medio de partituras caídas a la alfombra, el joven se entregaba a largos conciertos nocturnos que iban mejorando su sonido y su destreza, cuando no se dejaba llevar por el antojo de tocar danzas rústicas en un pífano de reciente adquisición. A menudo, enternecidos unos con otros, juraban los adolescentes que nunca se separarían. Sofía, a quien las monjas habían inculcado un temprano horror a la naturaleza del varón, se enojaba cuando Esteban, por broma —y acaso para ponerla a prueba—, le hablaba de un matrimonio futuro, bendecido por una caterva de niños. Un «marido», traído a aquella casa, era considerado de antemano como una abominación —un atentado a la carne tenida por una propiedad sagrada, común a todos, y que debía permanecer intacta. Juntos viajarían y juntos conocerían el vasto mundo. El Albacea se las entendería del mejor modo con las «porquerías que tan mal olían tras de la pared medianera». Se mostraba muy propicio, por lo demás, a sus proyectos de viaje, asegurándoles que a todas partes les seguirían cartas de crédito. «Hay que ir a Madrid —decía— para ver la Casa de Correos y la cúpula de San Francisco el Grande, que tales maravillas de la arquitectura no se conocen por acá». En este siglo, la rapidez de los medios de comunicación había abolido las distancias. De los jóvenes dependía decidirse, cuando se llegara al término de las incontables misas pagadas por el eterno descanso del padre —a las que acudían Sofía y Carlos, cada domingo, sin haberse acostado todavía, yendo a pie, por calles aún desiertas, hasta la iglesia del Espíritu Santo. Por lo pronto, no se resolvían a acabar de abrir las cajas y fardos, y colocar los muebles nuevos; la tarea los abrumaba de antemano, y más a Esteban, a quien la enfermedad vedaba todo esfuerzo físico. Además, una madrugadora invasión de tapiceros, barnizadores y gente extraña hubiera roto con sus costumbres, ajenas a los horarios comunes. Levantábase temprano quien iniciara su jornada a las cinco de la tarde, para recibir a don Cosme, más paternal y obsequioso que nunca en cuanto a hacer encargos, brindarse para conseguir lo que se quisiera, pagar lo que fuese. Los negocios del almacén andaban de maravillas, decía, y siempre se preocupaba por que Sofía tuviese el dinero sobrado para llevar el tren de la casa. La encomiaba por haber asumido responsabilidades maternas, velando por los varones, y arrojaba, de paso, una leve pero certera saeta a las religiosas que inducen a las jóvenes distinguidas a enclaustrarse para poner la mano sobre sus bienes —y podía tenerse conciencia de ello sin dejar de ser un magnífico cristiano. El visitante se marchaba con una reverencia, asegurando que, por ahora, la presencia de Carlos era innecesaria en el negocio, y regresaban los demás a sus posesiones y laberintos, donde todo respondía a la nomenclatura de un código secreto. Tal montón de cajas en trance de derrumbarse era «La Torre Inclinada»; el cofre que hacía de puente, puesto sobre dos armarios, era «El Paso de los Druidas». Quien hablara de Irlanda se refería al rincón del arpa; quien mencionaba el Carmelo designaba la garita, hecha con biombos a medio abrir, donde Sofía solía aislarse para leer escalofriantes novelas de misterio. Cuando Esteban echaba a andar sus aparatos de física, se decía que trabajaba el Gran Alberto. Todo era transfigurado por un juego perpetuo que establecía nuevas distancias con el mundo exterior, dentro del arbitrario contrapunto de vidas que transcurrían en tres planos distintos: el plano terrestre, donde operaba Esteban, poco aficionado a las ascensiones a causa de su enfermedad, pero siempre envidioso de quien, como Carlos, podía saltar de caja en caja —allá en las cimas—, se colgaba de los tirantes del alfarje o se mecía en una hamaca veracruzana colgada de las vigas del cielo raso, en tanto que Sofía llevaba su existencia en una zona intermedia, situada a unos diez palmos del suelo, con los tacones al nivel de las sienes de su primo, trasegando libros a distintos escondrijos que llamaba «sus cubiles», donde podía repantigarse a gusto, desabrocharse, correrse las medias, recogiéndose las faldas hasta lo alto de los muslos cuando tenía demasiado calor... Por lo demás, la cena del alba tenía lugar, a la luz de candelabros, en un comedor invadido por los gatos, donde, por reacción contra la tiesura siempre observada en las comidas familiares, los adolescentes se portaban como bárbaros, trinchando a cual peor, arrebatándose el buen pedazo, buscando oráculos en los huesecillos de las aves, disparándose patadas bajo la mesa, apagando las velas, de repente, para robar un pastel del plato de otro, desgalichados, sesgados, mal acodados. Quien estaba desganado comía haciendo solitarios o castillos de naipes; quien andaba de mal talante, traía su novela.

Cuando Sofía era víctima de una conjura de los varones para zaherirla en algo, se daba a largar palabrotas de arriero; pero en su boca la interjección canallesca cobraba una sorprendente castidad, despojándose de su sentido original para hacerse expresión de desafío —desquite de tantas y tantas comidas conventuales, tomadas con los ojos fijos en el plato, después de rezarse el Benedicite. «¿Dónde aprendiste eso?», le preguntaban los otros, riendo. «En el lupanar», contestaba ella, con la naturalidad de quien hubiese estado. Al fin, cansados de portarse mal, de atropellar la urbanidad, de hacer carambolas con nueces sobre el mantel manchado por una copa derramada, se daban las buenas noches al amanecer, llevando todavía a sus cuartos una fruta, un puñado de almendras, un vaso de vino, en un crepúsculo invertido que se llenaba de pregones y maitines.

IV

Siempre sucede.
GOYA

Transcurrió el año del luto y se entró en el año del medio luto sin que los jóvenes, cada vez más apegados a sus nuevas costumbres, metidos en inacabables lecturas, descubriendo el universo a través de los libros, cambiaran nada en sus vidas. Seguían en el ámbito propio, olvidados de la ciudad, desatendidos del mundo, enterándose casualmente de lo que ocurría en la época por algún periódico extranjero que les llegaba con meses de retraso. Oliéndose la presencia de «buenos partidos» en la mansión cerrada, algunas gentes de condición habían tratado de acercárseles mediante invitaciones diversas, aparentemente condolidas de que aquellos huérfanos vivieran tan solos; pero sus amistosas gestiones se topaban con frías evasivas. Tomaban el luto como socorrido pretexto para permanecer al margen de todo compromiso u obligación, ignorantes de una sociedad que, por sus provincianos prejuicios, pretendía someter las existencias a normas comunes, paseando a horas fijas por los mismos lugares, merendando en las mismas confiterías de moda, pasando las Navidades en los ingenios de azúcar, o en aquellas fincas de Artemisa, donde los ricos hacendados rivalizaban en parar estatuas mitológicas a la orilla de las vegas de tabaco... Se salía de la estación de las lluvias, que había llenado las calles de nuevos lodos, cuando una mañana en el medio sueño de su incipiente noche, Carlos oyó sonar reciamente la aldaba de la puerta principal. El hecho no le hubiera atraído la atención, si, pocos momentos después, no hubiesen llamado a la puerta cochera, y después a todas las demás puertas de la casa, regresando la mano impaciente al punto de partida, para volver a atronar luego las otras puertas por segunda y tercera vez. Era como si una persona empeñada en entrar girara en torno a la casa, buscando algún lugar por donde colarse —y esa impresión de que giraba se hacía tanto más fuerte por cuanto las llamadas repercutían donde no había salida a la calle, en ecos que corrían por los rincones más retirados. Por ser Sábado de Gloria y día feriado, el almacén —recurso de visitantes que deseaban información— estaba cerrado. Remigio y Rosaura debían estar en la misa de Resurrección o de compras en el mercado, puesto que no respondían. «Ya se cansará», pensó Carlos, metiendo la cabeza en la almohada. Pero, al advertir que seguían los golpes, acabó por echarse una bata encima, iracundo, y bajar al zaguán. Se asomó a la calle en lo justo para divisar a un hombre que doblaba la esquina más próxima, con paso presuroso, llevando un enorme paraguas. En el suelo había una tarjeta, deslizada bajo los batientes:

VICTOR HUGUES

Negociant

a

Port-au-Prince

Después de maldecir al personaje desconocido, Carlos volvió a acostarse, sin pensar más en él. Al despertar, sus ojos se toparon con la cartulina, extrañamente teñida de verde por un último rayo de sol que atravesaba el verde cristal de una luceta. Y estaban «los pequeños» reunidos entre las cajas y envoltorios del Salón, entregado el Gran Alberto a sus trabajos de física, cuando la misma mano de la mañana levantó las aldabas de la casa. Serían acaso las diez de la noche, hora temprana para ellos, pero tardía para los hábitos de la ciudad. Un miedo repentino se apoderó de Sofía: «No podemos recibir aquí a una persona extraña», dijo, reparando, por vez primera, en la singularidad de cuanto había venido a constituirse en el marco natural de su existencia. Además, aceptar a un desconocido en el laberinto familiar hubiese sido algo como traicionar un secreto, entregar un arcano, disipar un sortilegio. «¡No abras, por Dios!», imploró a Carlos, que ya se levantaba con enojada expresión. Pero era demasiado tarde: Remigio, sacado de un primer sueño por la aldaba de la puerta cochera, introducía al forastero, alzando un candelabro. Era un hombre sin años —acaso tenía treinta, acaso cuarenta, acaso muchos menos—, de rostro detenido en la inalterabilidad que comunican a todo semblante los surcos prematuros marcados en la frente y las mejillas por la movilidad de una fisonomía adiestrada en pasar bruscamente —y esto se vería desde las primeras palabras— de una extrema tensión a la pasividad irónica, de la risa irrefrenada a una expresión voluntariosa y dura, que reflejaba un dominante afán de imponer pareceres y convicciones. Por lo demás, su cutis muy curtido por el sol, el pelo peinado a la despeinada, según la moda nueva, completaban una saludable y recia estampa. Sus ropas ceñían demasiado un torso corpulento y dos brazos hinchados de músculos, bien llevados por sólidas piernas, seguras en el andar. Si sus labios eran plebeyos y sensuales, los ojos, muy oscuros, le relumbraban con imperiosa y casi altanera intensidad. El personaje tenía empaque propio, pero, de primer intento, lo mismo podía suscitar la simpatía que la aversión. («Tales gañanes —pensó Sofía— sólo pueden golpear una casa cuando quieren entrar en ella.») Después de saludar con una engolada cortesía que mal podía hacer olvidar la descortesía de sus insistentes y estrepitosas llamadas, el visitante comenzó a hablar rápidamente, sin dejar espacio para una observación, declarando que tenía cartas para el padre, de cuya inteligencia le habían dicho maravillas; que los tiempos eran de nuevos tratos y nuevos intercambios; que los negociantes de aquí, con su derecho al libre comercio, debían relacionarse con los de otras islas del Caribe; que traía el modesto regalo de unas botellas de vino, de una calidad ignorada en la plaza; que... Al recibir la noticia, gritada por los tres, de que el padre estaba muerto y enterrado desde hacía mucho tiempo, el forastero —que se expresaba en una graciosa jerga, un tanto española y bastante francesa, entreverada de locuciones inglesas— se detuvo con un «¡Oh!» condolido, tan decepcionado, tan atravesado en su impulso verbal, que los demás, sin reparar en que era vergonzoso reír en aquel instante, prorrumpieron en una carcajada. Todo había sido tan rápido, tan inesperado, que el negociante de Port-au-Prince, caído en desconcierto, unió su risa a la de los demás. Un «¡Por Dios!» de Sofía, vuelta a la realidad, estiró los rostros. Pero la tensión de ánimo había caído. El visitante pasaba adelante sin haber sido invitado a ello, y como sin sentir extrañeza ante el cuadro de desorden ofrecido por la casa, ni por el raro atuendo de Sofía que, por divertirse, se había puesto una camisa de Carlos cuyos faldones le llegaban a las rodillas. Dio un capirotazo de experto a la porcelana de un jarrón, acarició la Botella de Leyden, alabó la factura de una brújula, hizo girar el tornillo de Arquímedes, mascullando algo acerca de las palancas que levantan el mundo, y empezó a hablar de sus viajes, iniciados como grumete en el puerto de Marsella, donde su padre —y a mucha honra lo tenía— había sido maestro panadero. «Los panaderos son muy útiles a la sociedad», comentó Esteban, complacido ante un extranjero que, al pisar estas tierras, no alardeaba de alcurnia. «Más vale empedrar caminos que hacer flores de porcelana», apuntó el otro, con una cita clásica, antes de hablar de su nodriza martiniqueña, negra, de las negras de verdad, que había sido como una anunciación de sus rumbos futuros, pues, aunque soñara en la adolescencia con los caminos del Asia, todos los barcos que lo aceptaban a bordo iban a parar a las Antillas o al Golfo de México. Hablaba de las selvas de coral de las Bermudas; de la opulencia de Baltimore; del Mardi-Gras de la Nueva Orleáns, comparable al de París; de los aguardientes de berro y hierbabuena de la Veracruz, antes de descender hasta el Golfo de Paria, pasando por la Isla de las Perlas y la remota Trinidad. Elevado a piloto, había llegado hasta la lejana Paramaribo, ciudad que bien podía ser envidiada por muchas que se daban ínfulas —y señalaba el suelo—, ya que tenía anchas avenidas sembradas de naranjos y limoneros, en cuyos troncos se encajaban conchas de mar para mayor adorno. Dábanse magníficos bailes a bordo de los buques extranjeros anclados al pie del Fuerte Zelandia, y allá las holandesas —decía, con un guiño dirigido a los varones— eran pródigas en hacer favores. Todos los vinos y licores del mundo se cataban en aquella tornasolada colonia, cuyos festines eran servidos por negras enjoyadas de ajorcas y collares, vestidas con faldas de tela de Indias, y alguna blusa ligera, casi transparente, ceñida al pecho estremecido y duro —y para aquietar a Sofía, que ya arrugaba el ceño ante la imagen, la dignificó oportunamente con la cita de un verso francés alusivo a las esclavas persas que llevaban un parecido atuendo en el palacio de Sardanápalo. «Gracias», dijo la joven entre dientes, aunque reconociendo la habilidad del quite. Por lo demás —proseguía el otro, cambiando de latitud— las Antillas constituían un archipiélago maravilloso, donde se encontraban las cosas más raras: áncoras enormes abandonadas en playas solitarias; casas atadas a la roca por cadenas de hierro, para que los ciclones no las arrastraran hasta el mar; un vasto cementerio sefardita en Curazao; islas habitadas por mujeres que permanecían solas durante meses y años, mientras los hombres trabajaban en el Continente; galeones hundidos, árboles petrificados, peces inimaginables; y, en la Barbados, la sepultura de un nieto de Constantino XI, último emperador de Bizancio, cuyo fantasma se aparecía, en las noches ventosas, a los caminantes solitarios... De pronto Sofía preguntó al visitante, con gran seriedad, si había visto sirenas en los mares tropicales. Y, antes de que el forastero contestara, la joven le mostró una página de *Las delicias de Holanda,* viejísimo libro donde se contaba que alguna vez después de una tormenta que había roto los diques de West-Frise, apareció una mujer marina, medio enterrada en el lodo. Llevada a Harlem, la vistieron y la enseñaron a hilar. Pero vivió durante varios años sin aprender el idioma, conservando siempre un instinto que la llevaba hacia el agua. Su llanto era como la queja de una persona moribunda... Nada desconcertado por la noticia, el visitante habló de una sirena hallada, años antes, en el Maroní. La había descrito un Mayor Archicombie, militar muy estimado, en un informe elevado a la Academia de Ciencias de París: «Un mayor inglés no puede equivocarse», añadió, con casi engorrosa seriedad. Carlos, advirtiendo que el visitante acababa de ganar algunos puntos en la estimación de Sofía, hizo regresar la conversación al tema de los viajes. Pero sólo faltaba hablar de Basse-Terre, en la Guadalupe, con sus fuentes de aguas vivas y sus casas que evocaban las de Rochefort y La Rochela —¿no conocían los jóvenes Rochefort ni La Rochela?... «Eso debe ser un horror —dijo Sofía—: *Por fuerza* nos detendremos unas horas en tales sitios cuando vayamos a París. Mejor háblenos de París, que usted, sin duda, conoce palmo a palmo.» El forastero la miró de reojo y, sin responder, narró cómo había ido de la Pointe-à-Pitre a Santo Domingo con el objeto de abrir un comercio, estableciéndose finalmente en Port-au-Prince, donde tenía un próspero almacén: un almacén con muchas mercancías, pieles, salazones («¡Qué espanto!», exclamó Sofía), barricas, especias —«más o menos *comme le vôtre*», subrayó el francés arrojándose el pulgar por sobre el hombro, hacia la pared medianera, con gesto que la joven consideró como el colmo de la insolencia: «Este no lo atendemos nosotros», observó. «No sería trabajo *fácil* ni *descansado*», replicó el otro, pasando en seguida a contar que venía de Boston, centro de grandes negocios, magnífico para conseguir harina de trigo a mejor precio que el de Europa. Esperaba ahora un gran cargamento, del que vendería una parte en la plaza, mandando el resto a Port-au-Prince. Carlos estaba por despedir cortésmente a aquel intruso que, después del interesante introito autobiográfico, derivaba hacia el odiado tema de las compra-ventas, cuando el otro, levantándose de la butaca como si en casa propia estuviera, fue hacia los libros amontonados en un rincón. Sacaba un tomo, manifestando enfáticamente su contento cuando el nombre de su autor podía relacionarse con alguna teoría avanzada en materia de política o religión: «Veo que están ustedes muy *au courant*», decía ablandando la resistencia de los demás. Pronto le mostraron las ediciones de sus autores predilectos, a las que palpaba el forastero con deferencia, oliendo el grano del papel y el becerro de las encuadernaciones. Luego se acercó a los trastos del Gabinete de Física, procediendo a armar un aparato cuyas piezas yacían, esparcidas, sobre varios muebles: «Esto también sirve para la navegación», dijo. Y como mucho era el calor, pidió permiso para ponerse en mangas de camisa, ante el asombro de los demás, desconcertados por verlo penetrar con tal familiaridad en un mundo que, esta noche, les parecía tremendamente insólito al erguirse, junto al «Paso de los Druidas» o «La Torre Inclinada», una presencia extraña. Sofía estaba por invitarlo a comer, pero la avergonzaba revelarle que en la casa se almorzaba a medianoche con manjares propios del mediodía, cuando el forastero, ajustando un cuadrante cuyo uso había sido un misterio hasta entonces, hizo un guiño hacia el comedor, donde la mesa estaba servida desde antes de su llegada. «Traigo *mis* vinos», dijo. Y buscando las botellas que al entrar había dejado en un banco del patio, las colocó aparatosamente sobre el mantel invitando a los demás a tomar asiento. Sofía estaba nuevamente escandalizada ante el desparpajo de aquel intruso que se otorgaba, en la casa, atribuciones de *pater familias*. Pero ya los varones probaban un mosto alsaciano con tales muestras de agrado que, pensando en el pobre Esteban —había estado muy enfermo últimamente y mucho parecía divertirse con el visitante—, adoptó una actitud de señora estirada y cortés, pasando las bandejas a quien llamaba «Monsieur Jiug» con silbado acento, «*Huuuuuuug*» enderezada el otro, poniendo un circunflejo verbal en cada «u» para cortar bruscamente en la «g», sin que Sofía enmendara la pronunciación. Más que enterada de cómo sonaba el apellido, se gozaba malignamente en deformarlo cada vez más en «Iug», «Juk», «Ugües», acabando por armar trabalenguas que terminaban en risas sobre las pastas y mazapanes de Semana Santa, traídos por Rosaura, los cuales hicieron recordar a Esteban, de pronto, que se estaba en Sábado de Gloria. «*Les cloches! Les cloches!*» —exclamó el convidado con fuerza, señalando a lo alto, con un índice irritado para significar que demasiado habían sonado las esquilas y esquilones de la ciudad durante la mañana. Fue luego por otra botella —esta vez de Arbois— que los mozos, algo achispados, acogieron con alborotosa alegría, haciendo el gesto de bendecirla. Vaciadas las copas, salieron al patio. «¿Qué hay arriba?» —preguntó monsieur Jiug, yendo hacia la ancha escalera. Y ya estaba en el otro piso, después de escalar los peldaños a dobles trancos, asomado a la galería bajo tejado, entre cuyas columnas corría un barandal de madera. «Como se atreva a entrar en mi cuarto lo saco a patadas», murmuró Sofía. Pero el desenfadado visitante se acercó a una última puerta, entornada, cuya hoja empujó levemente. «Esto es como un desván», dijo Esteban. Y era él quien entraba ahora, con la luz en alto, en un viejo salón que no visitaba desde hacía años. Varios baúles, cajas, arcones y valijas de viaje estaban arrimados a las paredes, con una ordenación que establecía un cómico contraste si se pensaba en el desorden que reinaba abajo. Al fondo, había un armario de sacristía, cuya madera llamó la atención de monsieur Jiug por el esplendor de sus nervaduras: «Sólido... Hermoso». Para que la solidez pudiera palparse, Sofía abrió el mueble, mostrando el grosor del batiente. Pero ahora estaba más interesado el forastero por los trajes viejos que colgaban de una varilla metálica: ropas que habían pertenecido a miembros de la familia materna, edificadora de la casa; al académico, al prelado, al alférez de navío, al magistrado; vestidos de abuelas, rasos desteñidos, levitas austeras, encajes de baile, disfraces de un día: de pastora, de echadora de cartas, de princesa incaica, de dama antañona. «¡Magnífico para representar personajes!», exclamó Esteban. Y concertados repentinamente en una misma idea, empezaron a sacar aquellas polvorientas reliquias, en un gran revuelo de polillas, haciéndolas resbalar, escaleras abajo, sobre el pasamanos de caoba encerada. Poco después, en el Gran Salón transformado en teatro, alternando en representar y adivinar, los cuatro se dieron, por turno, a interpretar papeles diversos: bastaba con trastocar las prendas, modificar sus formas con alfileres, admitir que una dormilona era un peplo romano o una túnica antigua, para caracterizar a un héroe de la historia o de la novela, con ayuda de alguna escarola transformada en corona de laurel, una pipa a modo de pistola, un bastón al cinto remedando la espada. Monsieur Jiug, evidentemente afecto a la antigüedad, hizo de Mucio Scévola, de Cayo Graco, de Demóstenes —un Demóstenes prestamente identificado cuando se le vio salir al patio en busca de piedrecitas. Carlos, con flauta y tricornio de cartón, fue reconocido por Federico de Prusia, aunque mucho se empeñara en demostrar que había querido representar al flautista Quantz. Esteban, con una rana de juguete traída de su cuarto, remedó los experimentos de Galvani —terminando ahí su actuación, porque el polvo de las ropas le hacía estornudar peligrosamente. Sofía, barruntándose que monsieur Jiug era poco versado en cosas españolas, se encarnizaba malignamente en hacer de Inés de Castro, Juana la Loca o la Ilustre Fregona, acabando por afearse en lo posible, torciendo la cara, embobando la expresión, para animar un personaje inidentificable que resultó ser, en medio de las protestas de los demás, «cualquier infanta de Borbón». Cuando el alba estuvo próxima, Carlos propuso la celebración de una «gran massacre». Colgando los trajes con delgados hilos de un alambre tendido entre los troncos de palmeras, luego de ponerles grotescas caras de papel pintado, se dieron todos a derribarlos a pelotazos. «¡Al desbocaire!», gritaba Esteban, dando la voz de acometida. Y caían prelados, caían capitanes, caían damas de corte, caían pastores, en medio de risas que, lanzadas a lo alto por la angostura del patio, podían oírse en toda la calle... El día los sorprendió en aquello, insaciados de jugar, arrojando pisapapeles, cazuelas, macetas, tomos de enciclopedia, a los trajes que las pelotas no hubiesen podido derribar, entregados a la más alegre furia: «¡Al desbocaire! —gritaba Esteban—: ¡Al desbocaire!»... Remigio, al fin, se vio requerido para sacar el coche y llevar al visitante al hotel cercano. El francés se despidió con grandes protestas de afecto, prometiendo volver a la noche. «Es todo un personaje», dijo Esteban. Pero ahora tenían los otros que vestirse de negro para ir a la iglesia del Espíritu Santo, donde se decía otra misa por el eterno descanso del padre. «¿Y si no fuésemos? —propuso Carlos, bostezando—: La misa se dirá de todos modos.» «Iré yo sola», dijo Sofía, severamente. Pero al cabo de alguna vacilación, buscando excusas en la inminencia de una indisposición muy normal, corrió las cortinas de su habitación y se metió en la cama.

V

Víctor, como ya lo llamaban, venía todas las tardes a la casa, revelándose hábil en los más inesperados menesteres. Una noche le daba por meter las manos en la artesa y amasaba medias lunas que demostraban su dominio del arte de la panadería. Otras veces liaba miríficas salsas, usando de los ingredientes menos aptos para combinarse. Transfiguraba una carne fría en plato moscovita, valiéndose del hinojo y la pimienta molida y añadía vino hirviente y especias a cualquier condumio, bautizándolo con nombres pomposos, inspirados en el recuerdo de cocineros ilustres. El descubrimiento del *Arte Scisoria* del Marqués de Villena, entre varios libros raros recibidos de Madrid, determinó una semana de aderezos medievales, donde cualquier solomo hacía figura de pieza de alta venatoria. Acababa de armar, por otra parte, los más complicados aparatos del Gabinete de Física —ya funcionaban casi todos—, ilustrando teorías, analizando el espectro, echando chispas de buen ver, disertando acerca de ellos en aquel pintoresco castellano adquirido en sus andanzas por el Golfo de México y las islas del Caribe que se enriquecía de palabras y giros con cotidiana facilidad. A la vez, hacía practicar la pronunciación francesa a los jóvenes, haciéndoles leer una página de novela o, mejor aún, alguna comedia repartida a varias voces, como en el teatro. Y muchas eran las risas de Sofía cuando Esteban, en un crepúsculo que era amanecer para ella, declamaba, con un marcado acento meridional debido a su maestro, los versos de *Le Joueur*:

Il est, parbleu, grand jour. Déjà de leur ramage
Les coqs ont eveillé tout notre voisinage.

Una noche de mal tiempo, Víctor fue invitado a quedarse en una de las habitaciones. Y cuando los demás se levantaron al siguiente atardecer, faltando poco para que ya guardaran los gallos del vecindario las cabezas bajo el ala, se encontraron con un espectáculo increíble: despechugado, con la camisa rota, sudoroso como un negro de estiba, terminaba el francés de sacar lo que durante tantos meses hubiera permanecido medio embalado en las cajas, ordenando a su antojo los muebles, tapicerías y jarrones, con la ayuda de Remigio. La primera impresión fue desconcertante y melancólica. Toda una escenografía de sueños se venía abajo. Pero, poco a poco, empezaron los adolescentes a gozarse con aquella inesperada transformación, hallando más anchos los espacios, más claras las luces —descubriendo la mullida hondura de una butaca, la fina taracea de un aparador, los cálidos matices del Coromandel. Sofía iba de una estancia a otra, como en casa nueva, mirándose en espejos desconocidos que puestos frente por frente multiplicaban sus imágenes hasta lejanías neblinosas. Y como ciertos rincones estaban afeados por la humedad, Víctor, subido en lo alto de una escalera de mano, daba pintura aquí y allá, salpicándose las cejas y las mejillas. Poseídos por un repentino furor de arreglarlo todo, los demás se arrojaron sobre lo que quedaba en las cajas, desenrollando alfombras, desplegando cortinas, sacando porcelanas del serrín, tirando al patio cuanto hallaban roto —y sintiendo, tal vez, no encontrar más cosas rotas para estrellarlas en la pared medianera. Hubo Cena de Gran Cubierto, aquella madrugada, en el comedor que fue imaginariamente situado en Viena, por aquello de que Sofía, desde hacía algún tiempo, era aficionada a leer artículos que alababan los mármoles, cristalerías y rocallas de la ciudad, musical como ninguna, puesta bajo la advocación de San Esteban, patrón de quien hubiese nacido un 26 de diciembre... Después se dio un Baile de Embajadores frente a las lunas biseladas del salón, al sonido de la flauta de Carlos, a quien importaba poco, en tan excepcional celebración, lo que pensarían los vecinos. Se sirvieron bandejas de un ponche con espumas espolvoreadas de canela, preparado por el Consejero del Trono, en tanto que Esteban, oficiando de Delfín displicente y condecorado, observaba que todos bailaban a cual peor en aquella fiesta —Víctor, porque se zarandeaba como marino en cubierta; Sofía, porque las monjas no enseñaban a bailar; Carlos, porque girando al compás de su propia música, parecía un autómata montado en su eje. «¡Al desbocaire!», gritaba Esteban, bombardeándolos con avellanas y grajeas. Pero mal le fue al Delfín en sus chanzas, pues, de súbito, los silbidos de su tráquea señalaron el comienzo de una crisis. En minutos, su rostro fue arrugado, avejentado, por un rictus de sufrimiento. Ya se le hinchaban las venas del cuello y apartaba las rodillas a más no poder, volviendo los codos adelante para empinarse de hombros, reclamando un aire que no encontraba en la vastedad de la casa... «Habría que llevarlo adonde no hiciera tanto calor», dijo Víctor. (Sofía nunca había pensado en eso. Cuando el padre vivía, tan austero como era, jamás hubiera tolerado que alguien saliese de la casa después de la hora del rosario.) Tomando al asmático en brazos, Víctor lo llevó al coche, en tanto que Carlos descolgaba la collera y los arreos del caballo. Y por primera vez se vio Sofía fuera, entre mansiones que la noche acrecía en honduras, altura de columnas, anchura de tejados cuyas esquinas empinaban el alero sobre rejas rematadas por una lira, una sirena, o cabezas cabrunas silueteadas por el hierro en algún blasón lleno de llaves, leones y veneras de Santiago. Desembocaron en la Alameda, donde algunos faroles quedaban encendidos. Extrañamente desierta lucía, con sus comercios cerrados, sus arcadas en sombras, la fuente muda y los fanales de las naves mecidas en las copas de los mástiles, que, con apretazón de selva, se alzaban tras del malecón. Sobre el rumor del agua mansa, rota por el pilotaje de los muelles, trashumaba un olor de pescado, aceites y podredumbres marinas. Sonó un reloj de cuclillo en alguna casa dormida y cantó la hora el sereno, dando el cielo, en su pregón, por claro y despejado. Al cabo de tres vueltas lentas, Esteban hizo un gesto que expresaba su deseo de ir más lejos. Enfilóse el coche hacia el Astillero, donde los barcos en construcción, elevando el costillar en las cuadernas, remedaban enormes fósiles. «Por ahí no», dijo Sofía, viendo que ya se estaba más allá de los diques y que atrás quedaban las osamentas de buques, en todo esto que se iba poblando de gente con feas cataduras. Víctor, sin hacer caso, castigó levemente las ancas del caballo con el fuete. Cerca había luces. Y al doblar una esquina se vieron en una calle alborotada de marineros donde varias casas de baile, con ventanas abiertas, rebosaban de músicas y de risas. Al compás de tambores, flautas y violines, bailaban las parejas con un desaforo que encendió las mejillas de Sofía, escandalizada, muda, pero sin poder desprender la vista de aquella turbamulta entre paredes, dominada por la voz ácida de los clarinetes. Había mulatas que arremolinaban las caderas, presentándose de grupa a quien las seguía, para huir prestamente del desgajado ademán cien veces provocado. En un tablado, una negra de faldas levantadas sobre los muslos, taconeaba el ritmo de una guaracha que siempre volvía al intencionado estribillo de *¿Cuándo, mi vida, cuándo?* Mostraba una mujer los pechos por el pago de una copa, junto a otra, tumbada en una mesa, que arrojaba los zapatos al techo, sacando los muslos del refajo. Iban hombres de todas trazas y colores hacia el fondo de las tabernas, con alguna mano calada en masa de nalgas. Víctor, que sorteaba los borrachos con habilidad de cochero, parecía gozarse de aquel innob'e barullo, identificando a los norteamericanos por el modo de tambalearse, a los ingleses por sus canciones, a los españoles porque cargaban el tinto en botas y porrones. En la entrada de un barracón, varias rameras se prendían de los transeúntes, dejándose pa'par, enlazar, sopesar; una de ellas, derribada en un camastro por el peso de un coloso barbinegro, no había tenido el tiempo, siquiera, de cerrar la puerta. Otra desnudaba a un flaco grumete demasiado ebrio para entendérselas con su ropa. Sofía estaba a punto de gritar de asco, de indignación, pero más aún por Carlos y por Esteban que por ella misma. Aquel mundo le era tan ajeno que lo miraba como una visión infernal, sin relación con los mundos conocidos. Nada tenía que ver con las promiscuidades de aquel atracadero de gente sin fe ni ley. Pero advertía, en la expresión de los varones, algo turbio, raro, expectante —por no decir aquiescente— que la exasperaba. Era como si «eso» no les repugnara tan profundamente como a ella; como si hubiese entre sus sentidos y aquellos cuerpos ajenos a los del universo normal un asomo de entendimiento. Imaginó a Esteban, a Carlos, en aquel baile, en aquella casa, revolcados en los catres, confundiendo sus limpios sudores con las densas exudaciones de aquellas hembras... Parándose en el coche, arrancó el fuete a Víctor y descargó tal latigazo hacia delante, que el caballo echó a galopar en un salto, derribando las pailas de una mondonguera con la barra del tiro. Derramáronse el aceite hirviente, la pescadilla, los bollos y empanadas, levantando los aullidos de un perro escaldado que se revolcaba en el polvo, acabando de desollarse con vidrios rotos y espinas de pargo. Un tumulto cundió en toda la calle. Y eran varias negras las que ahora corrían detrás de ellos en la noche, armadas de palos, cuchillos y botellas vacías, arrojando piedras que rebotaban en los techos, arrastrando pedazos de tejas al caer de los aleros. Y fueron luego tales insultos, al ver alejarse el coche, que casi movían a risa por exhaustivos, por insuperables, en la blasfemia y lo procaz. «Las cosas que tiene que oír una señorita», dijo Carlos, cuando regresaron a la Alameda por un rodeo.

Al llegar a la casa, Sofía desapareció en sus sombras, sin dar las buenas noches.

Víctor se presentó, como de costumbre, al atardecer. Después de un alivio momentáneo, la crisis de Esteban había ido en ascenso durante todo el día, alcanzando tales paroxismos que se pensaba ya en llamar a un médico —resolución de excepcional gravedad en la casa, ya que el enfermo, escarmentado por numerosas experiencias, sabía que las recetas de botica, cuando eran de algún efecto, sólo empeoraban su estado. Colgado de su reja, de cara al patio, el adolescente, en su desesperación, se había despojado de toda ropa. Con las costillas, las clavículas, sacadas en tales relieves que parecía tenerlas fuera de la piel, su cuerpo hacía pensar en ciertos yacentes de sepulcros españoles, vaciados de entrañas, reducidos al cuero tenso sobre una armazón de huesos. Vencido en la lucha por respirar, Esteban se dejó caer sobre el piso, adosado a una pared, de cara morada, las uñas casi negras, mirando a los demás con ojos moribundos. El pulso desbocado le daba embates por las venas. Su persona estaba untada de una pasta cerosa, en tanto que la lengua, sin hallar saliva, presionaba unos dientes que empezaban a bambolearse sobre encías blancas... «¡Hay que hacer algo! —gritó Sofía—: ¡Hay que hacer algo...!» Víctor, después de algunos minutos de aparente indiferencia, como movido por una difícil decisión, pidió el coche, anunciando que iba por Alguien que podía valerse de poderes extraordinarios para vencer la enfermedad. Volvió al cabo de media hora, en compañía de un mestizo de recia catadura, vestido con marcada elegancia, a quien presentó como el Doctor Ogé, médico notable y distinguido filántropo, conocido por él en Port-au-Prince. Sofía se inclinó levemente ante el recién llegado, sin darle la mano. Bien podía presumir de la relativa claridad de su tez: era como una piel postiza, adherida a un semblante de los de anchas narices y pelo macisamente ensortijado. Quien fuera negro, quien tuviese de negro, era, para ella, sinónimo de sirviente, estibador, cochero o músico ambulante —aunque Víctor, advertido el gesto displicente, explicara que Ogé, vástago de una acomodada familia de Saint-Domingue, había estudiado en París y tenía títulos que acreditaban su sapiencia. Lo cierto era que su vocabulario era rebuscadamente escogido —usando de giros añejos, desusados, cuando hablaba el francés; haciendo un excesivo distingo entre las «cés» y las «zetas», cuando hablaba el castellano—, y que sus modales denotaban una constante vigilancia de la propia urbanidad. «Pero... ¡es un negro!», cuchicheó Sofía, con percutiente aliento, al oído de Víctor. «Todos los hombres nacieron iguales», respondió el otro, apartándola con un leve empellón. El concepto acreció su resistencia. Si bien ella admitía la idea como especulación humanitaria, no se resolvía a aceptar que un negro pudiese ser médico de confianza, ni que se entregara la carne de un pariente a un individuo de color quebrado. Nadie encomendaría a un negro la edificación de un palacio, la defensa de un reo, la dirección de una controversia teológica o el gobierno de un país. Pero Esteban, estertorando, llamaba con tal desesperación que fueron todos a su cuarto. «Dejen trabajar al médico —dijo Víctor, perentoriamente—. Hay que acabar como sea con esta crisis». El mestizo, sin mirar al enfermo, sin reconocerlo ni tocarlo, permanecía inmóvil, olfateando el aire de modo singular. «No sería la primera vez que ocurre», dijo al cabo de un rato. Y alzaba los ojos hacia un pequeño ojo de buey abierto en la espesura de la pared, arriba, entre dos de las vigas que sostenían el techo. Preguntó lo que habría detrás del muro. Carlos recordó que ahí existía un angosto traspatio, muy húmedo, lleno de muebles rotos y trastos inservibles, pasillo descubierto. separado de la calle por una estrecha verja cubierta de enredaderas, por el que nadie pasaba desde hacía muchos años. El médico insistió en ser llevado allá. Después de dar un rodeo por el cuarto de Remigio, que estaba fuera en busca de alguna pócima, abrieron una puerta chirriante, pintada de azul. Lo que pudo verse entonces fue muy sorprendente: sobre dos largos canteros paralelos crecían perejiles y retamas, ortiguillas, sensitivas y hierbas de traza silvestre, en torno a varias matas de reseda, esplendorosamente florecidas. Como expuesto en altar, un busto de Sócrates que Sofía recordaba haber visto alguna vez en el despacho de su padre, cuando niña, estaba colocado en un nicho, rodeado de extrañas ofrendas, semejantes a las que ciertas gentes hechiceras usaban en sus ensalmos: jícaras llenas de granos de maíz, piedras de azufre, caracoles, limaduras de hierro. «*C'est-ça*», dijo Ogé, contemplando el minúsculo jardín, como si mucho significara para él. Y, movido por un repentino impulso, comenzó a arrancar de raíz las matas de reseda y a amontonarlas entre los canteros. Fue luego a la cocina y, trayendo una paletada de carbones encendidos, prendió una hoguera a la que arrojó todas las vegetaciones que crecían en el angosto traspatio. «Es probable que hayamos dado con la razón del mal», dijo, entregándose a una explicación que Sofía halló semejante, en todo, a un curso de nigromancia. Según él, ciertas enfermedades estaban misteriosamente relacionadas con el crecimiento de una yerba, planta o árbol en un lugar cercano. Cada ser humano tenía un «doble» en alguna criatura vegetal. Y había casos en que ese «doble», para su propio desarrollo, robaba energías al hombre que a él vivía ligado, condenándole a la enfermedad cuando florecía o daba semillas. «*Ne souriez pas, Mademoiselle*». El había podido comprobarlo muchas veces en Saint-Domingue, donde el asma aquejaba a niños y adolescentes, y los mataba por ahogo o anemia. Pero bastaba a veces con quemar la vegetación que rodeaba al doliente —bien en la casa, bien en los alrededores— para observar sorprendentes curaciones ...«Brujerías —dijo Sofía—: tenía que ser». En esto apareció Remigio, bruscamente alterado al ver lo que pasaba. Violento, irrespetuoso, tiró su sombrero al suelo, clamando que habían quemado *sus* plantas; que las cultivaba desde hacía muchísimo tiempo para venderlas al mercado, porque eran de medicina; que le habían destruido el caisimón, aclimatado con enorme trabajo, que servía para curar todo lo que dañaba las entrepiernas del hombre, cuando la aplicación de sus hojas se acompañaba de la oración a San Hermenegildo, torturado en sus partes por el Sultán de los Sarracenos; que con lo hecho se había ofendido gravemente al señor de los bosques, aquel cuyo «retrato» con las barbas ralas que lo caracterizaban —y señalaba hacia el busto de Sócrates—

santificaba aquel lugar que nadie, en la casa, había utilizado nunca para nada. Y, echándose a llorar, terminó gimiendo que si el caballero se hubiese fiado un poco más de sus yerbas —bien se las había ofrecido, viendo que iba por mal camino, con esa última manía suya de meter mujeres en la casa, cuando Carlos estaba en la finca, Sofía en el convento, y el otro demasiado enfermo para darse cuenta de nada— no hubiera muerto como había muerto, encaramado sobre una hembra, seguramente por demasiado alardear de arrestos negados a su vejez. «¡Mañana te largas de aquí», gritó Sofía, cortando en seco con la odiosa escena, abrumada, asqueada, incapaz de entendérselas todavía con lo que resultaba una ensordecedora revelación... Regresaron al cuarto de Esteban, deplorando Carlos —que no había medido aún las implicaciones de lo dicho por Remigio— el tiempo que se había perdido en inútiles aspavientos. Pero algo asombroso ocurría al enfermo: de largos y agudos, los silbidos que le llenaban la garganta pasaban a ser intermitentes, cortándose a veces durante unos segundos. Era como si Esteban fuese tragando cada toma de aire a sorbos cortos, y con ese alivio le volvían las costillas y clavículas a su lugar, debajo y no por encima del propio contorno. «Así como hay hombres que mueren devorados por el Framboyán o por el Cardo del Viernes Santo —dijo Ogé—, éste era matado lentamente por las flores amarillas que se alimentaban de su materia». Y ahora, sentado ante el enfermo, apretándole las rodillas entre las suyas, le miraba a los ojos con imperiosa fijeza, mientras sus manos, llevando un ondulante movimiento de dedos, parecían descargarle un fluido invisible sobre las sienes. Un estupefacto agradecimiento se pintaba en la cara del paciente, cara descongestionada, que iba empalideciendo por zonas, quedándole aquí, allá, el anormal relieve de una vena azul. Cambiando de método, el médico Ogé le frotaba circularmente el arco de los ojos con la yema de los pulgares, en un movimiento paralelo de las manos. De pronto las detuvo, atrayéndolas a sí, cerrando los dedos, dejándolas suspendidas a la altura de sus propias mejillas, como si de tal modo hubiese de concluirse una acción ritual. Esteban se dejó caer, de costado, en la otomana de mimbre, vencido por un sopor repentino, sudando por todos los poros. Sofía cubrió su cuerpo desnudo con una manta. «Una tisana de ipeca y hojas de árnica cuando despierte», dijo el curandero, yendo a cuidar de la compostura de su traje ante un espejo donde halló la interrogante mirada de Sofía, que lo seguía con los ojos. Mucho de mago, de charlatán, había en sus teatrales gesticulaciones. Pero con ello se había logrado un milagro. «Mi amigo —explicaba Víctor a Carlos, mientras descorchaba una botella de vino de Portugal— pertenece a la *Sociedad de Armonía* del Cap Français». «¿Es una asociación musical?», preguntó Sofía. Ogé y Víctor se miraron, concertándose en una carcajada. La joven, enojada por aquella hilaridad inexplicable, volvió a la habitación de Esteban. El enfermo dormía pesadamente, con una respiración normal, en tanto que sus uñas recobraban algún color. Víctor la esperaba en la entrada del salón: «Los honorarios del negro», dijo en voz baja. Sofía, avergonzada del olvido, se apresuró a traer de su habitación un sobre que tendió al médico. «*Oh!, jamais de la vie!*», exclamó el mestizo, rechazando la dádiva con airado gesto, dándose a hablar de la medicina moderna, muy llevada a admitir, desde hacía algunos años, que ciertas fuerzas, aún mal estudiadas, podían actuar sobre la salud del hombre. Sofía dirigió una iracunda mirada a Víctor. Pero la mirada cayó en el vacío: el francés tenía los ojos puestos en Rosaura, la mulata, que cruzaba el patio contoneando la grupa bajo un claro vestido azul floreado. «¡Qué interesante!», murmuró la joven, como atendiendo al discurso de Ogé. «*Plaît-il?*», preguntó el otro... Una hoja de palmera cayó en medio del patio con ruido de cortina desgarrada. El viento traía olor de mar, de un mar tan cercano que parecía derramarse en todas las calles de la ciudad. «Este año tendremos ciclón», dijo Carlos, tratando, a la vista de un termómetro del Gran Alberto, de reducir grados Farenheit a Réaumur. Reinaba un latente malestar. Las palabras estaban divorciadas de los pensamientos. Cada cual hablaba por boca que no le pertenecía, aunque sonara sobre el mentón de la propia cara. Ni a Carlos le interesaba el termómetro del Gran

Alberto; ni Ogé se sentía escuchado; ni Sofía lograba aliviarse del íntimo resquemor de una irritación que se volvía contra Remigio —torpe revelador de algo que ella sospechaba desde hacía tiempo, haciéndola despreciar la miserable condición masculina, incapaz de llevar la digna y quieta unicidad de la soltería o de la viudez. Y esa irritación contra el servidor indiscreto se le acrecía al advertir que las palabras del negro le daban una razón para confesarse que nunca había amado a su padre, cuyos besos olientes a regaliz y a tabaco, desganadamente largados a su frente y a sus mejillas cuando se la devolvía al convento después de tediosos almuerzos dominicales, le habían sido odiosos desde los días de la pubertad.

VI

Sofía sentíase ajena, sacada de sí misma, como situada en el umbral de una época de transformaciones. Ciertas tardes tenía la impresión de que la luz, más llevada hacia esto que hacia aquello, daba una nueva personalidad a las cosas. Salía un Cristo de las sombras para mirarla con ojos tristes. Un objeto, hasta entonces inadvertido, pregonaba la delicada calidad de su artesanía. Dibujábase un velero en la madera veteada de esa cómoda. Tal cuadro hablaba otro idioma, con esa figura que, repentinamente, parecía como restaurada; con esos arlequines menos metidos en el follaje de sus parques, en tanto que las columnas rotas, disparadas —siempre suspendidas en el espacio, sin embargo— de la *Explosión en una catedral* se le hacían exasperantes por su movimiento detenido, su perpetua caída sin caer. De París le llegaban libros muy codiciados unos meses antes, impacientemente pedidos por catálogo, pero que ahora quedaban medio empaquetados en un entrepaño de la biblioteca. Iba de una cosa a otra, dejando la tarea útil por el empeño de reparar lo inservible, pegando trozos de jarrones rotos, sembrando plantas que no se daban en el trópico, divertida por un tratado de botánica antes de asomarse al aburrimiento de una lectura llena de Patroclos y Eneas, abandonados para bucear en un baúl de retazos; incapaz de persistir en algo, de llegar al cabo de un remiendo, de una cuenta doméstica, o de la traducción —innecesaria por lo demás— de una *Oda a la noche* del inglés Collins... Esteban tampoco era el mismo; muchos cambios se operaban en su carácter y comportamiento desde la noche de su portentosa curación —porque el hecho era que, desde la destrucción del ignorado jardín de Remigio, la enfer medad no había vuelto a agredirlo. Perdido el temor a las crisis nocturnas, era el primero en salir de la casa, adelantando cada día la hora de sus despertares. Comía cuando le venía en ganas, sin esperar por los demás. Una voracidad de cada instante —desquite de tantas dietas impuestas por los médicos— lo llevaba a la cocina, a meter la mano en las ollas, a agarrar el primer hojaldre sacado del horno, a devorar la fruta recién traída del mercado. Cansado de las garapiñas y horchatas asociadas al recuerdo de sus padecimientos, apagaba su sed, a cualquier hora, con grandes vasos de tintazo cuyos colores se le subían a la cara. Se mostraba insaciable en la mesa, sobre todo cuando almorzaba solo, al mediodía, despechugado, arremangada la camisa, calzado con pantuflas árabes, y atacaba una bandeja de mariscos, cascanueces en mano, con tal ímpetu que los trozos de carapachos salían disparados a las paredes. A modo de bata, usaba sobre el cuerpo desnudo, asomando las velludas piernas debajo del amaranto, un traje de obispo, sacado del armario de las ropas familiares, cuyo raso le era deleitosamente fresco, debajo del rosario que se ceñía a modo de cinturón. Y aquel obispo estaba en perpetuo movimiento, jugando a los bolos en la galería del patio, deslizándose por el pasamanos de la escalera, colgándose de los barandales, o afanándose en hacer sonar el carillón de un reloj que llevaba veinte años en silencio. Sofía que tantas veces lo había bañado durante sus crisis, sin reparar en las sombras mullidas que iban ennegreciendo su anatomía, cuidaba ahora, por un creciente sentimiento de pudor, de no asomarse a la azotea cuando sabía que el mozo se bañaba allí al aire libre, secándose luego al sol, acostado en el piso de ladrillos, sin cuidar siquiera de atravesarse una toalla de cadera a cadera. «Se nos está haciendo hombre», decía Carlos, regocijado. «Hombre de verdad», coreaba Sofía sabiendo que, desde hacía pocos días, se rasuraba el bozo adolescente con una navaja barbera. Remontando la escala del tiempo, Esteban había vuelto a dar un sentido cabal a las horas trastocadas por los hábitos de la casa. Se levantaba cada vez más temprano, llegando a compartir el mañanero café de la servidumbre. Sofía lo consideraba con asombro, asustándose del nuevo personaje que iba creciendo en aquel ser todavía doliente y lastimoso pocas semanas atrás y que hallaba ahora, en el aire cabalmente aspirado y devuelto, curado de flemas y congestiones, una energía que mal llevaban aún sus hombros huesudos, sus piernas flacas, su silueta demasiado esmirriada por el largo padecimiento. La joven sentía una inquietud de madre que advierte los primeros signos de la virilidad en el hijo. En un hijo que tomaba su sombrero, cada vez más a menudo, para irse a merodear por las calles con cualquier pretexto, ocultando, por lo demás, que sus andanzas lo llevaban siempre a las calles portuarias o a los confines de la Alameda, hacia la iglesia vieja que deslindaba el barrio del Arsenal. Tímidamente primero; aventurándose hasta una esquina este día; hasta la segunda al otro; midiendo los últimos tramos de la distancia, fue llegando a la calle de los garitos y las casas de baile, singularmente apacibles en horas de la tarde. Ya aparecían mujeres recién despiertas, recién bañadas, en los quicios, aspirando algún humo de tabaco y dirigiendo burlonas porfías al adolescente que huía de las más agresivas, para demorar el tranco ante las que cuchicheaban ofertas que él solo pudiese oír. De aquellas casas que hablaban se exhalaba un perfume turbio, de esencias y de jabones, de cuerpos perezosos, de alcobas tibias, que le aceleraba el pulso cuando pensaba que le bastaría con un segundo de decisión para penetrar en un mundo colmado de misteriosas posibilidades. De una noción abstracta de los mecanismos físicos a la consumación real del acto había la enorme distancia que sólo la adolescencia puede medir —con la vaga sensación de culpa, de peligro, de comienzo de Algo, que implicaba el hecho de ceñir una carne ajena. Durante diez días fue hasta lo último de la calle, casi resuelto a entrar donde una moza indolente, siempre sentada en un escabel, tenía el acierto de esperar en silencio. Diez veces más volvió a pasar ante ella sin atreverse, mientra la mujer, segura de tenerlo hoy o mañana —sabiéndose ya escogida— lo aguardaba sin apremio. Una tarde, al fin, la puerta azul de la casa se cerró sobre él. Nada de lo que aconteció en una habitación calurosa y angosta, sin más adorno que unas enaguas colgadas de un clavo, le pareció muy importante ni muy extraordinario. Ciertas novelas modernas de una crudeza jamás conocida, le habían revelado que la verdadera voluptuosidad obedecía a impulsos más sutiles y compartidos. Sin embargo, durante varias semanas volvió, cada día al mismo lugar; necesitaba demostrarse que era capaz de hacer, sin remordimientos ni deficiencias físicas —con una creciente curiosidad por pasar su experiencia a otros cuerpos— lo que hacían, muy naturalmente, los mozos de su edad: «¿dónde te echaron ese horroroso perfume?», le preguntó su prima un día husmeándole el cuello. Poco después Esteban halló sobre el velador de su cuarto un libro que trataba de las terribles enfermedades enviadas al hombre en castigo de los pecados carnales. El joven guardó el tomo sin darse por aludido.

Sofía se había acostumbrado a permanecer sola durante largas tardes, desde que Esteban se ausentaba con tanta frecuencia y que Carlos, llevado por un antojo nuevo, se iba al picadero del Campo de Marte, donde un jinete famoso daba exhibiciones de equitación española, enseñando a los caballos a encabritarse noblemente, como los de las estatuas ecuestres, o a marcar el paso con garbo y compás, trabajándose la brida a la portuguesa o a la federica. Víctor se presentaba, como siempre, a la hora del crepúsculo. Sofía, a modo de saludo, le preguntaba por el cargamento de harinas de Boston, que no acababa de llegar. «Cuando llegue —decía el negociante— volveré a Port-au-Prince con

Ogé, a quien algunos asuntos reclaman allá.» La perspectiva aterraba a la joven, al pensar que Esteban podía ser víctima de alguna recrudescencia de la enfermedad. «Ogé está formando discípulos aquí», advertía Víctor para tranquilizarla, aunque sin aclarar dónde se impartían esas enseñanzas, ni con qué ojos las contemplaría el Protomedicato, muy severo en materia de colegiación. A menudo la emprendía con Don Cosme, a quien tenía por un pésimo comerciante: «Es un *gagne-petit* que no ve más allá de sus narices». Y aunque conociera el desgano de Sofía ante todo lo que se refiriera al negocio presente tras de la pared, Víctor se daba a aconsejarla: apenas tuvieran edad para hacerlo, ella y su hermano debían deshacerse del Albacea, confiando el manejo de sus intereses a una persona más capaz, que diese mayores vuelos al negocio. Enumeraba entonces las mercaderías nuevas con las cuales en este tiempo, podían realizarse grandes beneficios. «Tal parece que estuviera hablando mi santo padre, que Dios tenga en su gloria», decía Sofía, para poner término al tedioso discurso, con voz tan impostada y falsa que por su mera sonoridad pregonaba el sarcasmo. Víctor largaba la carcajada que acompañaba, en su conversación, cualquier brusco cambio de humor, y se daba a hablar de sus viajes —Campeche, Marigalante o la Dominica... —escuchándose a sí mismo con evidente contento. Había en él una desconcertante mezcla de vulgaridad y de distinción. Podía pasar de la más alborotosa facundia meridional a una extremada economía de palabras, según el rumbo que siguiera el coloquio. Varios individuos parecían alojarse en su persona. Cuando hablaba de compra-ventas le salía una gesticulación de cambista, con manos que se transformaban en platillos de balanza. Poco después, se concentraba en la lectura de un libro, permaneciendo inmóvil con el ceño tenazmente fruncido, sin que los párpados parecieran moverse sobre sus ojos sombríos, dotados de una fijeza que calaba las páginas. Cuando le daba por cocinar, se tornaba cocinero, poniéndose espumaderas en equilibrio sobre la frente, haciéndose bonetes con cualquier paño, tamborileando en las ollas. Ciertos días, sus manos eran duras y avaras —con esa manía de cerrar el puño sobre el pulgar, que Sofía hallaba desagradablemente reveladora. Otras veces se le hacían ligeras y finas, acariciando el concepto como si fuese una esfera suspendida en el espacio. «Soy un plebeyo», decía, como quien exhibe un blasón. Sin embargo, cuando se jugaba a las charadas vivas, Sofía había observado que gustaba de representar papeles de legisladores y de tribunos antiguos, tomándose tremendamente en serio —presumiendo, acaso, de buen actor. Varias veces había insistido en animar episodios de la vida de Licurgo, personaje por el cual parecía tener una especial admiración. Inteligente para el comercio, conocedor de los mecanismos de la Banca y de los Seguros, negociante por oficio, Víctor estaba, sin embargo, por el reparto de tierras y pertenencias, la entrega de los hijos al Estado, la abolición de las fortunas, y la acuñación de una moneda de hierro que, como la espartana, no pudiese atesorarse. Un día en que Esteban se sentía particularmente alegre y saludable, propuso la improvisación de una fiesta en la casa para celebrar «El Restablecimiento de la Normalidad en las Horas de Comer». Se daría un gran banquete a las ocho en punto, con la obligación impuesta a los comensales de acudir de distintos rincones de la casa —los más alejados del comedor— en el tiempo que tardaban las campanadas del Espíritu Santo en sonar. Quien no lo lograra sería sometido a distintas penalidades. En cuanto a la etiqueta vestimentaria, arriba estaba, en el armario de trajes. Sofía escogió el disfraz de Duquesa-arruinada-por-los-empeñistas, y se dio a desastrarle la basquiña con ayuda de Rosaura. Esteban ya tenía en su cuarto, desde hacía tiempo, el atuendo episcopal. Carlos vendría de Alférez de Navío, en tanto que Víctor escogío una toga de magistrado —«*elle me va très bien*»— antes de irse a la cocina para adobar las palomas torcaces del segundo servicio. «Así tendremos representación de la Nobleza, la Iglesia, la Armada y la Magistratura», dijo Carlos. «Nos falta la Diplomacia», observó Sofía. Y, riendo, acordaron imponer a Ogé el papel de Embajador Plenipotenciario de los Reinos de Abisinia... Pero Remigio, despachado en su busca, regresó con la más desconcertante nueva: el médico había salido desde temprano y no había regresado al hotel. Y ahora acababa de presentarse la policía para registrar su habitación, con orden de llevarse todos sus papeles y libros. «No entiendo —decía Víctor—. No entiendo.» «¿No lo habrán denunciado por ejercer ilegalmente la medicina?», preguntó Carlos. «¡Su medicina *ilegal* es la que cura a los enfermos!», gritó Esteban fuera de sí... Agitado, raro, harto presuroso en buscar un sombrero que no aparecía, Víctor salió en busca de noticias. «Primera vez que lo veo alterarse por algo», dijo Sofía, pasándose un pañuelo por las sienes sudorosas. Hacía un calor excesivo. El aire estaba como inmóvil entre cortinas inertes, flores mustias, plantas que parecían de metal. Las hojas de las palmeras del patio habían cobrado una pesadez de hierro forjado.

VII

Poco despues de las siete regresó Víctor. Nada sabía del paradero de Ogé, aunque creía que se encontraba preso. Acaso avisado a tiempo de una denuncia —denuncia cuya naturaleza se ignoraba—, habría tenido la suerte de hallar alguna casa amiga donde ocultarse por un tiempo. Era cierto que la policía había registrado su habitación, llevándose papeles, libros y valijas que contenían efectos personales. «Mañana veremos lo que se hace», dijo, dándose bruscamente a hablar de algo que le había salido al paso, traído por la voz de la calle: un huracán azotaría la ciudad aquella noche. El aviso tenía carácter oficial. Había mucha agitación en los muelles. Los marinos hablaban de un ciclón y tomaban medidas de emergencia para proteger sus naves. Las gentes hacían provisiones de bujías y alimentos. En todas partes procedíase a clavetear puertas y ventanas... Nada alarmados por la noticia, Carlos y Esteban fueron a buscar martillos y maderos. En tal época del año, el Ciclón —designado así, en singular, porque nunca se producía sino uno que fuese asolador— era algo esperado por todos los habitantes de la urbe. Y si no se presentaba esta vez, torciendo la trayectoria, sería el año próximo. Todo estaba en saber si pegaría de lleno sobre la población, llevándose las techumbres, rompiendo ventanales de iglesia, hundiendo barcos, o pasaría de lado, devastando los campos. Para quienes vivían en la isla, el Ciclón era aceptado como una tremebunda realidad celeste, a la que, tarde o temprano, nadie escapaba. Cada comarca, cada pueblo, cada aldea, conservaba el recuerdo de un ciclón que pareciera haberle sido destinado. Lo más que podía desearse es que fuese de corta duración y no resultara demasiado duro. «*Ce sont de bien charmants pays*», rezongaba Víctor, afianzando los batientes de una de las ventanas exteriores, al recordar que también Saint-Domingue conocía la amenaza anual... Un chubasco repentino, brutal, arremolinó el aire. Caía el agua, vertical y densa, sobre las plantas del patio, con tal saña que arrojaba la tierra fuera de los canteros. «Ya viene», dijo Víctor. Un vasto rumor cubría, envolvía, la casa, concertando las afinaciones particulares del tejado, las persianas, las lucetas, en sonidos de agua espesa o de agua rota; de agua salpicada, caída de lo alto, escupida por una gárgola, o sorbida por el tragante de una gotera. Luego hubo una tregua, más calurosa, más cargada de silencio que la calma de la prima noche. Y fue la segunda lluvia —la segunda advertencia—, más agresiva aún que la anterior, acompañada esta vez de ráfagas descompasadas que se fueron apretando en sostenido embate. Víctor salió a la galería del patio, sobre cuyo resguardo pasaba el viento sin detenerse ni entrar, llevado adelante por el impulso que traía, girando sobre sí mismo, apretando, espesando la rotación, desde las lejanías del Golfo de México o del mar de los Sargazos. Con maña marinera probó el agua de la lluvia: «Salada. De mar. *Pas de doute*». Hizo un gesto de resignación y, para mostrar que las horas próximas serían de prueba, fue a buscar botellas de vino, copas, galletas, y se acomodó en una butaca, rodeándose de libros. Se pusieron faroles y velas junto a las lámparas que, a cada ráfaga, amenazaban con apagarse. «Mejor quedar despiertos —dijo el francés—. Podría ceder una puerta o caer una ventana.» Quedaba un montón de maderos, con herramientas de carpintería, al alcance de las manos. Invitados a compartir el amparo del salón, Remigio y Rosaura unían sus voces en un rezo que mucho invocaba el nombre de Santa Bárbara... Fue poco después de la medianoche cuando entró el grueso del huracán en la ciudad. Sonó un bramido inmenso, arrastrando derrumbes y fragores. Rodaban cosas por las calles. Volaban otras por encima de los campanarios. Del cielo caían pedazos de vigas, muestras de tiendas, tejas, cristales, ramazones rotas, linternas, toneles, arboladuras de buques. Las puertas todas eran golpeadas por inimaginables aldabas. Tiritaban las ventanas entre embate y embate. Estremecíanse las casas de los basamentos a los techos, gimiendo por sus maderas. Fue ése el momento en que un torrente de agua sucia, fangosa, salida de las cuadras, del traspatio, de la cocina, venida de la calle, se derramó en el patio, tupiendo sus tragantes con un lodo de boñigas, cenizas, basuras y hojas muertas. Víctor, dando voces de alarma, enrolló la gran alfombra del salón. Después de arrojarla a un alto peldaño de la escalera, se acercó al agua inmunda, cuyo nivel se alzaba de minuto en minuto, penetrando en el comedor, rebasando el umbral de las estancias. Sofía, Esteban y Carlos se apresuraban en recoger algunos muebles, montándolos sobre los aparadores, mesas, cómodas y armarios. "¡No! —gritó Víctor—. ¡Allá!» Y, metiéndose hasta media pierna en lo hediondo, abrió la puerta que conducía al almacén. Allí también había empezado la inundación, con tantas cosas que ya flotaban, pasando blandamente frente a la luz del farol. Ordenando, llamando, concertando los esfuerzos, Víctor puso los hombres y la mulata a trabajar, señalando lo que debía salvarse. Fardos de materias perecederas, piezas de tela, hatos de plumas, mercancías valiosas, eran lanzados a lo alto de las pilas de sacos, a donde no los alcanzaría el agua. «Los muebles se reparan —gritaba Víctor—. Esto puede perderse.» Viendo que los demás habían entendido y trabajaban en lo más urgente, regresó a la casa, donde Sofía, presa de terror, deshecha en sollozos, estaba acurrucada en un diván. Ya había un palmo de agua a su alrededor. Víctor la tomó en brazos y, subiéndola a su cuarto, la arrojó sobre la cama: «No se mueva de aquí. Voy por los muebles». Y se dio a correr de arriba abajo y de abajo arriba, trayendo tapices, paravanes, taburetes, sillas, y cuanto podía rescatarse. El agua le llegaba ya a las rodillas. De pronto hubo un fragor de derrumbe: una techumbre lateral de la casa largaba las tejas, como un puñado de naipes, sobre el suelo del patio. Ahora un montón de escombros, de barro roto, cerraba el paso al almacén, obstruyendo la puerta. Sofía, asomada al barandal superior, clamaba su miedo. Víctor subió una vez más, cargando un cofre lleno de objetos menudos y, metiendo a la joven en su cuarto con un firme empellón, se dejó caer en una butaca, sofocado: «No puedo hacer más.» Y, para aquietar a quien imploraba el alivio, dijo que lo peor del ciclón había pasado ya; que los demás estaban seguros, en el almacén, subidos en los montones de sacos; que no había sino que esperar el alba. Lo más importante era que las puertas y las ventanas hubiesen resistido. No sería la primera vez, además, que la recia casona soportara un huracán. Y, adoptando un tono casi risueño, hizo observar a Sofía que estaba sencillamente asquerosa con aquel vestido ensuciado por aguas inmundas, con esas medias enlodadas, con esa cabellera húmeda y desmadejada en la que se habían prendido algunas hojas muertas. Sofía fue a su tocador y pronto regresó algo peinada, envuelta en una dormilona. Afuera, el sostenido embate del ciclón se iba rompiendo en ráfagas —unas, débiles; otras, brutales; siempre más espaciadas. Lo que ahora caía del cielo era como una neblina de agua con olor marino. Ya disminuía el estrépito de cosas empujadas, arrastradas, rodadas, arrojadas desde lo alto. «Lo mejor que puede hacer es acostarse», dijo Víctor a Sofía, trayéndole un vaso de vino generoso. Y, con pasmoso desenfado, se despojó de la camisa, quedando con el pecho desnudo. «Ni que fuera mi marido», pensó Sofía, volviéndose hacia la pared. Iba a decir algo, pero el sueño le embrolló las palabras... Despertó de pronto —aún era de noche— con la impresión de que alguien yacía a su lado. Un brazo descansaba sobre su talle. Y ese brazo pesaba más y más, apretando y ciñendo. En la brusquedad del atolondramiento, no acababa de entender lo que ocurría: después de los terrores pasados era grato sentirse protegida, envuelta, amparada por el calor de otro ser. Iba a adormecerse otra vez cuando cobró conciencia, en un pálpito frío, de su imposibilidad de admitir aquella situación. Volviéndose bruscamente, su cuerpo encontró la desnudez de otro cuerpo. Fue movida por un estallido nervioso. Golpeaba con los puños, con los codos, con las rodillas, buscando dónde arañar, dónde lastimar, esquivando siempre el extraño contacto de una desconocida reciedumbre que le rondaba el vientre. Las manos del otro trataban de asirla por las muñecas; un peligroso aliento rozaba sus oídos, decíanle raras palabras en la oscuridad. Una lucha los tuvo trabados, anudados, confundidos, sin que el hombre lograra ventajas. Animada por una fuerza nueva, enorme, como salida de sus entrañas amenazadas, la mujer dañaba con cada gesto, apretándose, crispada y dura, nunca atraída ni amansada. Al fin, el otro abandonó el empeño, marcando la derrota con una risa seca que mal ocultaba su irritación. Y seguía la mujer luchando con la voz, acumulando protestas y sarcasmos en los que se revelaba una portentosa capacidad de humillar, de herir donde más dolía. El lecho quedó aligerado de un peso. Andando ahora por la habitación, suplicaba el otro, con implorantes inflexiones, que no se le tuviese rigor. Tratando de disculparse, invocaba razones que dejaban atónita a quien, doblemente victoriosa, las escuchaba sin haber pensado nunca que aquel ser, tan hecho y maduro, tan ajetreado y dueño de un pasado, hubiese podido otorgarle nunca una estatura de mujer —a ella que se sentía tan próxima a su propia niñez. Salvada su carne de un peligro inmediato, veíase Sofía arrastrada hacia un peligro tal vez mayor: el de sentirse aludida por la voz que desde las sombras le hablaba —a veces con intolerable dulzura— abriéndole las puertas de un mundo ignorado. Aquella noche habían terminado los juegos de la adolescencia. Las palabras cobraban un peso nuevo. Lo ocurrido —lo no ocurrido— adquiría una dimensión enorme. Crujió la puerta y pintóse, sobre las luces de un verdoso amanecer, una forma humana que se alejaba lentamente, arrastrando las piernas, como agobiada. Sofía quedaba sola, llena de latidos, descabellada, entregada al desasosiego, con la impresión de haber salido de una prueba terrible. Su piel tenía un olor raro —acaso real, acaso imaginario— del que no lograba desprenderse: olor fosco, animal, al que ella misma no era ajena. Aumentó la claridad en su habitación. Junto a ella demoraba, en honduras, una presencia que había dejado marcada la huella de su cuerpo. La joven se dio a arreglar el lecho, manoteando a diestro y siniestro para que las plumas volvieran a hinchar la envoltura. Hecho esto, se sintió profundamente humillada; así debían arreglar sus camas las rameras —las de allá, del Arsenal...— luego de yacer con un desconocido. Y también las vírgenes roturadas, mancilladas, al despertar de sus nupcias. Lo peor había sido eso: ese arreglo, ese alisar, que tenía algo de complicidad, de aquiescencia; vergonzante reparo, secreto gesto de amante afanosa de borrar el desorden dejado por un abrazo. Sofía volvió a acostarse, vencida por un sueño tal que Carlos la halló sollozando, aunque tan dormida que sus llamadas no pudieron despertarla. «Déjala —dijo Esteban—: Debe estar con lo suyo.»

VIII

El día se fue aclarando lentamente, aunque siempre retrasado de luz con relación a la hora, sobre una ciudad destechada, llena de escombros y despojos —puesta en el hueso de sus vigas desnudas. Centenares de casas pobres quedaban reducidas a los horcones esquineros con tambaleantes pisos de madera alzados sobre fangales, como escenarios de miseria, donde familias resignadas hacían el recuento de las pocas cosas que les quedaban —con la abuela mal meciéndose en el sillón de Viena; la embarazada, temiendo que en tal desamparo se le presentaran los dolores; el tísico o el asmático envuelto en mantas, sentados en los ángulos del tablado, como actores de feria que ya hubiesen interpretado sus papeles. De las aguas sucias del puerto emergían mástiles de veleros hundidos, entre botes volcados, que flotaban sin rumbo hasta trabarse en racimos. Sacábase a tierra algún cadáver de marinero, con las manos enredadas en una maraña de cordeles. En el Arsenal, el ciclón había barrido por lo bajo, esparciendo las maderas de las naves en construcción, acabando con las frágiles paredes de las tabernas y casas de baile. Las calles eran fosos de lodo. Algunos palacios viejos, a pesar de sus corpulentas mamposterías, habían sido vencidos por el viento, entregando las lucetas, las puertas y ventanas al huracán que, metido entre sus muros, los había embestido desde adentro, derribando pórticos y fachadas. Los muebles de una ebanistería famosa —la del «Pequeño San José», próxima a los muelles—, llevados por el viento, habían ido a caer en pleno campo, más allá de las murallas de la ciudad, más allá de las huertas, allá donde centenares de palmeras yacían, en el desbordamiento de los arroyos crecidos, como fustes de columnas antiguas derribadas por un terremoto. Y, sin embargo, a pesar de la magnitud del desastre, las gentes, acostumbradas a la periodicidad de un azote que era considerado como una inevitable convulsión del Trópico, se daban a cerrar, a reparar, a repellar, con una diligencia de insectos. Todo estaba mojado; todo olía a mojado; todo mojaba las manos. Secar, achicar, arrojar el agua de donde estuviera, fue trabajo de todos durante aquel día. Y a media tarde, cumplida ya la tarea de rehacer las viviendas propias, empezaron a ofrecerse los carpinteros, los albañiles, los vidrieros y cerrajeros. Cuando Sofía salió de su sopor, la casa estaba llena de peones traídos por Remigio, que procedían a recubrir de tejas la armazón del techo destruido, en tanto que otros acababan de sacar los escombros que llenaban el patio. Era un ir y venir de argamasa, de yesos, de vigas cargadas en hombros, por los pasillos y galerías, mientras Carlos y Esteban, yendo del almacén a la vivienda, hacían un recuento de muebles dañados y mercancías perdidas. Instalado en el salón, Víctor, vestido con un traje de Carlos que le quedaba demasiado estrecho, estaba sumido en un acucioso examen de los libros del almacén. Al ver a Sofía, hundió el rostro entre las hojas, fingiendo que no se había percatado de su presencia. Atendiendo a lo que le correspondía, la joven fue a la cocina y las despensas, donde Rosaura, sin haber dormido aún, rescataba cazuelas, cubiertos, enseres, del lodo que ya se endurecía sobre los pisos. Sofía estaba como aturdida por aquel tráfago, por aquella invasión de la casa, por lo insólito de una situación que había desorganizado lo organizado, haciendo reinar, en las estancias, un desorden semejante al de otros tiempos. Esta tarde habían nacido nuevas Torres Inclinadas, nuevos Pasos de los Druidas, nuevos vericuetos montañosos entre cajas, muebles, cortinas descolgadas, alfombras enrolladas en lo alto de los armarios —aunque en medio de olores que no eran, desde luego, los de otros días. Y la singularidad de todo, la violencia de un acontecimiento que había sacado a todo el mundo de sus hábitos y rutinas, contribuía a agravar en Sofía el sinfín de desasosiegos contradictorios que le había producido, al despertar, el recuerdo de lo ocurrido la noche anterior. Aquello formaba parte del vasto desorden en que vivía la ciudad, integrándose en una escenografía de cataclismo. Pero un hecho rebasaba, en importancia, el derrumbe de las murallas, la ruina de los campanarios, el hundimiento de las naves: había sido *deseada*. Aquello era tan insólito, tan imprevisto, tan inquietante, que no acababa de admitir su realidad. En pocas horas iba saliendo de la adolescencia, con la sensación de que su carne había madurado en la proximidad de una apetencia de hombre. La habían visto como Mujer, cuando no podía verse a sí misma como Mujer —imaginar que los demás le concediesen categoría de Mujer. «Soy una Mujer», murmuraba, ofendida y como agobiada por una carga enorme puesta sobre sus hombros, mirándose en el espejo como quien mira a otro, inconforme, vejada por alguna fatalidad, hallándose larga y desgarbada, sin poderes, con esas caderas demasiado estrechas, los brazos flacos y aquella asimetría de pechos que, por vez primera, la tenía enojada con su propio contorno. El mundo estaba poblado de peligros. Salía de un tránsito sin riesgos para acceder a otro, el de las pruebas y las comparaciones de cada cual entre su imagen real y la reflejada, que no se recorrería sin desgarramientos ni vértigos... Rápidamente se llegó a la noche. Partieron los obreros y un vasto silencio —silencio de ruinas y de lutos— se hizo en la ciudad castigada. Extenuados, Sofía, Esteban y Carlos se fueron a dormir, después de una magra colación de fiambres, durante la cual muy poco se habló como no fuera para comentar algún estrago del ciclón. Víctor, metido en sí mismo, dibujando cifras con la uña del pulgar sobre el mantel —sumándolas, restándolas, borrándolas...— pidió permiso para quedarse en el salón hasta tarde; mejor: hasta mañana. Las calles estaban intransitables. Debía haber merodeadores, rateros, entregados a sus oficios de tinieblas. Además parecía muy preocupado por terminar el examen de los libros. «Me parece que he dado con algo que mucho les interesa —dijo—. Mañana hablaremos.»

No habían dado las nueve, al día siguiente, cuando Sofía, sacada del sueño por los martillazos, los ruidos de sierras y poleas, las voces de los obreros que llenaban la casa, bajó al salón, donde ocurría algo raro. El Albacea, sonriendo a medias, estaba sentado en una butaca, frente a las que, a cierta distancia, con trazas de jueces en un tribunal, ocupaban Carlos y Esteban, ceñudos, demasiado serios, demasiado expectantes. Víctor paseaba a lo largo de la estancia, con las manos agarradas tras de la cintura. De trecho en trecho se detenía ante el compareciente, mirándolo con fijeza, y resumiendo su pensamiento con un «*Oui!*», largado por el colmillo, a modo de gruñido. Al fin se sentó en una butaca rinconera. Consultó un cuadernillo donde parecía haber tomado unas notas (*Oui!...*) y comenzó a hablar, con tono de indulgente desenfado, puliéndose las uñas en una manga, jugando con un lápiz, o muy interesado, de pronto, por algo que ocurría en el dedo meñique de su mano izquierda. Empezaba por advertir que él no era hombre llevado a inmiscuirse en asuntos ajenos. Alababa la diligencia puesta por Monsieur Cosme (lo llamaba *Coooome,* alargando tremendamente el acento circunflejo) en satisfacer todos los deseos de sus pupilos —en encargar lo que se quisiera, en cuidar de que nada faltare en la casa. Pero esa diligencia —*n'est-ce pas?*— podía servir para adormecer de antemano cualquier recelo. «¿Recelo por qué?», preguntó el Albacea, como ajeno a lo que decía el otro, arrimando el sillón a saltitos cortos hacia donde estaban los jóvenes, para hacer más patente su integración dentro de la familia. Pero Víctor hizo un gesto hacia esos jóvenes, adoptando una marcada intimidad de tono que, de hecho, daba al otro categoría de intruso: «Ahora que acabamos de leer a Regnard, *mes amis,* recuerden los versos que hoy podrían ustedes decirme: «*Ah! qu'à notre secours a propos vous venez!—Encore un jour plus tard, nous étions ruinés*». «Comedia francesa tenemos», dijo Don Cosme, riéndose el chiste en medio de un silencio molesto. «A veces los domingos —proseguía Víctor—, mientras los muchachos dormían» (y señalaba la puerta que conducía al almacén) se había metido en el edificio aledaño, curioseando, observando, contando, sumando, apuntando. Y así —él tenía alma de comerciante, no lo negaba— había podido darse cuenta que el monto de ciertas existencias no correspondía con los que figuraban en los papeles entregados regularmente a Carlos por el Albacea. El sabía («¡Cállese!», gritó a Don Cosme, que trataba de hablar) que los negocios eran más difíciles ahora que antes; que el comercio libre tenía sus enredos y traquimañas. Pero eso no era razón (y aquí su voz se hinchó de modo tremebundo) para presentar a los huérfanos unos falsos estados de cuentas, sabiendo, además, que ni siquiera los leerían... Don Cosme trató de levantarse. Pero era Víctor quien, levantándose antes, se le venía encima a grandes trancos, con el índice tenso. Su voz, ahora, era metálica y dura; lo que ocurría en el almacén era un escándalo —un escándalo que duraba desde la muerte del padre de Carlos y Sofía. Con un simple inventario, realizado por él ante testigos, demostraría que el falso hombre de confianza, el protector fingido, el albacea ladrón, estaba haciendo su fortuna a costa de unos infelices, de unos niños, a quienes burlaba criminalmente sabiéndolos incapaces, por falta de experiencia, de entendérselas con sus propios bienes. Y esto no era todo: él sabía de especulaciones riesgosas, hechas por el «segundo padre» con el dinero de sus pupilos; de compras por testaferros, a quienes calificaba de *canes venáticos,* evocando con gran empaque las Verrinas de Cicerón... Don Cosme trataba de colocar una palabra en aquel alud verbal, pero el otro, subiendo siempre la entonación, proseguía el alegato, sudoroso y terrible, como acrecido en su estatura. Se había zafado el cuello con gesto tan brusco que las dos puntas sueltas le caían por encima del chaleco, liberando una garganta de cuerdas tensas, toda entregada al esfuerzo final de una estentórea peroración. Por vez primera Sofía lo hallaba hermoso, con aquella apostura de tribuno, con aquel puño que caía sobre la mesa, marcando el paroxismo de un período. De pronto retrocedió hacia la pared del fondo, adosándose a ella. Cruzó los brazos con gesto amplio, y, después de una brevísima pausa que el otro no supo aprovechar, concluyó, tajante y seco, con altanera entonación de desprecio: «*Vous êtes un misérable, Monsieur*»

Don Cosme estaba como encogido, ovillado, doblado en lo hondo de la butaca, demasiado ancha para servir de marco a su exigua persona. Un temblor de ira tenía sus labios en silenciosa agitación, en tanto que sus uñas raían el terciopelo del asiento. Pero se irguió repentinamente ladrando a Víctor una sola palabra que sonó como una explosión en catedral para los oídos de Sofía: «¡Francmasón!» Deflagrábase la palabra, reventando de nuevo, con tremebundo retumbo: «¡Francmasón!» y repetíase la palabra cada vez más subida y alterada, como si bastara para descalificar a cualquier acusador; para echar por tierra cualquier alegato; para limpiar de toda culpa a quien la profería. Viendo que el otro sólo replicaba con una desafiante sonrisa, habló el Albacea de aquel cargamento de harina de Boston que no llegaba ni llegaría nunca: mero pretexto para ocultar las actividades de quien era agente de la francmasonería de Santo Domingo, con el otro mulato, Ogé, magnetizador y brujo, a quien denunciaría al Protomedicato por haber embaucado a estos jóvenes con extravagantes artificios de cuya inutilidad se cercioraría Esteban, un día de éstos, cuando la enfermedad se le volviera a manifestar. Y ahora pasaba Don Cosme a la ofensiva, girando en torno al francés como un moscardón enfurecido: «Estos son los hombres que rezan a Lucifer; éstos son los hombres que insultan a Cristo en hebreo; éstos son los hombres que escupen el Crucifijo; éstos son los hombres que, en la noche del Jueves Santo, trinchan un cordero coronado de espinas, clavado por las patas, de bruces, sobre la mesa de un abominable banquete». Por eso los Santos Padres Clemente y Benedicto habían excomulgado a esos infames, condenándolos a arder en los Infiernos...

Y con el espantado tono de quien revelara los misterios de un Sabbath presenciado, habló de las impías gentes que negaban al Redentor, adoraban a un Hiram-Abi, Arquitecto del Templo de Salomón, y en sus ceremonias secretas rendían culto a Isis y Osiris, atribuyéndose títulos de Rey de los Tirios, Edificador de la Torre de Babel, Caballero Kadosh, Gran Maestro de los Templarios —esto, en recuerdo del Jacques de Molay, de nefandas costumbres, convicto de herejía y quemado vivo por adorar el Demonio en la figura de un ídolo llamado Bafomet. «No rezan a los santos, sino a Belial, a Astaroth y a Behemoth.» Era ralea que se infiltraba en todas partes, combatiendo la fe cristiana y la autoridad de los gobiernos legítimos, en nombre de una «filantropía», de una aspiración a la felicidad y a la democracia, que sólo ocultaban una conjura internacional para destruir el orden establecido. Y, encarándose a Víctor, le gritó tantas veces la palabra «Conspirador», que, agotado por el esfuerzo, la voz se le quebró en un ataque de tos. «¿Es cierto todo eso?», preguntó Sofía, con vocecilla tímida, a la vez atónita y deslumbrada por aquella inesperada aparición de Isis y de Osiris en la portentosa escenografía del Templo de Salomón y del Castillo de los Templarios. «Lo único cierto es que esta casa se derrumba —dijo Víctor, apaciblemente. Y, volviéndose hacia Carlos—: El caso de los tutores indignos estaba previsto ya en el Código Romano. Acudan a un tribunal». La palabra «tribunal» reanimó violentamente al Albacea: «Veremos quién va primero a la cárcel —garraspeó—. Tengo entendido que pronto habrá una redada de francmasones y extranjeros indeseables. Terminaron las estúpidas tolerancias de otros días». Y, tomando su sombrero: «¡Arrojen a este aventurero de la casa, antes de que los prendan *a todos!*» Se inclinó con un «Buenos días... *a todos*», que reiteró la amenaza, abandonando el salón con un portazo tan estruendoso que puso a vibrar todos los cristales de la casa. Los jóvenes esperaban una explicación por parte de Víctor. Pero éste se atareaba, ahora, en lacrar unos cordeles gruesos con los cuales había atado los libros del almacén: «Guárdenlos aquí —dijo—. Ahí tienen sus pruebas». Se asomó luego, pensativamente, al patio lleno de obreros que terminaban los trabajos de reparación, bajo la vigilancia de Remigio, muy ufano de verse elevado a la categoría de capataz de obras. De repente, como necesitado de entregarse a alguna actividad física, tomó una cuchara de albañil y, mezclado con los peones, se dio a enrasillar y enfoscar la pared del patio que había sido más maltratada por las tejas caídas. Sofía lo veía treparse a un andamio, con la cara manchada de yeso y de argamasa, pensando en el mito de Hiram-Abi; a pesar de ciertos anatemas oídos en la iglesia; a pesar del cordero coronado de espinas, de las blasfemias dichas en hebreo y de los Papas con sus tremendas Bulas, se sentía algo fascinada por aquel Secreto del que Víctor —ahora semejante a un Edificador de Templos— era depositario. Lo miraba, de pronto, como un visitante de países interdictos, conocedor de arcanos; explorador del Asia que hubiera dado con algún ignorado libro de Zoroastro —un poco Orfeo, transeúnte del Averno. Y recordaba ahora haberlo visto representar el papel de un arquitecto antiguo, alevosamente asesinado por un mazo, en uno de los juegos de charadas vivas. También se le había visto vestido de Templario, con una túnica adornada por una cruz, mimando el suplicio de Jacques de Molay. Las acusaciones del Albacea parecían responder a una cierta realidad. Pero esa realidad le resultaba atrayente ahora, por el secreto, el misterio, la acción oculta, que implicaba. Más interesante era la vida puesta al servicio de una convicción peligrosa que detenida en la beata espera de unos sacos de harina. Preferible era un conspirador a un mercader. La afición de la adolescencia por el disfraz, el santo y seña, los buzones ignorados, las criptografías particulares, los cuadernos íntimos guarnecidos de cerrojos, se remozaban en la aventura entrevista. «Pero... ¿serán tan horribles como se dice?», preguntó. Esteban se encogió de hombros: todas las sectas o agrupaciones secretas habían sido calumniadas. Desde los cristianos primitivos, acusados de degollar niños, hasta los Iluminados de Baviera, cuyo único delito era querer hacer el bien de la humanidad. «Desde luego que están reñidos con Dios», dijo Carlos: «Dios no pasa de ser una hipótesis», dijo Esteban. De pronto, como urgida por librarse de una opresión intolerable, Sofía prorrumpió en gritos: «Estoy cansada de Dios; cansada de las monjas; cansada de tutores y albaceas, de notarios y papeles, de robos y porquerías; estoy cansada de cosas, como ésta, que no quiero seguir viendo». Y saltando sobre una butaca arrimada a la pared, descolgó un gran retrato del padre, para arrojarlo al suelo con tal saña que el marco se separó del bastidor. Y, ante la afectada indiferencia de los demás, se dio a taconear la tela, rabiosamente, haciendo volar escamas de pintura. Cuando el cuadro quedó bien destrozado, bien lacerado, bien injuriado, Sofía se dejó caer en un sillón, jadeante y ceñuda. Víctor acababa de soltar la cuchara de albañil, haciendo un gesto de sorpresa: Ogé entraba en el patio con paso presuroso. «Hay que largarse», dijo y contó brevemente lo que había podido saber, mientras estaba oculto en la casa de un *hermano*: el ciclón, desviando la atención de las autoridades hacia apremios más inmediatos, había interrumpido una incipiente acción policial contra los francmasones. Se tenían instrucciones de la Metrópoli. Aquí no podía hacerse nada por ahora. Lo inteligente era aprovechar el desorden de estas horas, en que las gentes sólo pensaban en reconstruir paredes y en limpiar caminos, para abandonar la ciudad y observar, desde algún sitio apartado, el giro que tomarían los acontecimientos. «Para eso tenemos una finca», dijo Sofía, con voz firme, yendo a la despensa para preparar una cesta de vituallas. Allí, entre carnes frías, mostazas y panes, quedaron todos en que Carlos debía permanecer en la casa, tratando de recoger noticias. Esteban fue a descolgar los arreos del caballo, en tanto que Remigio era despachado al tren de coches de la Plaza del Cristo para conseguir dos bestias de remonta.

IX

Por caminos desfondados, bajo una última llovizna que bruñía los hules negros y se colaba en vueltas del viento hasta el asiento trasero, después de empapar las ropas de Esteban y de Ogé subidos al pescante, rodaba el coche, crujiendo, saltando, renqueando; tan inclinado, a veces, que parecía volcarse; tan metido en el agua de un vado, que le salpicaba los faroles; tan enlodado siempre que sólo se libraba del barro rojo de los campos de caña, para recibir el barro gris de las tierras pobres, donde se alzaban cruces de cementerios —ante los cuales se persignaba Remigio, que venía detrás, montado en una de las bestias de la remonta. A pesar del tiempo ingrato, iban los viajeros cantando y riendo, bebiendo vino de Malvasía, comiendo emparedados, polvorones, grajeas, extrañamente puestos en alegría por un aire nuevo que olía a pastos verdecidos, a vacas de buenas ubres, a fuegos campesinos de limpia leña —lejos de la salmuera, el tasajo, la cebolla germinada, que contrapunteaban sus vahos en las estrechas calles de la ciudad. Cantaba Ogé una canción en creole: «*Dipi mon perdi Lisette — mon pas souchié kalenda; — mon quitté bram-bram sonette — mon pas battre bamboula*». Cantaba Sofía en inglés una linda balada escocesa, sin hacer caso a Esteban, para quien su prima afectaba horrorosamente el acento. Cantaba Víctor, desafinando mucho, pero tomándose bastante en serio algo que empezaba siempre por: *Oh! Richard! Oh!, mon Roi!* sin pasar nunca de ahí, pues ignoraba el resto. Por la tarde arreció la lluvia, se hicieron peores los caminos, comenzó éste a toser, el otro a carraspear, mientras Sofía tiritaba en sus ropas húmedas. Turnábanse los tres hombres en el pescante, en un continuo ir y venir de dentro a fuera del coche, que impedía toda conversación seguida. La gran cuestión —el gran enigma— de las actividades reales de Víctor y Ogé quedaba en suspenso; nadie había abordado el tema, y acaso se cantaba tanto, en el camino, para esperar un momento propicio al despeje de los misterios... Cerrada estaba ya la noche cuando llegaron a la casa. Era una edificación de mampostería, muy descuidada, muy agrietada, con innumerables cuartos, largos corredores, múltiples soportales, todo cubierto por un tejado de vertientes acunadas por el vencimiento de las vigas. A pesar de su cansancio y del miedo a los murciélagos que revoloteaban por todas partes, Sofía cuidó de las camas, las sábanas, las mantas de cada cual, haciendo llenar jofainas y remendar mosquiteros agujereados, prometiendo mayores comodidades para la próxima noche. Víctor, entre tanto, había desnucado dos gallinas, empuñándolas por el cuello y haciéndolas girar en el aire como molinetes de plumas, antes de meterlas en agua hirviente, dejarlas desnudas, y cortarlas en pedazos menudos para hacer una *fricassée* de rápida preparación, en cuya salsa puso mucho aguardiente y pimienta molida —«*pour rechauffer Messieurs les voyageures*». Descubriendo que había matas de hinojo en el patio, se dio a batir huevos anunciando que habría *omelette aux-fines-herbes*. Sofía trajinaba en torno a la mesa, haciéndole un centro con berenjenas, limones y coloquíntidas. Invitada por Víctor a aspirar el buen olor de la *fricassée*, advirtió ella que la mano del hombre se posaba en su cintura, pero esta vez con gesto tan despreocupado, tan fraternal, sin apoyar ni insistir, que no lo tuvo a afrenta. Admitiendo que el guiso parecía excelente, se desprendió con una pirueta y volvió al comedor sin dar muestras de enojo. Alegre fue la cena y más alegre aún la sobremesa, con la sensación de bienestar, de amparo que se sentía, bajo techo, en la casa azotada ahora por una lluvia más recia, que percutía sobre las malangas como en hojas de pergamino, arrancando granadas y pomarrosas a los árboles del jardín... Víctor, de pronto, enseriando el tono, comenzó a hablar, sin énfasis, de lo que le había traído al país. Negocios, ante todo: las sedas de Lyón pagaban un impuesto elevadísimo al pasar por España para ser embarcadas hacia La Habana y México; sacadas por el puerto de Burdeos, en cambio, y enviadas a Saint-Domingue, eran traídas acá, fraudulentamente, en viajes de regreso, por los buques norteamericanos que llevaban harina de trigo a las Antillas. Centenares de piezas eran introducidas en la plaza, dentro de sacos idénticos a los demás, mediante un mecanismo de alto contrabando que los comerciantes criollos de ideas avanzadas, ayudados por ciertas autoridades portuarias, propiciaban a modo de desquite ante las abusivas exacciones del monopolio español. Trabajando, a través de su propio negocio, para las fábricas de Jean Baptiste Willermoz (tenía que ser un personaje muy importante, ya que para pronunciar su nombre debía engolarse tanto el acento, pensaba Esteban) había colocado grandes cantidades de sederías lionesas en distintos comercios de la ciudad. «¿Y es muy honesto este negocio?», preguntó Sofía intencionadamente. «Es una manera de luchar contra la tiranía de los monopolios —dijo el otro—: La tiranía debe ser combatida bajo todas sus formas». Y había que empezar por algo, porque aquí las gentes estaban como dormidas, inertes, viviendo en un mundo intemporal, marginado de todo, suspendido entre el tabaco y el azúcar. La «filantropía», en cambio, era poderosísima en Saint-Domingue, donde se estaba al tanto de cuanto ocurría en el mundo. Creyéndose que el movimiento se hubiera extendido en esta isla tan ampliamente como en España, se le había confiado la tarea de establecer relaciones con los afiliados de aquí, procediendo a la creación de algún conventículo como se hubiese hecho en otras partes. Pero grande había sido el desengaño. Los filántropos de esta rica urbe eran escasos y timoratos. No parecían darse cuenta de lo que significaba la cuestión social. Mostraban una cierta simpatía hacia un movimiento que estaba cobrando una pujanza universal, pero sin desplegar mayor actividad. Por timidez, por cobardía, dejaban circular leyendas de cruces escupidas, insultos a Cristo, sacrilegios y blasfemias, desacreditadas en otras partes. (*«Nous avons autre chose á faire, croyes-moi»*.) No tenían noción de la trascendencia mundial de los acontecimientos que se estaban desarrollando en Europa. «La revolución está en marcha y nadie podrá detenerla», dijo Ogé, con la impresionante nobleza de acento que sabía poner en ciertas afirmaciones. Revolución, pensaba Esteban, que se reducía a las noticias de cuatro líneas, relativas a Francia, publicadas en el periódico local, entre un programa de comedias y un aviso de venta de guitarras. Víctor mismo reconocía que, desde su llegada a La Habana, había perdido todo contacto con una actualidad que era apasionadamente seguida en Saint-Domingue. «Para empezar —decía Ogé—, un reciente decreto autoriza al hombre de mi color (y con el dedo señalaba sus mejillas más oscuras que su frente), a desempeñar allá cualquier cargo público. La medida es de una importancia enorme. *E-nor-me*». Ahora, pujando el tono, alterando el diapasón, robándose la palabra, avanzaban Víctor y Ogé a saltos, en una exposición interesante y confusa, donde Esteban lograba arrancar, de paso, algunos conceptos precisos: «Hemos rebasado las épocas religiosas y metafísicas; entramos ahora en la época de la ciencia». «La estratificación del mundo en clases carece de sentido». «Hay que privar al interés mercantil del horroroso poder de desatar las guerras». «La humanidad está dividida en dos clases: los opresores y los oprimidos. La costumbre, la necesidad y la falta de ocios impiden a la mayoría de los oprimidos darse cuenta de su condición: la guerra civil estalla cuando la sienten». Los términos de *libertad, felicidad, igualdad, dignidad humana,* regresaban continuamente en aquella atropellada exposición, justificando la inminencia de un Gran Incendio que Esteban, esta noche, aceptaba como una purificación necesaria; como un Apocalipsis que estaba anhelante de presenciar cuanto antes, para iniciar su vida de hombre en un mundo nuevo. El joven creía advertir, sin embargo, que Víctor y Ogé, aunque ligados por las mismas palabras, no estaban muy de acuerdo sobre cosas, hombres, modos de acción en algo relacionados con los acontecimientos que se preparaban. Hablaba ahora el médico de un Martínez de Pasqually, filósofo notable, muerto en Saint-Domingue algunos años antes, cuyas enseñanzas habían dejado huellas profundas en algunas mentes. "¡Un farsante!», dijo Víctor, dándose a hablar irónicamente de Quien pretendía establecer comunicaciones espirituales, por encima de las tierras y los mares, con sus discípulos, igualmente arrodillados, en ocasión de solsticios y equinoccios, sobre círculos mágicos trazados con tiza blanca, entre velas encendidas, signos de la Kábala, humos aromáticos y otras escenografías asiáticas. «Lo que pretendemos —dijo Ogé de mal talante— es desarrollar las fuerzas trascendentales dormidas en el hombre». «Empiecen por romper sus cadenas», dijo Víctor. «Martínez de Pasqually —replicó el médico, violento— explicaba que la evolución de la Humanidad era un acto colectivo, y que, por lo tanto, la acción iniciada individual implicaba forzosamente la existencia de una acción social colectiva: quien más *sabe* más *hará* por sus semejantes». Víctor, esta vez, asintió blandamente, aceptando un concepto que no estaba del todo reñido con sus convicciones. Sofía expresó su desconcierto ante un movimiento de ideas que revestía tantas formas diversas y contradictorias. «Cuestiones tan complejas no pueden abordarse así, sin más», dijo Ogé ambiguamente, dejándola asomada a las brumas de un mundo soterrado, cuyos arcanos seguían en el misterio. Esteban, de pronto, tenía la impresión de haber vivido como un ciego, al margen de las más apasionantes realidades, sin ver lo único que mereciera la pena de ser mirado en esta época. «Y eso que nos tienen sin noticias», dijo Víctor. «Y seguiremos sin noticias porque los gobiernos tienen miedo; un miedo pánico al fantasma que recorre Europa —concluyó Ogé con tono profético—. Llegaron los tiempos, amigos. Llegaron los tiempos».

Dos días transcurrieron en hablar de revoluciones, asombrándose Sofía de lo apasionante que le resultaba el nuevo tema de conversación. Hablar de revoluciones, imaginar revoluciones, situarse mentalmente en el seno de una revolución, es hacerse un poco dueño del mundo. Quienes hablan de una revolución se ven llevados a hacerla. Es tan evidente que tal o cual privilegio debe ser abolido, que se procede a abolirlo; es tan cierto que tal opresión es odiosa, que se dictan medidas contra ella; es tan claro que tal personaje es un miserable, que se le condena a muerte por unanimidad. Y, una vez saneado el terreno, se procede a edificar la Ciudad del Futuro. Esteban se pronunciaba por la supresión del catolicismo, con la institución de castigos ejemplares para todo el que rindiese culto a los «ídolos». En esto hallaba el asentimiento de Víctor, en tanto que Ogé opinaba de modo distinto; como el hombre había manifestado siempre una aspiración tenaz hacia algo que podía llamarse «imitación de Cristo», ese sentimiento debía transformarse en un anhelo de superación, por el cual trataría el hombre de parecerse a Cristo, erigiéndose en una suerte de Arquetipo de Perfección Humana. Poco llevada hacia las especulaciones trascendentales, Sofía hacía regresar a los demás a la tierra, interesándose concretamente por la condición de la mujer y la educación de los niños en la sociedad nueva. Y trabábase la discusión a gritos, en torno a la cuestión de determinar si la educación espartana era realmente satisfactoria y adaptable a la época. «No», decía Ogé. «Sí», decía Víctor... Y tal era la disputa armada, el tercer día, en torno a la distribución de riquezas en la sociedad nueva que Carlos, al llegar a la finca después de una agotante cabalgata, creyó que las gentes, en la casa, estaban peleando. Su aparición aplacó las voces. Tenía cara de traer noticias graves. Y eran graves en realidad: la batida contra los francmasones y extranjeros sospechosos había empezado. Si el gobierno de la metrópoli transigía con sus ministros liberales, estaba muy resuelto, en cambio, a extirpar las ideas avanzadas de sus colonias. Don Cosme se había regodeado, avisando a Carlos que sabía de una orden de prisión dictada contra Ogé y Víctor. «*Decidément il faut filer*», dijo el negociante sin alterarse. Y trayendo su maleta, sacó de ella un mapa en el cual señaló un punto de la costa sur de la isla. «No estamos lejos», dijo. Y contó que, en sus tiempos de marino, había cargado esponjas, carbón y cueros en aquel surgidero donde conocía gente. Sin decir más, los dos fueron a recoger sus cosas, dejando a los otros sumidos en un penoso silencio. Nunca hubiesen creído que la partida de Víctor, ese forastero, ese intruso, casi inexplicablemente metido en sus vidas, pudiera afectarlos en tal grado. Su aparición, acompañada de un trueno de aldabas, había tenido algo diabólico —con ese aplomo en apoderarse de la casa, en sentarse a la cabecera de la mesa, en revolver los armarios. De súbito habían funcionado los aparatos del Gabinete de Física; habían salido los muebles de sus cajas; habían sanado los enfermos y caminado los inertes. Ahora quedaban solos, indefensos, sin amigos, entregados a los enredos de una magistratura morosa y vulnerable —ellos, que si mal entendían de negocios, menos entendían de leyes. En casos de duda ante la probidad de un tutor —había dicho a Carlos un abogado—, el Tribunal procedía a nombrar un cotutor o un Consejo de Tutoría, dotado de poderes hasta que los varones alcanzaran la mayoría de edad. De todos modos había que actuar, acudiendo al Tribunal. Carlos tenía un aliado de consideración en la persona de su antiguo tenedor de libros, recientemente despedido por don Cosme, que se jactaba de saber largo acerca de sus manejos. Mientras en eso se estuviera, era probable que se aplacaría la persecución desatada contra los francmasones. Eran frecuentes tales tempestades de verano en la administración hispánica; luego los expedientes se engavetaban, volviéndose a la modorra de siempre. Ellos quedarían en estrecho contacto con Víctor. Este podría regresar por unas semanas, para examinar la situación del almacén y encaminar el negocio por nuevos rumbos. Hasta podría pensarse en que dejara su comercio de Port-au-Prince, menos importante que el de acá. Sería, para ellos, el administrador soñado y acaso le fuera de mayor beneficio, con su talento para los números, establecerse en una ciudad de gran movimiento mercantil. Pero sólo había, ahora, una realidad inmediata: Víctor y Ogé debían huir. Ambos estaban en peligro de ser presos y «expulsados de los Reinos», según se había hecho con otros franceses que tenían en su haber, sin embargo, una larga permanencia en España. Sofía y Esteban los acompañarían hasta el surgidero... —surgidero al que llegaron, sin tropiezos, tres días más tarde, sedientos, doloridos, triscando polvo, con polvo en el pelo, bajo la ropa, tras de las orejas, al cabo de un ingrato viaje entre haciendas cuya hospitalidad esquivaban, pequeños ingenios de azúcar que ya habían terminado la molienda del año, y pueblos tristes, apenas dibujados sobre un paisaje monótono de sabanas frecuentemente anegadas. El caserío pesquero se extendía a lo largo de una playa sucia, cubierta de algas muertas y breas derramadas, donde pululaban los cangrejos, entre maderas rotas y sogas podridas. Un muelle de tablas, dañado por el peso de mármoles descargados pocos días antes, avanzaba hacia el mar turbio, como vestido de aceite, cuyas ondulaciones no hacían espuma. En medio de los barcos esponjeros, de las urcas de carbón, se veían varias goletas de cabotaje, cargadas de leña y de sacos. Un buque, cuyos mástiles, por altos y finos, sobresalían entre los palos de las demás embarcaciones, puso de buen humor a Víctor, que llevaba varias horas rumiando su cansancio sin hablar. «Conozco la nave —dijo—. Hay que saber ahora si va o vuelve». Y, movido por una repentina impaciencia, entró en una suerte de fonda-almacén-cordelería-taberna, pidiendo cuartos. Allí sólo había unas celdas con camastro y palangana, cuyas paredes, pasadas a lechada de sal, estaban cubiertas de inscripciones y gráficos más o menos obscenos. Había un hotel algo mejor, pero se encontraba a alguna distancia del surgidero, y tal era la fatiga de Sofía, que prefirió quedarse ahí, donde los pisos estaban limpios, soplaba alguna brisa y había tinajones de agua dulce para sacarse el polvo de encima. Mientras los viajeros se acomodaban de cualquier modo, Víctor fue hacia el muelle, en busca de informes. Algo desentumecidos, volvieron a encontrarse Sofía, Ogé y Esteban en torno a una mesa donde se les había dispuesta una cena de alubias y pescado, bajo un fanal en cuyos cristales topaban los insectos con chasquido seco. Y se hubiera comido de buena gana, sin la aparición de una plaga de diminutas mosquillas, venida con la noche de las marismas cercanas. Se metían en las orejas, en las narices, en las bocas, deslizándose hasta las espaldas como una arenilla fría. Sin hacer caso al humo de cocos secos que se habían encendido sobre la parrilla de un anafe para ahuyentarlos, los cínifes acudían por enjambres, por nubes, hincando las caras, las manos, las piernas. «¡No puedo más!», gritó Sofía, huyendo a su cuarto y metiéndose debajo del mosquitero, después de apagar las dos bujías puestas en un taburete que hacía las veces de velador. Pero se sintió rodeada de zumbidos. Debajo del burdo tul roído por la humedad, lleno de agujeros, proseguía el tormento. Iba el pequeño silbido agudo de la sien al hombro, de la frente al mentón, con la tregua de un posarse pronto advertido por la piel. Sofía se daba vueltas, se abofeteaba, se daba con las palmas aquí, allá, en los muslos, entre los omoplatos, en las corvas, en los flancos. Sentía sus sienes rozadas por leves vuelos que, en su mayor cercanía, cobraban una rabiosa intensidad. Al fin prefirió ovillarse debajo de una sábana espesa, recia como lona, cubriéndose la cabeza. Y acabó por dormirse, cubierta de sudor, sobre la colcha empapada por su propio sudor, con la mejilla hundida en una mala almohada mojada de sudor... Cuando abrió los ojos era el amanecer; cantaban los gallos rasurados y espueludos de una gallera de lidia; había desaparecido la plaga, pero su fatiga era tal que se creyó enferma. La idea de pasar un día más —una noche más— en aquel lugar, con sus aguas salobres, su calor ya afirmado en la luz del alba, el tormento de los insectos, se le hizo intolerable. Envolviéndose en una bata, fue al almacén en busca de vinagre para aliviar su piel cubierta de ronchas. Junto a la mesa de la víspera, halló a Ogé, Esteban y Víctor, ya levantados, tomando jícaras de café tinto, en compañía de un capitán de marina que, a pesar de la hora temprana, se había vestido de traje formal —paño azul, botones dorados— para bajar a tierra. Sus mejillas afeitadas a tajos llevaban las huellas frescas de una mala navaja. «Caleb Dexter —dijo Víctor. Y añadió, bajando la voz—: También filántropo». Y volviendo a su tono, concluyó con acento perentorio: «Recojan sus cosas. El *Arrow* levará las anclas a las ocho. Nos vamos todos a Port-au-Prince».

X

Ahora, el frescor del mar. La gran sombra de los velámenes. La brisa norteña que, después de correr sobre las tierras, cobraba nuevo impulso en la vastedad, trayendo aquellos olores vegetales que los vigías sabían husmear desde lo alto de las cofas, reconociendo lo que olía a Trinidad, a Sierra Maestra o a Cabo Cruz. Con una vara a la que habían fijado una pequeña red, Sofía sacaba maravillas del agua: un racimo de sargazos, cuyos frutos hacía estallar entre el pulgar y el índice; un gajo de mangle, aún vestido de ostras tiernas; un coco del tamaño de una nuez, de tan esplendoroso verdor que parecía recién barnizado. Se pasaba sobre bancos de esponjas que pintaban pardos macizos en los fondos claros, bogándose entre cayos de arena blanca, siempre a la vista de una costa difuminada por sus brumas, que se iba haciendo más montañosa y quebrada. Sofía había aceptado aquel viaje con alegría, repentinamente librada del calor, de los cínifes, de la perspectiva de un tedioso regreso hacia lo cotidiano y monótono —hecho más monótono por la ausencia de quien, a todas horas, tenía el poder de transfigurar la realidad— como si se tratara de una mera excursión sobre las aguas de algún lago suizo, de románticas orillas empeñascadas; *promenade en bateau*, imprevisible ayer, y que Víctor, en crítico trance, había sacado de sus mangas de prestidigitador. Encontrado el lugar a bordo, con su pequeño camarote bajo cubierta para ella, el amigo les había ofrecido aquella navegación por responder, decía, al afecto y la generosidad que le habían mostrado en todo momento. Podían pasar varias semanas en Port-au-Prince y regresar en el mismo buque —para viajar con el capitán filántropo no necesitaban salvoconductos— cuando éste volviera de Surinam, a donde llevaba alguna carga. Tomando aquello como una travesura, como algo que los devolvía al grato desorden de otros días, habían despachado una carta a Carlos, enterándolo de una aventura que cobraba, para Sofía, un significado providencial, después de tantos sueños de viaje, de tantos itinerarios dejados en el papel, de tantas partidas nunca resueltas. Al menos se entraba en algo nuevo. Port-au-Prince no era Londres, ni Viena, ni París; pero ya significaba un gran cambio. Se hallarían en una Francia ultramarina, donde se hablaba otro idioma y se respiraban aires distintos. Irían al Cabo Francés para asistir, en el Teatro de la Rue Vaudreuil, a alguna representación de *Le légataire universel* o de *Zemire et Azor*. Allá comprarían música, de la más nueva, para la flauta de Carlos, y libros, muchos libros que trataran de la transformación económica de Europa en este siglo y de la revolución actual —la que estaba en marcha... Un alboroto de voces sacó a Sofía de los quehaceres de su pesca —pesca que la tenía echada en la proa, de bruces, con el sol metido en la piel: en el castillo de popa, sin más ropa que unos calzones ceñidos a la cintura, Víctor y Ogé combatían a tiros de agua salada, bajando baldes con una cuerda, a quién más rápido, para volverlos a llenar. El torso del mulato era de una soberbia reciedumbre, con su talle, espigado bajo hombros que se ensanchaban en potente envergadura, lustrosos y duros. El pecho de Víctor, más abarrilado, más espeso, dibujaba sus músculos en firmes relieves —los dorsales parecían correrle sobre el armazón— cada vez que levantaba un balde sacado del mar para vaciarlo en la cara del otro. «Es la primera vez que me siento realmente joven», dijo Esteban. «Me pregunto si hemos sido jóvenes alguna vez», dijo Sofía, volviendo a su pesca. El agua se había cubierto de medusas irisadas, cuyos colores cambiaban al ritmo de las olas, quedándoles la constante de un azul añil orlado de festones rojos. El *Arrow*, bogando despacio, cortaba una vasta migración de aguamalas, orientada hacia la costa. Sofía, observando la multitud de esas criaturas efímeras, se asombraba ante la continua destrucción de lo creado que equivalía a un perpetuo lujo de la creación: lujo de multiplicar para suprimir en mayor escala; lujo de tanto engendrar en las matrices más elementales como en las torneadoras de hombres-dioses, para entregar el fruto a un mundo en estado de perpetua devoración. Del horizonte acudían, bajo hermosos ropajes de fiesta, esas miríadas de vidas aún suspendidas entre lo vegetal y lo animal, para ser dadas en sacrificio al Sol. Encallarían en la arena, donde sus cristales se irían secando poco a poco, deslustrados, encogidos, reduciéndose a un harapo glauco, a una espuma, a una mera humedad, pronto borrada por el calor. No podía imaginarse una más completa aniquilación, sin huellas ni vestigios —sin constancia siquiera, de que lo viviente lo hubiese sido alguna vez... Y después de las medusas vinieron unos vidrios viajeros —rosados, amarillos, listados— en tal diversidad de colores reflejando la encendida luz meridiana, que parecía la nave dividir un mar de jaspe. Sofía, con las mejillas ardientes, el pelo suelto en la brisa, se gozaba de un contento físico jamás conocido antes. Podía estarse durante horas a la sombra de un velamen, mirando las olas, sin pensar en nada, entregada a la voluptuosidad del cuerpo entero —blanda, perezosa, con los sentidos atentos a cualquier solicitud placentera. Hasta la gula se le despertaba en esta travesía, desde que el Capitán, en su honor, hacía servir manjares, bebidas, frutas, que sorprendían su paladar con el sabor nuevo de las ostras ahumadas, los famosos bizcochos bostonianos, las sidras inglesas, las tortas de ruibarbo —probadas por vez primera—, y los jugosos nísperos de Pensacola, que iban madurando por el camino, con los melones de las huertas neoyorquinas. Todo le era distinto, todo la sacaba de lo acostumbrado, contribuyendo a tenerla en una atmósfera de irrealidad. Cuando preguntaba cómo se llamaba aquella peña de forma extraña, aquel islote, aquel canal, sus nociones geográficas, recibidas de mapas españoles, no concordaban nunca con las nomenclaturas de Caleb Dexter, para quien esto era el *Caymanbrack;* aquello, el *Nordest Kaye* o la *Portland Rock.* Esta nave misma tenía algo mágico con su capitán «filántropo», perteneciente al mundo secreto de Víctor y de Ogé —el de Isis y Osiris, Jacques de Molay y Federico de Prusia—, que conservaba su mandil, adornado con la Acacia, el Templo-de-Siete-Peldaños, las dos Columnas, el Sol y la Luna, en una vitrina junto a sus instrumentos de navegación. Por las noches, bajo el toldillo de popa, Ogé se daba a hablar de los portentos del magnetismo, de la quiebra de la psicología tradicional, o bien de las órdenes secretas que florecían en todas partes, bajo los nombres de Hermanos del Asia, Caballeros del Aguila Negra, Electos Cohën, Filaletas, Iluminados de Aviñón, Hermanos de la Luz Verdadera, Filadelfos, Caballeros Rosa-Cruces y Caballeros del Templo, persiguiendo un ideal de igualdad y armonía, a la par que laboraban por el perfeccionamiento del Individuo, destinado a ascender, con el auxilio de la razón y de las Luces, hacia las esferas donde el ser humano veríase por siempre librado de temores y de dudas. Sofía observaba, por lo demás, que Ogé no era ateo a la manera de Víctor, en tanto que el Gran Arquitecto podía aceptarse como un símbolo pasajero, en espera de que la ciencia acabara de despejar los enigmas de la creación. El mestizo solía referirse a la Biblia, aceptando algunos de sus planteamientos, del mismo modo que usaba términos tomados a la Kábala y al Platonismo, refiriéndose a menudo a los Cátaros, cuya princesa Esclarmunda conocía Sofía por una linda novela leída recientemente. Empleando discretos eufemismos, afirmaba que la Pareja realizaba un regreso a la Inocencia Primaria, cuando de la total y edénica desnudez del abrazo surgía un aplacamiento de los sentidos; un jubiloso y tierno sosiego que era figuración, eternamente repetida, de la pureza del Hombre y de la Mujer antes de la Culpa... Víctor y Caleb Dexter, tratándose con respeto de colegas, hablaban del arte de navegar, discutiendo acerca de un *Rocky Shoal,* señalado en varios tratados como peligrosamente oculto a cuatro brazas de fondo, pero que ninguno había visto en sus andanzas por esta costa. Mr. Erastus Jackson, el segundo de a bordo, se acercaba al grupo para narrar tremebundas historias marítimas, como la de aquel Capitán Anson que, habiendo perdido la longitud, erró durante un mes por el Pacífico sin poder dar con la isla de Juan Fernández, o la otra, de una goleta encontrada cerca de la isla del Gran Caico, sin un solo tripulante a bordo, pero con los fuegos de la cocina aún encendidos —tendida una ropa recién lavada y todavía sin secar; tibia, en su sopera, una sopa destinada a la mesa de los oficiales. Las noches eran suntuosas. El Mar Caribe estaba lleno de fosforescencias que derivaban mansamente hacia la costa, siempre visible en perfiles de montañas que levemente alumbraba una luna en cuarto creciente. Sofía estaba entregada a los espectáculos que este viaje sorpresivo, inverosímil, ofrecía a sus miradas en valores de vegetaciones viajeras, peces raros, rayos verdes y prodigiosas puestas de sol que levantaban alegorías en un cielo donde cada nube podía interpretarse como un grupo escultórico —combates de Titanes, Laocontes, cuadrigas y caídas de ángeles. Aquí se admiraba ante un fondo de corales; allá descubría las islas roncadoras, con la voz baja y profunda de sus socavones llenos de un eterno rodar de gravas. No sabía si creer que las holoturias tragaban arena, y si era cierto que las ballenas bajaran hasta los trópicos. Pero todo se hacía creíble en esta navegación. Una tarde le señalaron un extraño pez al que llamaban Unicornio de Mar —lo cual le hizo recordar la primera aparición de Víctor en la Casa de las Aldabas. Aquella vez, por mofa, le había preguntado si nadaban sirenas en los mares del Caribe. «Aquella noche —dijo el otro— faltó poco para que me arrojaran». «Varias veces estuve a punto de hacerlo», dijo Sofía, jugando con la ambigüedad, sin confesar cuán dura le era esa evidencia ahora que, cuando ambos se rozaban en la angostura de los pasillos o en lo empinado de las escalerillas, ella demoraba el paso, en la vergonzante espera de sentirse nuevamente asida. En fin de cuentas, había sido *eso,* con toda su brutalidad, lo único realmente importante —la única peripecia personal— que hubiera ocurrido en su vida. Bajó al camarote y se echó en el camastro. Un molesto sudor mojaba sus medias mal recogidas, sus pechos oprimidos por el estiramiento de la blusa ladeada, su piel toda irritada por la aspereza de la manta de lana que cubría su lecho, cuando se oyeron gritos y carreras en la cubierta. Después de arreglarse de cualquier modo, Sofía salió a una borda para enterarse de la razón del alboroto. La nave cruzaba por un banco de careyes; dos marineros, desde un bote recién arriado, trataban de atrapar al más grande con nudos corredizos. Pero, entre los carapachos suntuosos, habían aparecido aletas de escualos, atropellando la barca. Regresaban los pescadores, blasfemando de despecho ante lo que se les perdía en peines y peinetas, en marcadores de libros y hebillas de precio, tirando arpazones a diestro y siniestro. Como si la muerte de unos cuantos tiburones hubiese podido aplacar su vieja ira contra la especie entera, los marinos afincados en buena borda les arrojaron anzuelos tenidos por cadenas, que las fieras mordían vorazmente, prendiéndose de garfios que les salían por los ojos. Y eran sacadas del agua, con feroces sacudidas y coletazos terribles, hasta la altura de las bordas, donde las golpeaban con palos, pértigas, barras de hierro, y hasta con los espeques del cabrestante. Manaba la sangre de los cueros destrozados, tiñendo el agua, salpicando las velas, corriendo hacia los desaguaderos de la cubierta. «Es un bien que se hace —gritaba Ogé, golpeando también—. Esos peces son horribles». Toda la tripulación estaba afuera —unos a horcajadas sobre las vergas, otros asomados a donde los brazos sirvieran de algo, cada cual armado con una estaca, un enser de carpintería, una sierra, con un encarnizamiento que hacía arrojar nuevas cadenas o un berbiquí, esperando su oportunidad de pegar y herir, y nuevos anzuelos. Sofía fue a su camarote para quitarse la blusa manchada por un aceite, una bilis, que le había caído encima en el tumulto. Por el pequeño espejo colgado al pie del ventanillo que servía de tragaluz vio entrar a Víctor: «Soy yo», dijo, cerrando la puerta. Arriba seguían los gritos y blasfemias.

XI

¿Qué alboroto es éste?
GOYA

Cuando fondeó la nave en el puerto de Santiago, Víctor, acodado en la proa, hizo un gesto de asombro. Ahí estaban la *Salamandre*, la *Vénus*, la *Vestale*, la *Méduse*, embarcaciones de tráfico normal entre Le Havre, Le Cap y Port-au-Prince, además de una multitud de unidades menores —urcas, goletas, balandras— que le eran conocidas por pertenecer a negociantes de Leogane, Les Cayes y Saint-Marc. «¿Todos los barcos de Saint-Domingue se han reunido aquí?», preguntó a Ogé, que tampoco se explicaba las razones de tan insólita migración. Echadas las anclas, se fueron a tierra, presurosamente, en busca de informes. Lo que supieron era tremebundo: tres semanas antes había estallado una revolución de negros en la región del norte. El levantamiento se había generalizado, sin que las autoridades llegaran a dominar la situación. La ciudad estaba llena de colonos refugiados. Se hablaba de terribles matanzas de blancos, de incendios y crueldades, de horrorosas violaciones. Los esclavos se habían encarnizado con las hijas de familia, sometiéndolas a las peores sevicias. El país estaba entregado al exterminio, el pillaje y la lubricidad... El capitán Dexter, que llevaba un pequeño cargamento para Port-au-Prince, iba a aguardar unos días, en espera de noticias más tranquilizadoras.

Si proseguían los desórdenes, iría a Puerto Rico y luego a Surinam, sin detenerse en Haití. Víctor, muy preocupado por el destino de su comercio, no sabía qué hacer. Ogé, en cambio, se mostraba sereno: aquel movimiento era pintado, sin duda, con colores excesivos. Demasiado coincidía con otros acontecimientos de un alcance universal para ser una mera revuelta de bárbaros incendiarios y violadores. También habían hablado algunos de turbas enloquecidas, ebrias de sangre, después de un cierto 14 de Julio que estaba en camino de transformar el mundo. Uno de los más destacados funcionarios de la colonia era su hermano Vincent, educado en Francia como él, miembro del Club de Amigos de los Negros, de París, filántropo de altas luces, que habría sabido contener a las gentes amotinadas si éstas no se hubiesen lanzado a las calles y a los campos en reclamación de algo justo. Como Vincent había muchos ahora, imbuidos de filosofía, sabedores de lo que reclamaban los tiempos. Todo estaba en esperar un poco, pero ya los días traerían una aclaración de lo sucedido. Si Dexter persistía en no hacer escala en Port-au-Prince, pronto volverían allá las naves refugiadas en Santiago. A bordo de una de ellas, el viaje a la vecina isla sería un amable paseo... Pero, entre tanto, había que contar con el calor. Con el calor que pareció surgir de los sollados, de las calas, de las escotillas, de las maderas mismas del *Arrow*, cuando el buque, con las velas aferradas, quedó anclado en puerto —puerto que era el de Santiago nada menos, y en mes de septiembre para más. Un universal olor de brea tibia invadió los camarotes y pasillos, pero no lo suficientemente, sin embargo, para librar la cubierta de ciertos vahos de peladuras de patatas, de grasas rancias, de aguas usadas en lavar platos, que empezaron a subir de las cocinas. Y lo peor era que no había modo de guarecerse en tierra. Nadie podía pensar en hallar un albergue en la ciudad, ya que los refugiados llenaban las fondas, posadas y hoteles, llegando a contentarse con una mesa de billar a modo de cama o con cualquier butaca arrimada a un rincón, para pasar la noche. Las escalinatas de la catedral eran habitadas por gentes que defendían ferozmente el tramo de piedra fresca que les servía de cama. Ogé y Esteban dormían en la cubierta del

Arrow, esperando el alba para irse a tierra, en la primera chalupa, con la esperanza de encontrar algún frescor en las calles de casitas rosadas, azules, anaranjadas, con rejas de madera y puertas claveteadas, que evocaban los tempranos días de la colonización —cuando Hernán Cortés, todavía modesto alcalde, sembraba las primeras vides traídas de España a las Antillas recién descubiertas. Almorzaban en cualquier bodegón, con lo que pudiera encontrarse —que hasta los alimentos escaseaban— antes de buscar el pintoresco amparo de los techos de hojas de palmera que unos franceses farsantes, ingeniosos en lo de aprovechar una situación convulsiva, habían alzado en las puertas de Santiago, a modo de un parque de diversiones que se abría a la media tarde. Sorprendíase Esteban de que ni Sofía ni Víctor quisieran acompañarlo en sus divertidas correrías por la ciudad. Pero ambos preferían —a pesar del agobiante calor— permanecer a bordo del *Arrow*, que quedaba sin tripulantes durante esos días de forzada inmovilización, ya que los marinos iban a tierra en la primera oportunidad, regresando después del atardecer o de noche, con grande alboroto de borrachos en las chalupas. Sofía explicaba que la temperatura la tenía en insomnio hasta el amanecer, de tal modo que sólo venía a dormirse vencida por el cansancio, cuando los demás despertaban. Víctor, por su parte, se instalaba en el castillo de proa, frente a la ciudad, desde la hora del alba, redactando una voluminosa correspondencia relacionada con sus negocios. Y así transcurrieron varios días —estando unos en tierra, otros a bordo; unos molestos por los malos olores del barco; otros sin advertirlos— hasta que, una mañana, Dexter anunció que un marino norteamericano, llegado la víspera de Port-au-Prince, le había informado que allí reinaba un franco estado de revolución. No podía esperar más: zarparía a media tarde para proseguir el viaje, dejando de lado la isla de Saint-Domingue. Después de recoger sus cosas y de almorzar un jamón de Westfalia rociado con cerveza tan caliente que la espuma no despegaba de las copas, los viajeros se despidieron del capitán filántropo y de las gentes del *Arrow*. Sentados sobre sus valijas, en un portal de los muelles, consideraron la situación. Ogé sabía de un mal velero cubano que saldría mañana hacia Port-au-Prince, fletado por comerciantes de aquí, en busca de refugiados. Lo razonable era que Sofía permaneciera en Santiago, mientras que los tres hombres embarcaran. Si la situación no era como la pintaban —y Ogé insistía en que los acontecimientos respondían, por fuerza, a algo más complejo y noble que un mero afán de pillaje—, Esteban regresaría por el mismo barco para buscar a su prima. Ogé estaba muy confiado, además, en la autoridad de su hermano Vincent, de quien estaba sin noticias desde hacía meses, pero que ocupaba, según sabía, un alto cargo en la administración de la colonia. En cuanto a Víctor, no había dilema posible; tenía un negocio, una casa, bienes, en Port-au-Prince. Sofía se enojó, pidiendo que la llevaran; aseguró que no sería un estorbo; no necesitaba camarote; no tenía miedo. «No es cuestión de miedo —dijo Esteban—. No podemos exponerte a que te pase lo que pasó a centenares de mujeres allá». Víctor estaba de acuerdo. Si la vida era posible en la isla, vendrían a buscarla. De lo contrario, él dejaría a Ogé como apoderado suyo y regresaría a Santiago en espera del fin de la tormenta. Con tantos refugiados franceses como había en la ciudad, nadie iría a averiguar si el Víctor Hugues de acá era el mismo que había sido denunciado en La Habana por masón. Ahora, Santiago albergaba centenares de miembros de las logias de Port-au-Prince, de Le Cap, de Leogane. Aceptando la determinación de los varones, la joven quedó sola con Víctor en medio del equipaje disperso, mientras Ogé y Esteban iban a resolver el difícil problema de hallarle un alojamiento decente. A bordo del *Arrow* —esbelto y magnífico, con sus arboladuras ligeramente inclinadas, sus finos obenques, sus tremolantes enseñas— se iniciaban las maniobras de la partida, con gran movimiento de marinos en la cubierta.

A la mañana siguiente era una vieja balandra cubana, de velas remendadas y ruinosa estampa, la que salía del puerto de Santiago, emprendiendo la navegación a lo largo de una costa cada vez más acrecida en alturas. Parecía que el velero no avanzara, de tanto tener que orzar el rumbo para imponerse a las corrientes contrarias... Transcurrió un día interminable, y una noche de luna tan clara que Esteban, en el medio sueño de un mal descanso al pie del mástil, creyó veinte veces que amanecía. La balandra entró en las fauces del Golfo de la Gonave, no tardando en avistar las costas de una isla donde, según Ogé, había cascadas cuyas aguas tenían el poder de sumir a las mujeres en un estado de videncia órfica. Cada año iban en peregrinación hacia aquel brillante altar de la Diosa de la Fecundidad y de las Aguas, sumergiéndose en la espuma caída de altas rocas. Y dábanse algunas a retorcerse y gritar, poseídas por un espíritu que les dictaba vaticinios y profecías —profecías que solían cumplirse con pasmosa exactitud. «Sorprendente es que un médico crea en eso», dijo Víctor. «El doctor Mesmer —replico Ogé, sarcástico— ha realizado millares de curas milagrosas en vuestra culta Europa, magnetizando el agua de sus bateas y provocando en sus pacientes un estado de inspiración que desde siempre conocen los negros de acá. Sólo que él cobraba por hacerlo. Los dioses de la Gonave trabajan gratuitamente. Esa es la diferencia...» Se siguió navegando entre costas difuminadas, hasta el anochecer. Víctor, que había pasado el día en estado de excesiva impaciencia, se durmió pesadamente —como urgido de recuperar el desgaste nervioso— después de una magra cena de arencones y bizcochos. Fue despertado por Esteban, poco antes de la madrugada. La balandra llegaba frente a Port-au-Prince. El casco de la ciudad estaba en llamas. Un incendio gigantesco enrojecía el cielo y arrojaba pavesas a los montes cercanos. Víctor exigió que echaran un bote al agua, sin esperar más, y poco después desembarcaba en el muelle de la pesca. Seguido de Esteban y de Ogé, cruzó las calles donde algunos negros cargaban relojes, cuadros, muebles, salvados de las llamas. Los tres llegaron a un solar yermo, donde algunas maderas calcinadas se erguían aún, humeantes, escamadas de cenizas, entre pequeñas hogueras. El negociante se detuvo, tembloroso, crispado, con el sudor cayéndole de la frente, de las sienes, de la nuca. «Les hago los honores de la casa —dijo—. Allí estaba la panadería; aquí, el almacén; detrás, mi habitación». Recogió una tabla de roble medio quemada: «Era un buen mostrador». Su pie tropezó con un platillo de balanza, ennegrecido por el fuego. Levantándolo, lo miró largamente. De súbito lo arrojó al suelo con estrépito de gong, alzando un revuelo de hollines. «Perdón», dijo, reventando en sollozos. Ogé salió en busca de unos familiares que tenía en la ciudad.

El día fue naciendo bajo nubes bajas, cargadas de humo, como apretadas entre las montañas que cerraban el golfo. Víctor y Esteban, sentados sobre el horno de la panadería —única cosa identificable en medio de lo informe— contemplaban una ciudad que recobraba sus ritmos de ciudad dentro del aniquilamiento de la ciudad misma. Acudían campesinos llevando frutas, quesos, coles, mazos de caña, para disponerlos en un mercado que había dejado de ser mercado. Por costumbre adquirida se situaban en el lugar de sus puestos inexistentes, armando comercios al aire libre que observaban la alineación y compostura de otros días. Parecía que los sublevados, después de haber prendido fuego a todo, se hubiesen esfumado. Una calma de carbones apagados, de rescoldos, de brasas sobre la tierra cubierta de escombros, daba una bucólica estampa al que venía pregonando la leche de sus cabras pintas, la fragancia de sus jazmines, la bondad de sus mieles. El gigante que, allá, al final del espigón, ofrecía un enorme calamar enlazado en lo alto, se transfiguraba en el Perseo de Cellini. Unos religiosos, bastante lejos, retiraban los chamuscados andamios de una iglesia en construcción. Iban burritos cargados, por calles que habían dejado de serlo, siguiendo, sin embargo, el acostumbrado itinerario, doblando donde ya no podía cruzarse recto, demorando en una esquina ilusoria donde el tabernero había reinstalado sus frascos de aguardiente sobre tablas montadas en ladrillos. Víctor medía y remedía, con la mirada, el área de su aniquilado negocio, extrañamente solicitado, dentro de su ira calmada, por el sentimiento liberador de no poseer nada, de haber quedado sin una pertenencia, sin un mueble, un contrato, un libro —sin una carta amarillenta, sobre cuya letra pudiera enternecerse. Su vida estaba puesta en punto cero, sin compromisos que cumplir, sin deudas que pagar, suspendida entre el destruido pasado y el mañana inimaginable. En los *mornes* habían estallado nuevos incendios: «Para lo que queda por quemar, quémenlo todo de una vez», dijo. Y todavía permanecía allí, a mediodía, bajo el blanco resplandor de las nubes tendidas de monte a monte, cuando llegó Ogé. Tenía un semblante duro, ahondado por arrugas nuevas, que Esteban no le conocía. «Bien hecho —dijo, abarcando con la mirada el área del incendio—. Ustedes no se merecían otra cosa». Y ante la cara interrogante y enojada de Víctor: «Mi hermano Vincent ha sido ejecutado en la Plaza de Armas del Cabo Francés: le quebraron el cuerpo a golpes de barra de hierro. Dicen que los huesos le sonaban como nueces rotas a martillazos». «¿Los sublevados?», preguntó Víctor. «No. Ustedes», respondió el médico con ojos de una sombría fijeza, que miraban sin mirar. Y en medio de aquel solar yermo, narraba la terrible historia del hermano menor, designado para desempeñar un importante cargo administrativo, que se topa con la negativa de los colonos franceses a acatar el decreto de la Asamblea Nacional, a tenor del cual los negros y mestizos dotados de suficiente instrucción eran autorizados a desempeñar funciones públicas en Saint-Domingue. Cansado de alegar y reclamar, Vincent se alza en armas, al frente de un escuadrón de descontentos, igualmente afectados por la intransigencia —la desobediencia— de los blancos. Secundado por otro mestizo, Jean Baptiste Chavannes, marcha sobre la Ciudad del Cabo. Al quedar derrotados en el primer encuentro, Vincent y Jean Baptiste buscan amparo en la parte española de la isla. Pero allí son apresados por las autoridades, aherrojados y devueltos al Cabo, bajo escolta. Puestos entre rejas en una plaza pública, son entregados, durante varios días, al escarnio: insultados, escupidos, por quienes, al pasar, no les arrojaban inmundicias y aguas sucias. Pero ya se yergue la picota; empuña el verdugo su cabilla, que se ensaña en las piernas, los brazos, los muslos, de los reos. Terminada la faena, interviene el hacha. Las cabezas de los jóvenes, alzadas en lanzas, son paseadas, para escarmiento, a lo largo del camino que conduce a la Grande Rivière. Los buitres, volando bajo, daban de picotazos, al paso, a las caras amoratadas por el suplicio, que acababan de perder todo aspecto humano —meras esponjas de carne, con hoyos escarlata, bamboleadas por guardias borrachos, que se detenían a beber en cada parador... «Queda mucho por quemar —dijo Ogé— La próxima noche va a ser tremenda. ¡Lárguense cuanto antes!»... Fueron hacia el muelle, cuyos espigones de madera estaban ardidos a tramos largos, teniendo que andar sobre los travesaños de sostén, de un quebracho resistente al fuego, debajo del cual flotaban cadáveres, escarbados por los cangrejos. La balandra cubana, cargada de refugiados, se había ido sin esperar una hora más —según supieron por un negro viejo, que remendaba tozudamente sus redes como si un roto en la urdimbre del cordel hubiese sido un problema de capital importancia en medio del vasto siniestro. Todas las naves habían abandonado el puerto menos una, recién llegada, cuyos tripulantes acababan de enterarse de lo que ocurría en Port-au-Prince; era una fragata de tres palos, alta sobre bordas, hacia la cual bogaban, recién desprendidas de las orillas, barcas cada vez más numerosas. «Esta es la única oportunidad —dijo Ogé—. Váyanse, antes de que los destripen». Llevados por el negro pescador en un cayuco tan maltrecho que era preciso achicarlo con jícaras, abordaron el *Borée*, cuyo capitán, asomado a la borda, escupiendo injurias, se negó a dejarlos subir. Víctor hizo entonces una seña rara —una suerte de dibujo en el espacio— que acalló las imprecaciones del marino. Se les bajó una escala de cuerdas, y poco después estaban en cubierta, junto al que había entendido el signo —la abstracta imploración— del negociante arruinado. El buque, atestado de refugiados —los había en todas partes, sudando en ropas resudadas, oliendo mal, enfermos de fiebre, de insomnio, de cansancio, rascándose las primeras llagas, los primeros piojos, golpeado éste, herido el otro, violada aquélla— zarparía en el acto y regresaría a Francia. «No hay más solución». dijo Víctor, al ver que Esteban vacilaba ante la magnitud de un viaje que no había entrado en sus planes. «Si se queda, lo matarán esta noche», dijo Ogé. «*Et vous?*», preguntó Víctor. «*Pas de danger*», respondió el mulato señalando sus mejillas oscuras. Se abrazaron. Sin embargo, Esteban tuvo la impresión de que el médico no lo estrechaba tan efusivamente como otras veces. Había una tiesura, una distancia nueva, un enseriamiento, entre los cuerpos. «Siento lo ocurrido», dijo Ogé a Víctor, como si asumiera, de pronto, la representación de un país entero Y haciendo un pequeño gesto de despedida, regresó a la barca, de cuya borda trataba el pescador de alejar el cadáver de un caballo, empujándolo con el remo... Poco después, un trueno de tambores estalló sobre Port-au-Prince, alcanzando las cimas de los *mornes*. Nuevos incendios crecían en las rojeces del crepúsculo. Esteban pensaba en Sofía, que esperaría inútilmente en Santiago —donde había quedado alojada en la casa de unos comerciantes honorables, antiguos proveedores de su padre. Pero era mejor que así fuese. Ogé se las arreglaría para enterarla de lo ocurrido. Carlos iría a buscarla. La rara aventura que hoy empezaba no era de las que podían emprenderse con mujeres en un buque donde, desde ahora, quien tuviese el empeño de asearse tenía que hacerlo a la vista de todos —con otras muchas cosas que se harían, por fuerza, a la vista de todos. Esteban, entre inquieto y remordido, feliz ante la increíble novedad que le salía al paso, se sentía más sólido, más hecho, más levantado en estatura masculina, junto a Víctor Hugues. Ahora, de espaldas a la ciudad como alardeando de haber enterrado su pasado bajo un montón de cenizas, el francés, vuelto más francés que nunca al hablar en francés con un francés, se enteraba de las últimas noticias de su patria. Eran interesantes, insólitas, extraordinarias, ciertamente. Pero ninguna tan considerable, tan sensacional como la que se refería a la fuga del Rey y a su arresto en Varennes. Era algo tan tremendo, tan novedoso para cualquier mente, que las palabras «Rey» y «arresto» no acababan de acoplarse, de constituir una posibilidad inmediatamente admisible. ¡Un monarca arrestado, avergonzado, humillado, entregado a la custodia del pueblo a quien pretendía gobernar, cuando era indigno de hacerlo! La más grande corona, el más insigne poder, el más alto cetro del universo, traídos entre dos gendarmes. «Y yo, que estaba negociando con sederías de contrabando, cuando tales cosas pasaban en el mundo —decía Víctor, llevándose las manos a la cabeza—. Se estaba asistiendo, allá, al nacimiento de una nueva humanidad...» El *Borée*, impulsado por la brisa nocturna, bogaba despacio, bajo un cielo de estrellas tan claras que las montañas del Este se pintaban en tinieblas intrusas, cortando el puro dibujo de las constelaciones. Atrás quedaban los incendios de un día. Hacia el Oriente se erguía, enhiesta y magnífica, vislumbrada por los ojos del entendimiento, la Columna de Fuego que guía las marchas hacia toda Tierra Prometida.

CAPÍTULO SEGUNDO

Sanos y enfermos.

GOYA

CUANDO pensaba en la ciudad natal, hecha remota y singular por la distancia, Esteban no podía sino evocarla en colores de aguafuerte, con sus sombras acentuadas por la excesiva luz de lo iluminado, con sus cielos repentinamente cargados de truenos y nubarrones, con sus calles angostas, fangosas, llenas de negros atareados entre la brea, el tabaco y el tasajo. Más carbón que llamas había en el cuadro de un Trópico que, visto desde aquí, se hacía estático, agobiante y monótono, con sus paroxismos de color siempre repetidos, sus crepúsculos demasiado breves, y sus noches caídas del cielo en lo que tardábase en traer las lámparas —largas noches alargadas por el silencio de quienes entraban en el sueño antes de oír la voz del sereno cantando las diez por María Santísima, sin pecado concebida en el primer instante en su Ser Natural... Aquí, en las suntuosas matizaciones de un incipiente otoño que era portentosa novedad para quien venía de islas donde los árboles ignoraban el paso de lo verde a las sanguinas y las sepias, todo era alegría de banderas, florecer de cucardas y escarapelas, flores ofrecidas en las esquinas, leves rebozos y faldas de cívica ostentación, con rojos y azules prodigados a todo trapo. Esteban tenía la impresión —luego de tanto vivir en lo retirado y recoleto— de haber caído en una enorme feria, cuyos personajes y adornos hubiesen sido ideados por un gran intendente de espectáculos. Todo giraba, distraía, aturdía, en el constante barullo de comadres parleras, cocheros que se interpelaban de pescante a pescante, forasteros bigardos, lacayos maledicentes, ociosos, correveidiles, comentadores de lo último ocurrido, lectores de periódicos, discutidores trabados en apasionados corros con el difundidor de infundios, el mejor-enterado-que-nadie, el que-sabía-de-buena-tinta, el que-había-visto, el que-había-estado-y-podía-contarlo —sin olvidar al muy ardiente patriota metido en vinos, el periodista de tres artículos, el policía que fingía un catarro para justificar el embozo, el antipatriota demasiado patrióticamente ataviado para que el atuendo no le oliera a disfraz, que a todas horas atolondraban el vasto tutilimundi arrabalero con alguna alborotosa novedad. La Revolución había infundido una nueva vida a la Calle —a la Calle, de enorme importancia para Esteban, ya que en ella vivía y desde ella contemplaba la Revolución. «Alegría y desbordamiento de un pueblo libre», pensaba el mozo, oyendo y mirando, orgulloso por el título de «Extranjero amigo de la Libertad» que le otorgaban todos. Podían algunos haberse acostumbrado rápidamente a todo esto; pero él, sacado repentinamente de sus modorras tropicales, tenía la impresión de hallarse en un ambiente exótico —esa era la palabra—, de un exotismo mucho más pintoresco que el de sus tierras de palmeras y azúcares, donde había crecido sin pensar que lo visto siempre pudiera resultar exótico para nadie. Exóticos —exóticos de verdad— le resultaban aquí los mástiles y banderolas, las alegorías y enseñas; los caballotes de anchas grupas, como sacados de un tiovivo imaginado por Paolo Ucello, tan distintos de los jamelgos huesudos y mañosos —buenos hijos de andaluces al fin— de su país. Todo le era espectáculo bueno para detenerse y admirarse: el café era decorado a la manera china, y la taberna cuya enseña se adornaba de un Sileno a horcajadas sobre un tonel. Los funámbulos que al aire libre remedaban las suertes de acróbatas famosos, y el atusador de perros que había instalado su oficina en las orillas del río. Todo era singular, imprevisto, gracioso: el traje del barquillero y el muestrario de alfileres, los huevos pintados de rojo y los pavos, pregonados como «aristócratas» por una desplumadora del Mercado. Cada tienda le resultaba un teatro, con el escaparate-escenario que exhibía perniles de carnero sobre encajes de papel; el de la perfumera, demasiado guapa para hacer creer que viviera de los escasos artículos exhibidos; el de la abaniquera, y el de aquella otra, hermosa también, de pechos puestos en mostrador, que ofrecía emblemas revolucionarios hechos de mazapán. Todo era listado, encintado, adornado, en tintes de caramelo, de globo Montgolfiero, de soldado de plomo, de estampa para ilustrar un Mambrú. Más que en una revolución, parecía que se estuviera en una gigantesca alegoría de la revolución, en una metáfora de revolución —revolución hecha en otra parte, centrada sobre polos ocultos, elaborada en soterrados concilios, invisibles para los ansiosos de saberlo todo. Esteban, poco familiarizado con los nombres nuevos, ayer ignorados, que se barajaban cada día, no acababa de ver quiénes hacían la revolución. De pronto surgían oscuras gentes de provincia, antiguos notarios, seminaristas, abogados sin causas y hasta extranjeros, cuyas figuras se agigantaban en semanas. La excesiva proximidad de los hechos lo tenía como encandilado, ante tantas caras recién aparecidas en las tribunas y en los clubes donde resonaban, a veces, las voces juveniles de quienes apenas le llevaban unos pocos años. Las asambleas a que asistiera, mezclado con el público, no le traían mayor información: desconociendo a los hombres, desconcertado por un torrencial despilfarro de palabras, se admiraba ante los oradores como hubiera podido hacerlo un lapón repentinamente llevado al Congreso de los Estados Unidos. Este le era simpático, por la expedita dureza de un verbo acerado, con ímpetus de adolescencia; aquél, por las populacheras inflexiones de su vozarrón; el otro, porque su elocuencia era más cáustica e incisiva que la de los demás... Víctor Hugues le resultaba un mal informador en estos momentos, pues tenía pocas oportunidades de verlo. Ambos vivían en un albergue modesto, mal alumbrado y peor ventilado, donde los hedores del carnero, las coles y la sopa de puerros cundían a todas horas, añadiéndose al olor a mantequilla rancia que despedían, por sí mismas, las alfombras raídas. Al comienzo se habían entregado a gozar de la vida de la capital, frecuentando los sitios de diversión y de placer, donde Esteban, mediante muchos excesos y no pocos atentados a su escarcela, lograra amansar la clásica concupiscencia de cuantos extranjeros arriban a las orillas del Sena. Pero, al cabo de algún tiempo, Víctor, arruinado como lo estaba, sin más monedas que las ganadas en Cuba, se dio a pensar en el mañana, en tanto que Esteban escribía a Carlos, pidiéndole una carta de crédito por intermedio de los señores Laffon, de Burdeos, que representaban las garnachas y moscateles del Conde de Aranda. El francés había cobrado el hábito de salir temprano, desapareciendo hasta muy tarde. Conociéndolo, se abstenía el joven de hacerle preguntas, Víctor era hombre que sólo hablaba de sus logros cuando eran alcanzados, aspirando ya a logros mayores. Entregado a sí mismo, Esteban se dejaba zarandear por el ritmo de cada día, siguiendo los tambores de un desfile de guardias, metiéndose en cualquier club político, sumándose a la manifestación improvisada, más francés que nadie, más revolucionario que quienes actuaban en la revolución, clamando siempre por medidas inapelables, castigos draconianos, escarmientos ejemplares. Sus periódicos eran los extremistas; sus oradores, los más implacables. Cualquier rumor alusivo a una conjura contrarrevolucionaria lo echaba a la calle, armado del primer cuchillo de cocina que encontrara. Con gran enojo de la dueña del hotel donde vivía, se había aparecido una mañana, seguido por todos los niños del barrio, trayendo un retoño de abeto que plantó solemnemente en el patio a título de nuevo Arbol de la Libertad. Un día tomó la palabra en un Club de Jacobinos, dejando atónitos a los presentes con la idea de que, para llevar la Revolución al Nuevo Mundo, bastaba con inculcar el ideal de Libertad a los jesuitas que expulsados de los Reinos de Ultramar, andaban errantes por Italia y Polonia... Los libreros del barrio le llamaban «El Hurón», y él, halagado por el remoquete que unía el recuerdo de Voltaire a la imagen de América, hacía cuanto le fuera posible por chocar con los hábitos de urbanidad del antiguo régimen, alardeando de una franqueza, de una brutalidad verbal, de una crudeza de juicios, que a veces lastimaba a los mismos revolucionarios. «Me jacto de poner los pies en el plato y de mentar la soga en casa del ahorcado», decía, gozándose en ser insoportable y ríspido. Y así iba, haciendo «huronadas» de corro en corro, de mentidero en mentidero, hasta las peñas donde se reunían los españoles de París, masones y filósofos, filántropos y comecuras, que conspi raban activamente por llevar la Revolución a la Península. Ahí se hacía un perpetuo recuento de Borbones cornudos, de reinas licenciosas e infantes cretinos, ciñéndose el atraso de España a un sombrío cuadro de monjas llagadas, milagrerías y harapos, persecuciones y atropellos, que sumían cuanto existiera entre los Pirineos y Ceuta en las tinieblas de una godarria rediviva. Comparábase ese país dormido, tiranizado, falto de luces, con esta Francia esclarecida, cuya revolución había sido saludada, aplaudida, aclamada, por hombres como Jeremías Betham, Schiller, Klopstock, Pestalozzi, Robert Bruce, Kant y Fichte. «Pero no basta con llevar la Revolución a España; también hay que llevarla a América», decía Esteban en esas reuniones, hallando siempre la aprobación de un Feliciano Martínez de Ballesteros, venido de Bayona, que pronto le fue simpático por su gracia en narrar anécdotas y porque, a veces, dábase a cantar tonadillas de Blas de Laserna, acompañándose con garbo y salero en un viejo clavicordio arrinconado. Era maravilla oír entonces a los españoles concertados en torno al teclado para contrapuntear la copla de:

> Cuando Majoma vivía
> Allá en la era pasada
> Era tanto lo que bebía
> Que del suelo se elevaba
> Con las monas que cogía,
> Con las monas que cogía.

Usaban todos, en son de alarde, un chaleco de venta prohibida por Real Disposición en los dominios de España y de América, en cuyo forro se ostentaba la palabra *Libertad* bordada con hilo rojo. Y eran proyectos de invasión, levantamientos de provincias, planos de desembarcos por Cádiz o por la Costa Brava, con nombramiento de ministros esclarecidos, fundaciones de periódicos imaginarios, redacciones de proclamas, los que llenaban las noches de la tertulia, dando a cada cual el gusto de escucharse a sí mismo, en una habladuría que rompía crismones y tumbaba coronas al estrépito de palabrejas castizas que ponían de cabrones y putas a todos los miembros de la Dinastía Ibérica. Se lamentaban algunos de que el prusiano Anacharsis Clootz, Apóstol de la República Universal, al presentarse a la barra de la Asamblea Constituyente como Embajador del Género Humano, no hubiera incluido a ningún español del grupo en su cortejo de ingleses, sicilianos, holandeses, rusos, polacos, mongoles, turcos, afganos y caldeos, vestidos con trajes nacionales, contentándose, para representar dignamente al país que tan cerca gemía bajo el dogal y las cadenas del despotismo, de un cualquier comparsa. Por ello no había sonado la voz de España en esa ceremonia memorable, donde hasta un turco tomara la palabra. «Bien hacen en despreciarnos, que aún no somos nada —decía Martínez de Ballesteros encogiéndose de hombros—. Pero ya nos llegará la hora». Por lo pronto, sabía de hombres valiosísimos que ya se disponían a venir a Francia para ponerse al servicio de la Revolución. Entre ellos, un joven Abate Marchena, a quien daba por un espíritu superior, a juzgar por el tono de sus cartas y unas traducciones de poemas latinos que le había mandado... Pero no todo era, para Esteban, pasarse las noches en animadas tertulias y andar de papanatas por las calles, asistiendo a desfiles y celebraciones cívicas. Un día memorable fue iniciado en la Logia de los Extranjeros Reunidos, penetrando en el vasto mundo fraternal y laborante que Víctor sólo le hubiera revelado a retazos. Para él habían encendido el Templo, resplandeciente y arcano, donde, al fulgor de las espadas, le tocara andar, trémulo y deslumbrado, hacia las Columnas Jachim y Boaz, el Delta y el Tetragrama, el Sello de Salomón, y la Estrella del Número de Oro. Allí estaban, envueltos en sus aureolas y emblemas, los Caballeros Kadosh y los Caballeros de la Rosacruz y los Caballeros de la Serpiente de Bronce y los Caballeros del Arca Real y los Príncipes del Tabernáculo y los Príncipes del Líbano y los Príncipes de Jerusalén, y el Gran Maestre Arquitecto y el Sublime Príncipe del Real Secreto, hacia cuyos Grados comenzaría la ascensión de Quien, demudado por la emoción, sintiéndose indigno de tanto honor, avanzaba hacia los misterios del Grial, de la transformación de la Piedra Bruta en Piedra Cúbica, de la Resurrección del Sol en la Acacia, en el seno de una Tradición conservada, recobrada que, retrocediendo vertiginosamente en el tiempo, alcanzaba las grandes ceremonias iniciacas del Egipto, a través de Jacobo Boehme, las Bodas Químicas de Christian Rosencreutz y el Secreto de los Templarios. Esteban se había sentido Uno con Todo, alumbrado, iluminado, ante el Arca que ahora había de edificar en su propio ser, a semejanza del Templo construido por el maestro Hiram-Abi. Estaba en el centro del Cosmos: sobre su cabeza se abría el Firmamento; sus pies hollaban el camino que conduce del Occidente al Oriente. Salido de las sombras del Gabinete de Reflexión, desnudo el pecho en el lugar del corazón, desnuda la pierna derecha, descalzo el pie izquierdo, el Aprendiz había respondido a las tres preguntas rituales sobre lo que el Hombre debía a Dios, a Sí mismo y a los Demás, al cabo de las cuales se habían agrandado las luces, las altas luces de un Siglo hacia cuyo prodigioso acontecer había ido ciegamente, vendado, como arrastrado por una voluntad superior, desde la tarde de los Grandes Incendios de Port-au-Prince. Entendía, ahora, el exacto sentido de la alucinada navegación —semejante a la de Perceval en busca de sí mismo— hacia la Ciudad Futura que, por una vez, no se había situado en América, como la de Tomás Moro o la de Campanella, sino en la propia cuna de la Filosofía... Aquella noche, incapaz de dormir, anduvo hasta la madrugada por barrios viejos, resudados de pátina, cuyas callejas tortuosas le eran desconocidas. Inesperadas esquinas, de agudo vértice, se le venían encima como las proas de gigantescas naves, sin mástiles ni velas, cubiertas de chimeneas que se pintaban sobre el cielo con fantástica apostura de caballeros armados. Sin revelar la naturaleza exacta de sus formas, emergiendo de tinieblas y claroscuros, aparecían andamios, muestras, letras recortadas en hierro, banderas dormidas. Allí se hacinaban las diablas de un mercado; allá, colgaba una rueda, sobre los mimbres enmarañados de cestas a medio tejer. Un percherón fantasmal hacía tremolar los belfos, de pronto, en el fondo de un patio donde una carreta alzaba las barras del tiro, en un rayo de luna, con la inquietante inmovilidad del insecto que se dispone a disparar los dardos. Siguiendo la ruta de los antiguos peregrinos de Santiago, Esteban se detuvo donde el cielo, al cabo de la calle, parece esperar a quien tramonte la cuesta, regalando ya el olor del trigo segado, el buen augurio de los tréboles, el húmedo y cálido aliento de los lagares. El joven sabía que era mera ilusión; que arriba había otras casas, y muchas más donde se intrincaban los suburbios. Por lo mismo, detenido donde había de detenerse para no perder los privilegios de una celestial y fastuosa perspectiva, contemplaba lo que durante siglos hubiesen mirado, entonando cánticos, los hombres de veneras, bordón y esclavina, que tanto habían arrastrado sus sandalias por este rumbo, sintiéndose más cerca del Pórtico de la Gloria, cuando a menos jornadas le quedaban el Hospital de San Hilario de Poitiers, las Landas resinosas y el descanso de Bayona, anunciadores de la fusión de las Cuatro Vías de los Romeros, en Puente de la Reina del Valle de Aspe. Y habían pasado por ahí de año en año, generación tras generación, movidos por un inacabable fervor, marchando hacia la sublime obra del Maestro Mateo, quien, de seguro —no podía haber duda en esto—, habría sido masón como Brunelleschi, Bramante, Juan de Herrera, o Erwin Steinbach, el edificador de la Catedral de Estrasburgo. Pensando en su iniciación, Esteban se sintió ignorante y frívolo. Toda una literatura necesaria a su perfección le era ajena. Mañana mismo compraría los libros útiles, enriqueciendo, por cuenta propia, las enseñanzas elementales recibidas hasta ahora... Así, menos sensible que antes al alboroto revolucionario que a todas horas agitaba las calles, se dio a estudiar durante largas noches, enterándose mejor del secreto, pero seguro, tránsito del Ternario a través de los tiempos. Un día —serían las siete— lo halló Víctor despierto, soñando con la Estrella Absintio del Apocalipsis, después de abismarse en la prosa de *La Venida del Mesías* de Juan Josaphat Ben Ezra, autor cuyo nombre ocultaba, bajo su empaque arábigo, la personalidad de un activo laborante americano. «¿Quieres trabajar para la Revolución?», le preguntó la voz amiga. Sacado de sus meditaciones lejanas, devuelto a la apasionante realidad inmediata que no era, en suma, sino un primer logro de las Grandes Aspiraciones Tradicionales, respondió que sí, que con orgullo, que con entusiasmo, y que ni siquiera permitía que su fervor, su deseo de trabajar por la Libertad, pudiese ser puesto en duda. «Pregunta por mí, a las diez, en el despacho del ciudadano Brissot —dijo Víctor, que estrenaba un traje nuevo, de muy buena factura, con unas botas que aún sonaban a cordobán de almacén—. ¡Ah! Y si viene al caso hablar de eso: nada de masonerías. Si quieres estar con nosotros, no vuelvas a poner los pies en una Logia. Demasiado tiempo hemos perdido ya con esas pendejadas». Advirtiendo la expresión asombrada de Esteban, añadió: «La masonería es contrarrevolucionaria. Es cuestión que no se discute. No hay más moral que la moral jacobina». Y, tomando un *Catecismo del Aprendiz* que estaba sobre la mesa, lo rompió por el canto de la encuadernación, arrojándolo al cesto de papeles.

XIII

A las diez y media había sido recibido Esteban por Brissot y a las once tenía fijado un camino que era, hasta la frontera española, uno de los viejos caminos de Santiago. «Sandalias habría de darme la libertad, con una escarapela por venera», dijo el joven, muy satisfecho de su improvisada retórica, al saber lo que de él se esperaba. En aquellos días necesitábanse hombres de sólidas convicciones, hábiles en escribir el castellano y traducir documentos del francés, para preparar una literatura revolucionaria, destinada a España, que ya empezaba a imprimirse en Bayona y dondequiera que hubiese prensas disponibles en la proximidad de los Pirineos. Muy escuchado por Brissot, el abate José Marchena, de quien muchos alababan los talentos y la sorna volteriana, aconsejaba una rápida penetración doctrinaria en la Península, para acabar de prender los fuegos de una Revolución que no debía tardar en producirse allá, como inminente se hacía su estallido en otras naciones anhelantes de romper las oprobiosas cadenas del pasado. Según Marchena, Bayona —sin desdeñar por ello a Perpiñán— «era el lugar más adecuado para reunir a los patriotas españoles que quisieran trabajar por la regeneración de su país», aunque era necesario contar con gente inteligente, capaz de entender que «el lenguaje de los franceses regenerados y republicanos no podía ser todavía el de los españoles». Estos tenían que «irse preparando gradualmente», respetándose durante algún tiempo «ciertas preocupaciones ultramontanas, incompatibles con la libertad, pero demasiado arraigadas para que pudiesen ser destruidas de un golpe». «¿Está claro?», había preguntado Víctor a Esteban, como para responsabilizarse de su protegido ante Brissot. El joven, asiéndose de la pértiga, había respondido con un breve pero convencido discurso, entreverado de citas castellanas, para demostrar que no solamente estaba de acuerdo con Marchena, sino que podía expresarse tan correctamente en el idioma francés como en el suyo propio... Sin embargo, triscando su destino, al cabo de algunas horas pensó que la misión confiada no era del todo envidiable: alejarse de París, en estos momentos, era como perder de vista el Máximo Teatro del Mundo para ir a confinarse a una remota provincia. «No son éstas las horas de quejarse —le dijo Víctor severamente, al conocer sus dudas—. Pronto seré despachado a Rochefort por un tiempo largo. También a mí me agradaría quedarme aquí. Pero cada cual debe ir a donde se le mande». Siguieron tres días de francachela, entre dispendiosas comidas y antojos mujeriegos, que volvieron a estrechar la amistad entre los dos hombres. Franqueándose con Víctor, Esteban no podía ocultarle que —a pesar de seguir sus consejos en cuanto tocaba al olvido de la masonería— su paso por la Logia de los Extranjeros Reunidos le dejaba un mundo de gratos recuerdos. Allí se le había calificado de «Joven Hermano Americano», dándosele una toga viril, al procederse a la iniciación. No podía decirse, por lo demás, que no reinara una sana mentalidad democrática donde un Carlos Constantino de Hesse-Rotenburg trataba familiarmente al patriota de color quebrado, venido de la Martinica; al antiguo jesuita del Paraguay, añorante de sus misiones comunitarias; al tipógrafo brabanzón expulsado de su país por difundir proclamas; al exilado español, buhonero de día, orador después del crepúsculo, para quien la masonería estaba activa ya en Avila en el siglo XVI, según lo testimoniaban ciertas figuraciones de compases, escuadras y malletes hallados recientemente —según él— en la iglesia de Nuestra Señora de la Asunción, edificada por el alarife judío Mosén Rubí de Braquemonte. Allí se oía mucha música de un inspirado compositor masón, llamado Mosar, o Mótzarth, o algo parecido, pues un barítono vienés cantaba alguno de sus himnos en las ceremonias de iniciación, embelleciendo de ricos calderones las melodías de: «Oh, santa unión de los fieles hermanos», o de la invocación: «Vosotros que honráis al Creador bajo los nombres de Jeovah, Dios, Fú o Brahama». Allí se vivía en contacto con hombres interesantísimos, para quienes la revolución era una victoria de orden material y política que habría de llevar a una victoria total del Hombre-sobre-sí-mismo. Esteban recordaba a Ogé, cuando ciertos hermanos, daneses y suecos, hablaban de la portentosa corte del Príncipe de Hesse —y asentía Carlos Constantino, siempre gran señor— donde los sonámbulos eran interrogados acerca de la Caída de los Angeles, la edificación del Templo o la composición química del Agua Tofana. En la corte de Slesvig se operaban curaciones milagrosas, mediante el magnetismo, llegando a transformarse un abedul, un nogal, un abeto, en manantiales de fluido benéfico. Se forzaban las puertas que ocultaban la visión del porvenir, comparando los oráculos debidos a ochenta y cinco formas de adivinación tradicional, que incluían la bibliomancia, la cristalomancia, la giromancia y la xilomancia. Se alcanzaba a la más extrema sutileza en la interpretación de los sueños. Y, por medio de la escritura automática, dialogábase con el *yo* profundo, consciente de vidas anteriores, que dentro de cada hombre se oculta. Así se pudo saber que la Gran Duquesa de Darmstadt había llorado en el Gólgota, al pie de la Cruz, y que la

Gran Duquesa de Weimar había asistido, en el Palacio de Pilatos, al Juicio del Señor —como el sabio Lavater tuvo una clara conciencia, durante años, de haber sido José de Arimatea. Ciertas noches las arañas del mágico castillo de Gottorp —todo envuelto en brumas que humedecían las bandaletas de sus momias egipcias— bajaban sobre mesas donde jugaban cartas, con señorial placidez, un Conde de Bernstorf que había sido el Apóstol Tomás; un Luis de Hesse, que se recordaba a sí mismo como Juan el Evangelista; un Christian de Hesse, que fuera otrora el Apóstol Bartolomé. El Príncipe Carlos se ausentaba a menudo de esas veladas; prefería encerrarse a *trabajar* fijando la mirada con tal intensidad en un trozo del metal que los griegos llamaban *Electronum*, que ante su vista se dibujaban pequeñas nubes, cuyas formas podían interpretarse como advertencia y mensajes de la otra Orilla... «¡Tonterías! —exclamaba Víctor, irritado, ante el cuadro de portentos—. Cuando hay tantas cosas *reales* en que pensar, perder el tiempo hablando de semejantes mierdas equivale a una actitud contrarrevolucionaria. A tiempo vimos lo que se ocultaba tras de tantas mascaradas salomónicas: un traidor afán de volver las espaldas a la época, distrayendo a las gentes de sus deberes inmediatos. Además, los masones predican en nombre de sus hermandades una moderación criminal. Todo moderado debe ser visto por nosotros como un enemigo...» Atando cabos, Esteban había dilucidado el misterio de las antiguas relaciones de Víctor con la masonería: Juan Bautista Willermoz, su proveedor en sederías, Gran Canciller del Covent de las Galias, muy estimado por los Príncipes de Hesse, era el dirigente de una orden que había ido derivando hacia la mística y el orfismo por influencia de Martínez de Pasqually, el iluminado, muerto en Saint-Domingue. El misterioso judío-portugués había fundado capítulos en Port-au-Prince y en Leogane, ganándose las mentes de hombres como Ogé, llevados a las especulaciones esotéricas, pero defraudando, en sus disciplinas herméticas, a los que, como el ex negociante, eran más solicitados por un ideal de subversión política. Víctor, respetuoso del inmenso prestigio de Willermoz como filántropo y como industrial

—millares de obreros trabajaban en sus fábricas de Lyón— había aceptado los fundamentos de la doctrina, iniciándose según el rito del Gran Oriente, pero negado (y de ahí venían sus discusiones con Ogé) a aceptar las prácticas espiritualistas preconizadas por Martínez de Pasqually, aquel que se jactaba de establecer comunicaciones mentales, a distancia, con sus discípulos de Europa... «Todos esos magos e inspirados no son sino una tanda de *ennmmerdeurs*», decía Víctor, que ahora se preciaba de estar con los pies muy afincados en la tierra, tomando a menudo la palabra en los Jacobinos, donde tenía oportunidad de codearse con Billaud-Varennes y Collot d'Herbois, llegando a acercarse alguna vez a Maximiliano Robespierre, a quien situaba por encima de todos los tribunos de la Revolución, rindiéndole un culto tan apasionado que Esteban, oyendo los desmedidos elogios que el otro hacía de su elocuencia, de sus conceptos, de su porte y hasta de su insólita elegancia vestimentaria en medio de asambleas caracterizadas por el desgarbo y el desaliño, llegaba a decirle en tono de broma: «Veo que es algo así como un Don Juan para machos». Víctor, a quien tales chanzas enojaban, respondía con alguna obscenidad de calibre subido, llevándose una mano a la costura de las bragas.

Después de un largo y zarandeado viaje por caminos enlodados, donde las piñas de pino crujían bajo los calces del coche, acabó Esteban por llegar a Bayona, y ponerse a la disposición de quienes preparaban el estallido de la Revolución en España: el ex marino Rubín de Celis, el alcalde Bastarreche y el periodista Guzmán, amigo de Marat y colaborador de *L'Ami du Peuple*. Tuvo la desalentadora impresión de que su cara nueva, sus deseos de una acción inmediata, no acababan de agradar donde muchos estaban instalados en un jacobinismo un tanto demorado por escrúpulos hispánicos, siempre virulento en cuanto se refería a Francia, manso y cauteloso cuando los ojos se volvían hacia el Bidasoa. El joven fue despachado rápidamente a San Juan de Luz, ciudad ahora llamada Chauvin-Dragón para honrar la memoria de un heroico soldado republicano, hijo de la localidad. Había allí una imprenta pequeña pero sumamente activa, a la que debían entregarse numerosas proclamas y textos revolucionarios seleccionados por el Abate Marchena, buen agitador, siempre dispuesto a mover la pluma al compás de los acontecimientos, pero que ya transitaba poco por los caminos fronterizos, pasando lo mejor de su tiempo en París, donde Brissot le concedía frecuentes audiencias. Creyéndose sin amigos en aquella costa, tuvo Esteban la alegría de encontrarse una tarde, en las orillas del Untzin, con un solitario pescador a quien saludó con alborozo: era el ocurrente —y ya ex masón— Feliciano Martínez de Ballesteros, ahora poseedor de un flamante grado de coronel por haber creado un cuerpo de miqueletes, los «Cazadores de la Montaña», destinado a combatir las tropas españolas en caso de agresión e incitar a sus soldados a pasarse a la República. «Hay que estar preparados —decía—. En nuestra patria el hideputa se da silvestre: no hay más que ver a nuestros Godoyes y a nuestras Mesalinas de Borbón». Con el jocundo logroñés emprendió Esteban largos paseos a pueblos que habían cambiado de nombres en fechas recientes: ahora Ixtasson se llamaba «Unión»; Arbonne, «Constance»; Ustarritz, «Marat-sur-Nive»; Baigorry, «Las Termópilas». Durante las primeras semanas el joven se admiró ante las toscas iglesias vascuences, de chatos y guerreros campanarios, con sus huertas cercadas por lajas clavadas en la tierra; se detenía para ver pasar la yunta de bueyes, conducida a la pica, con una piel de oveja tendida sobre el yugo; tramontaba los puentes de arqueado lomo, encabritados sobre torrentes de agua de nieve, arrancando, al pasar, algún hongo anaranjado oculto en las resquebrajaduras de la piedra. Le era grata la arquitectura de las casas, con sus vigas de un azul de añil, sus tejados de mansas vertientes, sus áncoras de forja hincadas en la cantería de las adarajas. La Cordillera de los Romances de Carlomagno, desmenuzada en contrafuertes escarpados en cuyos senderos aparecían, a la vuelta de una peña que acaso hubiera contemplado el Paladín Roldán, valientes y atropellados rebaños, y los pastos, sobre todo —pastos mojados, mullidos, verdes, de un verde claro, de manzana verde, siempre semejantes a sí mismos—, lo llevaban a pensar en la posibilidad de una bucólica dicha, devuelta a todos los hombres por los principios revolucionarios. Pero algo se había decepcionado de las gentes, al conocerlas mejor: esos vascos de gestos pausados, con cuellos de toro y perfiles caballunos, grandes levantadores de piedras, derribadores de árboles y navegantes dignos de codearse con aquellos que, buscando la ruta de Islandia, fueron los primeros en ver el mar endurecido en témpanos, eran tenaces en la conservación de sus tradiciones. Nadie los aventajaba en urdir tretas para oír misas clandestinas, llevar hostias en las boinas, ocultar campanas en pajares y hornos de cal, y armar altares a hurtadillas —en una granja, en la trastienda de un figón, en una caverna custodiada por perros pastores—, donde menos se esperaba. Podían, algunos desaforados, haber roto los ídolos de la Catedral de Bayona: el Obispo había encontrado quienes lo ayudaran a pasarse al territorio español con ostensorios, cíngulos y bagajes. Fue necesario fusilar a una moza que había ido a comulgar a la Villa de Vera. Los habitantes de varias aldeas fronterizas, convictos de dar asilo y protección a los curas refractarios, eran deportados, en masa, a las Landas. Chauvin-Dragón seguía siendo San Juan de Luz para sus pescadores, como Baigorry permanecía bajo la advocación de San Esteban para los labriegos. La Soule quedaba tan apegada a sus fogatas de San Juan, a sus danzas de traza medieval, que nadie se hubiera atrevido a denunciar allí a quien rezara el rosario en familia o hablara, persignándose, de las brujas de Zagarramurdi... Llevaba Esteban dos meses en ese mundo que se le estaba volviendo ajeno, artero, movedizo, con aquel habla vascuence que nunca lograría entender y nunca acababa de dibujar las palabras en los rostros, cuando lo fulminó la noticia de que se estaba en guerra con España. Nunca pasaría ya a la Península para asistir al nacimiento de un país nuevo, como se hubiese complacido en soñarlo cuando escuchaba los esperanzados discursos de Martínez de Ballesteros, perpetuo anunciador de un inminente levantamiento del pueblo madrileño. Quedaba preso en una Francia que las escuadras inglesas bloqueaban por el Atlántico, desde la cual no había modo de regresar a la tierra de los suyos. No había pensado, hasta ahora, en volver a La Habana, deseoso como lo estaba de desempeñar su papel, por pequeño que fuera, en una Revolución destinada a transformar el mundo. Pero bastaba que se viese impedido de hacerlo para que una casi dolorosa nostalgia de su casa y de sus gentes, de luces distintas y sabores de otro mundo, le hiciera aborrecer el cargo presente —que no pasaba, en suma, de ser una tediosa función burocrática. No valía la pena haber venido de tan lejos a ver una Revolución para no ver la Revolución; para quedar en el oyente que escucha, desde un parque cercano, los fortísimos que cunden de un teatro de ópera a donde no se ha podido entrar.

Transcurrieron varios meses, durante los cuales Esteban trató de hacerse necesario en el cumplimiento de monótonas labores. En España no ocurría nada de lo esperado. Hasta la guerra, en este sector de Francia, se hacía lánguida y rutinaria, sin pasar de una mera vigilancia defensiva ante los fuertes contingentes desplegados en la frontera por el general Ventura Caro —tampoco muy resuelto a moverse de sus posiciones, a pesar de la superioridad numérica de sus ejércitos. Durante las noches. oíanse disparos de fusil en la montaña, sin que se pasara de escaramuzas o de fugaces encuentros entre patrullas de reconocimiento. Pasó un largo estío, soleado y apacible; volvieron los vientos del otoño; recogiéronse las bestias a los establos, a poco de pintarse los cierzos del invierno. A medida que pasaba el tiempo, advertía Esteban que el alejamiento de París poblaba su espíritu de confusiones, acabando por no entender los procesos de una política en constante mutación, contradictoria, paroxística, devoradora de sí misma, enrevesada en comités y mecanismos que mal se definían en la distancia, con tantas noticias inesperadas como llegaban, acerca del encumbramiento de personajes desconocidos o de la estrepitosa caída del famoso que era comparado, ayer todavía, con los máximos próceres de la antigüedad. Llovían reglamentos, leyes, decretos, ya abrogados o contrariados por medidas de urgencia cuando la provincia los tenía aún por vigentes. Venían las semanas a tener diez días; arrancaba el año fuera de enero; llamábanse los meses «Brumoso», «Germinoso», «Fructival», sin concordar con los antiguos; cambiaban las pesas y medidas, desconcertando los hábitos de quienes tenían el instinto de la braza, el palmo y el celemín. Nadie, en esta costa, podía decir lo que estaba ocurriendo en realidad, ni sabía quiénes eran los hombres de fiar, dónde el vasco-francés se sentía más identificado con el navarro español que con los funcionarios que le venían del remoto Norte, de repente, para imponer calendarios extraños o cambiar el nombre de las ciudades. La guerra que estaba encendida sería una guerra larga, porque no era una guerra como las demás, hecha para colmar las ambiciones de un Príncipe o apoderarse de territorios ajenos. «Los reyes saben —oíase clamar en las tribunas jacobinas— que no hay Pirineos para las ideas filosóficas: millones de hombres se ponen en marcha para transformar la faz del mundo»... Y se estaba en marzo —marzo seguía siendo marzo para Esteban, a pesar de que muy bien le sonaban ya los «Nivosos» y «Pluviosos» del nuevo calendario. Un marzo ceniciento, enrejado de lluvias, que envolvía las colinas de Ciboure en cendales difusos, dando un aspecto fantasmal a las barcas que regresaban al puerto, luego de la pesca en un mar verde-gris, agitado y triste, cuyas lejanías sin horizonte preciso se disolvían en un cielo blanquecino, brumoso, demorado en invierno. Por la ventana de la habitación donde el joven cumplía su trabajo de traductor y corrector de pruebas, divisábanse playas desiertas, erizadas de estacas, donde el Océano dejaba algas yertas, maderas rotas, hilachas de lona, después de las tormentas nocturnas que gemían en el calado de los postigos, atolondrando las chirriantes veletas de hierro roídas por el verdín. Allá, en la antigua Plaza Luis XVI, ahora Plaza de la Libertad, se alzaba la guillotina. Lejos de su ambiente mayor, lejos de la plaza salpicada por la sangre de un monarca, donde había actuado en Tragedia Trascendental, aquella máquina llovida —ni siquiera terrible, sino fea; ni siquiera fatídica, sino triste y viscosa— cobraba, al actuar, el lamentable aspecto de los teatros donde unos cómicos de la legua, en funciones provincianas, tratan de remedar el estilo de los grandes actores de la capital. Ante el espectáculo de una ejecución se detenían algunos pescadores cargando nasas; tres o cuatro transeúntes, de expresión enigmática, botando saliva de tabaco por el colmillo; un niño, un alpargatero, un vendededor de chipirones, antes de proseguir su camino sin apurar el paso, después de que el cuerpo de alguno hubiese empezado a largar la sangre como vino por cuello de odre. Se estaba en marzo. Un marzo ceniciento, enrejado de lluvias que hinchaban la paja de los establos, enlodaba el vellón de las cabras, poniendo acres humaredas en las cocinas de altas chimeneas, olientes a ajos y aceites espesos. Esteban no tenía noticias de Víctor desde hacía varios meses. Sabía que desempeñaba, y con tremebunda mano, la función de Acusador Público ante el Tribunal Revolucionario de Rochefort. Había llegado a pedir —lo cual aprobaba el joven— que la guillotina se instalara en la misma sala de los tribunales, para que no se perdiera tiempo entre la sentencia y la ejecución. Privado de su calor, de su dureza, de su ímpetu, del relumbre de sus contactos directos con un Billaud, con un Collot —con un personaje cimero, cualquiera, de la Hora-en-que-se-vivía, hora que no era la de acá—, Esteban tenía la impresión de decrecer, de achicarse, de perder toda personalidad, de ser sorbido por el Acontecimiento, donde su humildísima colaboración era irremediablemente anónima. Tenía ganas de llorar al sentirse tan poca cosa. Hubiese querido hallar, en su congoja, el firme regazo de Sofía, donde tantas veces descansara la frente, en busca de la fuerza sosegadora, maternal, que como de madre verdadera le manara de las entrañas vírgenes... Y empezaba a llorar de veras, pensando en su soledad, en su inutilidad, cuando vio entrar en la habitación-oficina al coronel Martínez de Ballesteros. El jefe de los miqueletes montañeses estaba agitado, erizado, de manos sudadas y temblonas —evidentemente removido por una reciente noticia.

XIV

«¡Estos franchutes me tienen harto! —gritó el español, dejándose caer en el camastro de Esteban—. ¡Más que harto! ¡Vayan todos al carajo!» Se cerró el rostro con las manos, permaneciendo en silencio durante largo rato. El joven le tendió un cuenco de vino, que el otro apuró de un tirón, pidiendo más. Luego empezó a andar de pared a pared, hablando atropelladamente de lo que había encendido su cólera. Acababa de ser privado de su mando militar, destituido —*Des-ti-tui-do*— por un cualquier comisario venido de París, despachado con poderes ilimitados para reorganizar las tropas en este sector. Su desgracia era efecto de una corriente antiextranjera, desatada en París, y que ya alcanzaba esta frontera: «Después de desacreditar a los masones, se están ensañando con los mejores amigos de la Revolución». Se decía que el Abate Marchena, oculto y perseguido podía ser guillotinado de un momento a otro: «Un hombre que tanto hizo por la libertad». Ahora los franceses se habían adueñado del comité de Bayona, eliminando a los españoles —éste por moderado, aquél por haber sido masón, el otro por sospechoso. «Andese con cuidado, amigo, que usted también es extranjero. De unos meses para acá ser extranjero, en Francia, es un delito». Y proseguía Martínez de Ballesteros su descompasado monólogo: «Mientras en París se entretenían disfrazando putas de Diosa Razón, perdían acá, por su incapacidad, por sus envidias, la gran oportunidad de llevar la Revolución a España. Ahora, que esperen sentados... Además: ¡malditas las ganas que tienen ya de hacer una Revolución universal! No piensan sino en la Revolución Francesa. Y los otros... ¡que se pudran! Todo, aquí, se está volviendo un contrasentido. Nos hacen traducir al español una Declaración de los Derechos del Hombre, de cuyos diecisiete principios violan doce cada día. Tomaron la Bastilla para libertar a cuatro falsarios, dos locos y un maricón, pero crearon el presidio de Cayena, que es mucho peor que cualquiera Bastilla»... Esteban, temiendo que un vecino pudiera oírlo, invocó el pretexto de tener que comprar papel de escribir para sacar el desaforado a la calle. Pasando frente a la antigua Casa Haraneder fueron a la *Librairie de la Trinité,* que ahora se llamaba «de la Fraternité», por oportuna reforma del rótulo. Era una tienda mal alumbrada, de bajo puntal, de cuyas vigas colgaba un quinqué encendido a media mañana. Esteban solía pasar allí largas horas, hojeando libros nuevos, en una atmósfera que algo le recordaba la última sala del almacén habanero, por una acumulación de objetos polvorientos, de donde emergían esferas armilares, planisferios, catalejos de marina, artefactos de física. Martínez de Ballesteros se encogió de hombros ante unos grabados, recién recibidos, que evocaban los grandes momentos de la historia de Grecia y Roma: «Hoy cualquier mequetrefe se cree hecho de la madera de los Gracos, Catón o Bruto», murmuró. Y acercándose a un pianoforte maltrecho, se puso a hojear las últimas canciones de François Girouet, editadas por Frére, que en todas partes se cantaban con acompañamiento de guitarra, según una clave cifrada que fácilmente se entendía. Mostró los títulos a Esteban: «El Arbol de la Libertad», «Himno a la Razón», «El Despotismo aplastado», «La nodriza republicana», «Himno al salitre», «El Despertar de los Patriotas», «Cántico de los mil herreros de la Manufactura de Armas». «Hasta la música está racionalizada —dijo—. Han llegado a creer que quien escriba una sonata falta a sus deberes revolucionarios. El mismo Grétry nos endilga *La Carmañola* al final de sus ballets para presumir de civismo». Y, para manifestar de algún modo su protesta contra las producciones de François Girouet, atacó un allegro de sonata con brío infernal, descargando su enojo en el teclado del instrumento. «No debería tocar música de un masón como Mossar —dijo, al terminar el trozo—. Podría haber un delator oculto en la caja de armonía». Comprado el papel, salió Esteban de la tienda, seguido del español, que no quería quedarse solo con el despecho a cuestas. A pesar de la lluvia helada que empezaba a caer, un verdugo de boina estaba desenfundando la guillotina, en espera de algún condenado que largaría la cabeza sin que nadie lo viese, fuera de los guardias ya apostados al pie del tablado. «Saja que te saja —rezongó Martínez de Ballesteros—. Exterminios en Nantes, exterminios en Lyón, exterminios en París». «La humanidad saldrá regenerada de este baño de sangre», dijo Esteban. «No me cite frases ajenas, y sobre todo, no me venga con el Mar Rojo de Saint-Just (nunca había podido decir sino *Sén-Yú*), que eso no pasa de ser mala retórica», dijo el otro. Se cruzaron con la carreta de siempre, donde un cura, de manos atadas, era llevado al patíbulo, y, siguiendo al muelle, se detuvieron ante una barca pesquera, en cuya cubierta coleaban sardinas y atunes en torno a una leonada raya de bodegón flamenco. Martínez de Ballesteros arrancó una llave de hierro que llevaba cosida en la leontina del reloj y la arrojó al agua con gesto rabioso. «Una llave de la Bastilla —dijo—. Además, era falsa. Hay cerrajeros cabrones que las fabrican en enormes cantidades. Han llenado el mundo con esos talismanes. Ahora tenemos más llaves de la Bastilla que pedazos de la cruz de Cristo...» Mirando hacia Ciboure, Esteban advirtió un insólito movimiento de gentes en el Camino de Hendaya. Unos soldados del regimiento de Cazadores de los Pirineos llegaban en desorden, por grupos sueltos, algunos cantando, pero tan cansados los más —tan afanosos de treparse a cualquier carro para adelantar un trecho sin caminar—, que quienes cantaban sólo podían hacerlo por bebidos. Aquello parecía un ejército a la desbandada, sin rumbo, desatendido por sus oficiales de a caballo, que ya desembocaban por esta banda de la bahía, poniendo el pie en tierra, frente a un figón, para secar sus trajes mojados, al calor de alguna chimenea. Un miedo visceral se apoderó de Esteban ante la idea de que aquellas tropas pudiesen venir vencidas —acaso acosadas por las fuerzas enemigas al mando del Marqués de Saint-Simón, jefe de una partida de emigrados, de quien se esperaba, desde hacía tiempo, una ofensiva audaz. Pero, mirándose de cerca a los recién llegados, se les veía más enlodados y llovidos que derrotados en alguna batalla. Mientras los catarrosos y enfermos buscaban el amparo de los aleros y muros resguardados de la garúa armaban su vivaque los más, pasándose el aguardiente, los arenques y el pan de munición. Ya instalaban los vivanderos sus parrillas, sacando un denso humo de la leña húmeda, cuando Martínez de Ballesteros se acercó a un cañonero que llevaba una ristra de ajos en el hombro, para conocer la causa de aquel inesperado movimiento de tropas. «Vamos a América», dijo el soldado, largando la palabra que, de súbito, puso un fulgor solar en la mente de Esteban. Tembloroso, desasosegado, con la casi irritada expectación de quien se ve excluido de una fiesta dada en sus propios dominios, entró el joven, con el coronel destituido, a la taberna donde los oficiales descansaban. Pronto se supo que aquel regimiento se destinaba a las Antillas. Y llegarían otros más, para sumarse a una armada que se estaba formando en Rochefort. Serían trasladados, a bordo de pequeños transportes, en viajes sucesivos, pues era necesario navegar prudentemente, a escasa distancia de las costas, a causa del bloqueo inglés. Dos comisarios de la Convención saldrían en las naves: Chrétien y un tal Víctor Hugues, que, según decían, era un antiguo marino, muy conocedor de los mares del Caribe, donde se movía, en estos momentos una poderosa escuadra británica... Esteban salió a la plaza tan temeroso de perder aquella oportunidad de huir de donde se sentía amenazado —sabiendo además que estaba cumpliendo una labor cuya inutilidad no tardaría en ser advertida por quienes aún la pagaban—, que se dejó caer en un escalón de piedra, sin reparar en el viento helado que le entesaba las mejillas: «Ya que usted es amigo de Hugues, haga cuanto pueda por que lo lleven. Hugues se ha vuelto un hombre poderoso desde que cuenta con el apoyo de Dalbarade, a quien conocimos todos cuando era corsario en Biarritz. Aquí se está usted pudriendo. Los papeles que traduce se quedan amontonados en un sótano Y es usted *extranjero,* téngalo en cuenta». Esteban le estrechó la mano: «¿Y qué va usted a hacer ahora?» El otro respondió, con un gesto resignado: «A pesar de todo, seguiré en lo mismo. Cuando se ha trabajado en hacer revoluciones es difícil volver a lo de antes».

Después de escribir una larga carta a Víctor Hugues —carta que volvió a copiar para dirigirla de una vez al Ministerio de Marina, al Tribunal Revolucionario de Rochefort y a un antiguo hermano masón a quien encarecía que diese con el destinatario dondequiera que se hallara—, Esteban esperó el resultado de sus ruegos. En letra clara se había pintado a sí mismo como una víctima de la indiferencia administrativa, de la desunión de los republicanos españoles, atribuyendo el escaso relumbre de su trabajo a la mediocridad de los hombres que aquí se habían sucedido en el mando. Se quejaba del clima, insinuando que acaso lo devolvería a su enfermedad de otros tiempos. Tañendo la cuerda amistosa, invocaba el recuerdo de Sofía y de la casa lejana donde todos «habían vivido como hermanos». Terminaba con una pormenorizada enumeración de sus habilidades para servir a la causa de la Revolución en América. «Tú sabes además —concluía— que la condición de extranjero no es muy envidiable en estos días». Pensando en quienes pudieran interceptar su carta, añadió: «Algunos españoles de Bayona incurrieron, según parece, en deplorables errores contrarrevolucionarios. Esto ha impuesto una depuración necesaria en la que, desgraciadamente, pueden pagar justos por pecadores»... Y luego fue una ansiosa espera de varias semanas, durante las cuales un miedo constante lo tuvo esquivando a Martínez de Ballesteros y cuantos podían comentar peligrosamente un acontecimiento reciente en presencia de terceras personas. Afirmaban algunos que el Abate Marchena, cuyo paradero se ignoraba, había sido guillotinado. Un Gran Miedo empezaba a desazonar las noches de esta costa. Muchos ojos miraban a las calles desde los postigos entornados de sus casas en tinieblas. Esteban huía de su albergue, poco antes del alba, yéndose a pie, bajo la lluvia, a los pueblos próximos, donde bebía el vinazo de cualquier parador, de cualquier pobre mercería —de las que venden botones a la docena, alfileres al menudeo, un cencerro, un retazo, alguna confitura en caja de virutas— para dominar su angustia. Regresaba después del crepúsculo, con la aprensión de haber recibido la visita de un desconocido, o de verse convocado al Castillo Viejo de Bayona, transformado en cuartel y comisariado, para responder de algún misterioso «asunto que le concernía». Estaba tan hastiado de esta tierra hermética y silenciosa, ahora colmada de peligros, que hallaba feo cuanto podía ser tenido aquí por hermoso: los nogales y las encinas, las casas infanzonas, el vuelo del milano, los cementerios, llenos de cruces extrañas, portadoras de signos solares... Cuando vio entrar el guardia que le traía un pliego, sus dedos temblorosos no acertaron a abrir el sobre. Tuvo que romper el lacre con los dientes, que al menos respondían a su voluntad. La letra le era bien conocida. Víctor Hugues, dándole instrucciones precisas, lo instaba a venir inmediatamente a Rochefort, ofreciéndole un cargo de escribano en la armada que habría de partir muy pronto de la Isla de Aix. Dueño del papel que equivalía a un salvoconducto, Esteban saldría de San Juan de Luz con uno de los regimientos de cazadores vascos que iban a agregarse a la expedición: expedición azarosa, destinada a resolver problemas sobre la marcha, pues se ignoraba, por falta de noticias, si los ingleses habían ocupado las posesiones francesas de las Antillas. El destino teórico del viaje era la isla de la Guadalupe, de donde, en caso de no poderse desembarcar, la escuadra seguiría hasta Saint-Domingue... Víctor abrazó fríamente al joven, al cabo de la larga separación. Había adelgazado un poco, y su rostro, esculpido en fuertes relieves, reflejaba una energía acrecida por el mando. Rodeado de oficiales, estaba entregado al tráfago de los preparativos finales, estudiando mapas y dictando cartas, en una sala llena de armas, instrumentos de cirugía, tambores y banderas enrolladas. «Hablaremos luego —dijo, volviéndole las espaldas para leer un despacho—. Vete a la intendencia». Rectificó: «*Vaya* a la intendencia y espere órdenes mías». A pesar de que el tuteo, en aquellos días, se tenía por una muestra de espíritu revolucionario, el otro acababa de afirmar un matiz. Esteban comprendió que Víctor se había impuesto la primera disciplina requerida por el oficio de Conductor de Hombres: la de no tener amigos.

XV

Fuerte cosa es.
GOYA

El 4 Floreal del Año II, sin estrépito ni clarines, zarpó la pequeña escuadra, compuesta de dos fragatas, la *Pique* y la *Thétis*, el brick *L'Espérance*, y cinco transportes de tropas, llevando una compañía de artillería, dos de infantería y un batallón de Cazadores de los Pirineos, con el cual había llegado Esteban a Rochefort. Atrás quedaban la Isla de Aix, con su fortaleza erizada de atalayas, y un barco carcelario —*Les Deux Associés*, en el que más de setecientos prisioneros esperaban su deportación a Cayena, hacinados en bodegas donde no tenían lugar para acostarse, revueltos en el sueño y la enfermedad, compartiendo sarnas, plagas y purulencias. La navegación se iniciaba bajo signos adversos. Las últimas noticias de París no eran propias para suscitar el entusiasmo de Chrétien ni de Víctor Hugues: las islas de Tobago y Santa Lucía habían caído en poder de los ingleses; Rochambeau había tenido que capitular en la Martinica. En cuanto a la Guadalupe, era objeto de continuos ataques que agotaban los recursos del gobernador militar. Además, nadie ignoraba que los colonos de las Antillas Francesas eran unos canallas monárquicos; desde la ejecución del Rey y de la Reina, eran abiertamente opuestos a la República y, anhelando una definitiva ocupación británica, favorecían las empresas del enemigo. La escuadra partía a la ventura, teniendo que burlar el bloqueo de las costas francesas, para alejarse prestamente de Europa, y al efecto se habían dictado órdenes severísimas: estaba prohibido encender lumbre después de la puesta del sol, y los soldados tenían que meterse temprano en sus hamacas. Se vivía en constante sobresalto, listas las armas, en previsión de un encuentro probable. El tiempo, sin embargo, favorecía la empresa, poniendo brumas propicias sobre un mar afrontable. Cargadas de bocas de fuego y de bastimento, las naves estaban atestadas de cajas, toneles, fardos y hatos, y los hombres tenían que compartir el escaso espacio libre que quedaba en cubierta con los caballos que comían su heno en botes usados como pesebres. Se llevaban carneros, cuyos balidos lastimeros subían de las bodegas a todas horas, y, en unas cajas llenas de tierra, montadas sobre tarimas, crecían rábanos y hortalizas que se destinaban a la mesa de los oficiales. Esteban no había tenido oportunidad de hablar con Víctor Hugues desde la partida, pasando el tiempo en compañía de dos tipógrafos que viajaban en la armada —los Loeuillet, padre e hijo— con una pequeña imprenta destinada a la publicación de avisos y proclamas... A medida que las naves se alejaban del continente, la Revolución, dejada atrás, se simplificaba en las mentes: ajeno al barullo de los corros callejeros, a la retórica de los discursos, a las batallas oratorias, el Acontecimiento, reducido a esquemas, se deslastraba de contradicciones. La reciente condena y muerte de Dantón se hacía mera peripecia en el curso de un devenir visto, en la distancia, a la medida de los anhelos de cada cual. Costaba trabajo, desde luego, admitir la repentina infamia de tribunos que ayer fuesen ídolos populares, oradores aclamados, arrastradores de masas. Pero pronto se desembocaría en algo que diese contento a todos, luego de la tormenta vivida: menos irreligioso sería el inmediato porvenir, pensaba el vasco embarcado con sus escapularios; menos antimasónico, pensaba el añorante de las Logias; más igualitario, más comunitario, lo presentía quien soñaba con la barrida final de embozados que acabaría con los últimos privilegios. Por lo pronto, viajábase hacia una tarea que sería tarea de franceses contra ingleses: lejos de las tabernas y de los mentideros ciudadanos borrábanse las dudas de otros días. Sólo un reparo seguía atormentando a Esteban: al pensar en Marchena —y éste no podía sino haber caído, puesto que andaba de brazos con los girondinos— deploraba que muchos extranjeros, amigos de la libertad y amenazados de muerte en sus patrias por serlo, se vieran suprimidos por el solo delito de haber confiado demasiado en la energía expansiva de la Revolución. Harto crédito se daba, en todo esto, a las confidencias y acusaciones de un cualquiera. El mismo Robespierre, en discurso pronunciado en la Sociedad de Amigos de la Libertad y de la Igualdad, había condenado las delaciones inconsideradas, denunciándolas como tretas urdidas por los adversarios de la República para desacreditar a sus mejores hombres. Esteban pensaba que se había marchado a tiempo, puesto que se hallaba, de hecho, entre los caídos en desgracia. Y sin embargo añoraba la ilusión de laborar en Dimensión Mayor, de tomar parte en Algo Grande, que tanto lo hubiese alentado cuando Brissot lo despachara hacia los Pirineos, asegurándole que contribuiría a la preparación de Magnos Acontecimientos —de Magnos Acontecimientos que, en fin de cuentas, estaban detenidos al pie de los Pirineos tras de los cuales la Muerte, fiel a sus comportamientos medievales, seguiría regida por las alegorías teológicas de pintura flamenca, colgadas por Felipe II en los muros del Escorial... Esteban hubiese querido acercarse a Víctor Hugues, en aquellas horas, para confiarle sus cavilaciones. Pero el Comisario se mostraba poco. O cuando se mostraba, era de modo inesperado, sorpresivo, para imponer la disciplina. Una noche, apareciendo en un sollado, sorprendió a cuatro soldados que jugaban a las cartas a la luz de un candil embutido en un cucurucho de papel de estraza. Los hizo subir a cubierta, a punta de sable hincada en las nalgas, y les obligó a arrojar las cartas al mar. «En la próxima —les dijo— serán ustedes los Reyes de este juego». Se deslizaba bajo las hamacas de los hombres dormidos, tentándolas para ver si el estambre denunciaba la dureza de una botella robada. «Préstame tu fusil», decía a un carabinero, como impaciente por apuntar a unas aletas que sobre el mar se dibujaban. Y, olvidando el blanco, miraba el arma, hallándola sucia y mal engrasada. «¡Eres un cochino!», gritaba, tirando el fusil al suelo. Al día siguiente, todas las armas rebrillaban, como recién sacadas de la armería. A veces, de noche, se trepaba a las cofas, afincando las botas en las gradas de soga, meciéndose en el vacío cuando le fallaba el paso, para erguirse, finalmente, junto al vigía, empenachado y magnífico, adivinado más que visto en la sombra, como un albatros que se hubiese posado, ahuecando las alas, sobre la nave entera. «Teatro», pensaba Esteban. Pero teatro que lo agarraba, como a un espectador más, revelándole la dimensión de quien a tales papeles se alzaba.

Un concertado toque de dianas, lanzado a todo pulmón por los cornetas de las naves, hizo saber a los soldados, una mañana, que se había rebasado la zona del peligro. El piloto atrasó el reloj de arena, guardando las pistolas que hasta entonces le pisaban los mapas. Festejando el comienzo de una navegación normal con un trago de aguardiente, se entregaron los hombres a sus habituales trabajos, en una alborotosa alegría que rompía, de repente, con la tensión, el sobresalto, los ceños fruncidos, de los últimos días. Cantaba quien arrojaba al mar, a paletadas, las boñigas de los caballos que hundían las cabezas en los botes-pesebres. Cantaban los que se daban a bruñir sus armas. Cantaban los matarifes, afilando los cuchillos con que iniciarían, hoy, la matanza de carneros. Cantaban el hierro y la muela, la brocha y la sirena, la almohaza y la grupa reluciente; el yunque puesto en sotechado, con sus ritmos de fuelles y de martillos. Se desvanecían las últimas brumas de Europa, bajo un sol todavía velado, demasiado blanco, pero cálido ya, que hacía brillar, de popa a proa, las hebillas de los uniformes, el oro de los entorchados, los charoles, las bayonetas, los arzones sacados a luz. Desenfundábanse las piezas de artillería, pero no aún con el ánimo de cargarlas, sino de meterles el escobillón en las bocas y poner a relumbrar el bronce. En el castillo de popa, la banda del regimiento de Cazadores de los Pirineos ensayaba una marcha de Gossec, a la que habíase añadido un trío para «tuntún» y pífano vascongado, cuya ejecución era tan superior a la de lo escrito en solfa, que todo el resto, por desafinado y ríspido, levantaba las burlas de la tropa. Y estaba cada cual atareado en lo suyo, mirando el horizonte sin desazón, cantando, riendo, con un buen humor que iba de las cofas a los sollados, cuando apareció Víctor Hugues, en gran atuendo de Comisario, con el semblante risueño, aunque no por ello más abordable que en días anteriores. Recorrió la cubierta, deteniéndose en mirar cómo reparaban la cureña de un cañón, lo que más allá hacía el carpintero; daba palmadas al cuello de un caballo, largaba un capirotazo al parche de un tambor; se interesaba por la salud del artillero que llevaba un brazo en cabestrillo... Esteban observó que los hombres, al verlo, guardaban un repentino silencio. El Comisario inspiraba miedo. A pasos lentos subió la escalerilla que conducía a proa. Allí, en el vértice del combés, habían colocado toneles, lado a lado, bajo una amplia lona, fija, con sogas en las bordas. Víctor dio instrucciones a un oficial que ordenó el inmediato traslado de los toneles a otra parte. Luego una chalupa abanderada fue echada al mar: el Comisario, en este primer día de bonanza y de paz, se iba a almorzar a bordo de la *Thétis* con el Capitán De Leyssegues, jefe de la armada. Chrétien, mareado desde la partida, permanecía encerrado en su camarote. Cuando el sombrero empenachado de Hugues desapareció tras de *L'Espérance*, que ahora navegaba entre las dos fragatas, volvió a reinar el júbilo a bordo de la *Pique*. Los mismos oficiales, librados de inquietudes, compartían el buen humor, los cantos, las burlas de la tropa a la banda de música que, salida de los aires vascos y de los virtuosismos de pífano, no lograba sacar siquiera una Marsellesa decente: «Este es el primer ensayo de conjunto», clamaba el director, ante las rechiflas, para disculparse. Pero los hombres se reían de él como se hubieran reído de cualquier cosa: lo urgente era reir, y más ahora que las baterías de la *Thétis* saludaban al comisario de la Convención Nacional situándolo en un ámbito ajeno y distante. El Investido de Poderes era temido. Acaso se gozaba en saberse temido.

XVI

Transcurrieron tres días más. Cada vez que el piloto atrasaba el reloj de arena, el sol parecía más entero y el mar olía más a un mar que empezaba a hablar a Esteban por todos sus efluvios. Una noche, para aliviarse de un calor que ya se acrecía en las bodegas y sollados, el joven salió a cubierta para contemplar la inmensidad del primer cielo enteramente despejado y limpio que hubiera hallado durante la travesía. Una mano se posó en su hombro. Detrás de él se hallaba Víctor, despechugado, sin casaca, sonriendo con la sonrisa de otros días: «Estamos faltos de hembra. ¿No te parece?» Y el otro, como llevado por una añorante necesidad, se daba a evocar aquellos lugares que ambos habían conocido en París, a poco de llegar, donde se encontraban tantas mujeres complacientes y atractivas. No había olvidado, desde luego, a Rosamunda, la alemana del Palais Royal; a Zaira, la del nombre volteriano; a Dorina, con sus trajes de muselina rosada, ni tampoco aquel entresuelo donde, por un pago de dos luises, se ofrecían las artes sucesivas y matizadas de Angélica, Adela, Céfiro, Zoé, Esther y Zilia, que encarnaban distintos tipos femeninos y se comportaban —en estricta observancia de una comedia magníficamente ajustada al carácter de su belleza— como damiselas asustadas, burguesas libertinas, bailarinas venidas a menos, Venus de la Isla Mauricio —ésa era Esther—, o bacante ebria —ésa era Zilia—. Después de haber sido objeto de la astuta solicitud de cada Arquetipo, el visitante era arrojado, finalmente, al firme regazo de Aglaé, la de altos pechos apuntados a un mentón de reina antigua, cuya persona remataba siempre, de modo irrebasable, el progresivo escalonamiento de apetencias. En otros momentos, Esteban se hubiera reído de la drolática evocación. Pero le perduraba un malestar de incomunicabilidad —el otro no se había ocupado de él desde el encuentro en Rochefort— que pronto agotó un repertorio de monosílabos opuesto a la inesperada facundia que le salía al paso. «Pareces haitiano —dijo Víctor—. Allá se responde con un "oh!, oh!" a todo, sin que acabe uno por saber nunca lo que piensa el interlocutor. Vamos a mi camarote». Lo primero que se veía allí, entre clavos de donde colgaban el sombrero y la casaca de Hugues era un gran retrato del Incorruptible, a cuyo pie ardía una lámpara como luz votiva. El Comisario puso una botella de aguardiente sobre la mesa y llenó dos copas. «¡Salud!» Luego miró a Esteban con cierta sorna. Se excusó, con voz que sonó a mera cortesía, de no haberlo llamado desde la partida de la Isla de Aix: las preocupaciones, las obligaciones, los deberes, etcétera, y tampoco estaba la situación muy despejada. Se había burlado el bloqueo inglés, era cierto. Pero se ignoraba a qué habría de enfrentarse la armada cuando llegara allá. El objetivo capital era reafirmar la autoridad de la República en las colonias francesas de América y luchar contra las tendencias separatistas por todos los medios, reconquistándose —si era necesario— territorios que acaso estaban perdidos en la actualidad. Largos silencios se intercalaban en su monólogo, sólo interrumpido por aquel «*Oui!*», medio gruñido, medio rezongo, que bien conocía Esteban. Alabó el tono de alto civismo que había advertido en la carta del joven —tono que lo decidiera a valerse de sus servicios: «Quien fuera infiel a los jacobinos sería infiel a la República y a la causa de la Libertad», dijo. Pero Esteban esbozó un gesto irritado. No por la frase misma, sino porque esa frase era de Collot d'Herbois, quien la remachaba a menudo, y aquel antiguo histrión, cada vez más dado al licor, le parecía el hombre menos señalado para dictar normas de moral revolucionaria. Incapaz de tragarse el reparo, lo largó sin miramiento. «Acaso tengas razón —dijo Víctor—. Collot bebe demasiado, pero es un buen patriota». Envalentonado por dos copas de aguardiente, Esteban señaló el retrato del Incorruptible: «¿Cómo puede este gigante poner tanta confianza en un borracho? Los discursos de Collot huelen a vino». La Revolución había forjado hombres sublimes, ciertamente; pero había dado alas, también, a una multitud de fracasados y de resentidos, explotadores del Terror que, para dar muestras de alto civismo, hacían encuadernar textos de la Constitución en piel humana. No eran leyendas. El había visto esos horribles libritos cubiertos de un cuero pardo, demasiado poroso —con algo de pétalo marchito, de papel de estraza, de gamuza y de lagarto— que las manos asqueadas se negaban a tocar. «Lamentable, en efecto —dijo Víctor, enfriando la expresión—. Pero no podemos estar en todo». Esteban se creyó obligado a hacer una profesión de fe que no dejara dudas acerca de su fidencia revolucionaria. Pero se irritaba ante el ridículo de ciertas ceremonias cívicas; ante ciertas investiduras injustificadas; ante la suficiencia que hombres superiores alentaban en muchos mediocres. Se propiciaban representaciones de piezas estúpidas, con tal de que el desenlace fuese rematado por un gorro frigio; se escribían epílogos cívicos para *El Misántropo,* y en el remozado *Británico* de la Comedia Francesa, Agripina era calificada de «ciudadana»; muchas tragedias clásicas eran objeto de interdicto, pero el estado subvencionaba un teatro donde, en un espectáculo inepto, podían verse al Papa Pío VI riñendo a golpes de cetro y de tiara con Catalina II y un Rey de España que, derribado en la trifulca perdía una enorme nariz de cartón. Además, se alentaba, desde hacía algún tiempo, una suerte de menosprecio hacia la inteligencia. En más de un comité se había escuchado el bárbaro grito de: «Desconfiad de quien haya escrito un libro». Todos los círculos literarios de Nantes —era cosa sabida— habían sido clausurados por Carrier. Y hasta había llegado el ignaro de Henriot a pedir que la Biblioteca Nacional fuese incendiada, mientras el Comité de Salud Pública despachaba cirujanos ilustres, químicos eminentes, eruditos, poetas, astrónomos, al patíbulo... Esteban se detuvo, al ver que el otro daba muestras de impaciencia. «Otro discutidor —dijo, al fin—. Hablas como seguramente se habla en Coblenza. ¿Y te preguntas por qué fueron clausuradas las cámaras literarias de Nantes?» Dio un puñetazo sobre la mesa: «Estamos cambiando la faz del mundo, pero lo único que les preocupa es la mala calidad de una pieza teatral. Estamos transformando la vida del hombre, pero se duelen de que unas gentes de letras no puedan reunirse ya para leer idilios y pendejadas. ¡Serían capaces de perdonar la vida a un traidor, a un enemigo del pueblo, con tal de que hubiese escrito hermosos versos!» Se oyó, en cubierta, un ruido de maderas arrastradas. Los carpinteros, aprovechándose de que los caminos entre fardos estuvieran despejados, llevaban unas tablas a la proa, seguidos de marinos que cargaban unas grandes cajas, de forma alargada. Una de ellas, al ser abierta, recogió la luz de la luna en una forma triangular, acerada, cuya revelación estremeció al joven. Aquellos hombres, dibujados en siluetas sobre el mar, parecían cumplir un rito cruento y misterioso, con aquella báscula, aquellos montantes, que se iban ordenando en el suelo —dibujándose horizontalmente—, según un orden determinado por el pliego de instrucciones que se consultaba, en silencio, a la luz de un farol. Lo que se organizaba allí era una proyección, una geometría descriptiva de lo vertical; una perspectiva falsa, una figuración en dos dimensiones, de lo que pronto tendría altura, anchura y pavorosa profundidad. Con algo de rito proseguían los hombres negros su nocturnal labor de ensamblaje, sacando piezas, correderas, bisagras, de las cajas que parecían ataúdes: ataúdes demasiado largos, sin embargo, para seres humanos; con anchura suficiente, sin embargo, para ceñirles los flancos, con ese cepo, ese cuadro, destinado a circunscribir un círculo medido sobre el módulo corriente de todo ser humano en lo que le va de hombro a hombro. Comenzaron a sonar martillazos, poniendo un ritmo siniestro sobre la inmensa inquietud del mar, donde ya aparecían algunos sargazos... «¡Conque esto *también* viajaba con nosotros!», exclamó Esteban. «Inevitablemente —dijo Víctor, regresando al camarote—. *Esto* y la imprenta son las dos cosas más necesarias que llevamos a bordo, fuera de los cañones». «La letra con sangre entra», dijo Esteban. «No me vengas con refranes españoles», dijo el otro, volviendo a llenar las copas. Luego miró a su interlocutor con intencionada fijeza, y yendo por una cartera de becerro, la abrió lentamente. Sacó un fajo de papeles sellados y los arrojó sobre la mesa... «Sí; también llevamos la máquina. ¿Pero sabes lo que entregaré a los hombres del Nuevo Mundo?» Hizo una pausa y añadió, apoyado en cada palabra: «El Decreto del 16 P'uvioso del año II, *por el que queda abolida la esclavitud*. De ahora en adelante, todos los hombres, sin distinción de razas, domiciliados en nuestras colonias, son declarados ciudadanos franceses, con absoluta igualdad de derechos». Se asomó a la puerta del camarote, observando el trabajo de los carpinteros. Y seguía monologando, de espaldas al otro, seguro de ser escuchado: «Por vez primera una escuadra avanza hacia América sin llevar cruces en alto. La flota de Colón las llevaba pintadas en las velas. Queda vengado el hermano de Ogé»... Esteban bajó la cabeza, avergonzado por los reparos que había largado un poco antes, atropelladamente, como para aliviarse de dudas intolerables. Puso la mano en el Decreto, palpando el papel abultado por espesos sellos: «De todos modos —dijo— yo preferiría que esto se lograra sin que tuviésemos que usar la guillotina». «Eso dependerá de las gentes —dijo Víctor—. De las otras y también de las nuestras. No creas que confío en todos los que viajan con nosotros. Habrá que ver cómo se comporta más de uno, cuando se vea en tierra». «¿Lo dices por mí?», preguntó Esteban. «Por ti, o por los demás. Estoy obligado, por oficio, a no fiarme de nadie. Hay quien discute demasiado. Hay quien añora demasiado. Hay quien todavía esconde el escapulario. Hay quien dice que mejor se vivía en el burdel del antiguo régimen. Y hay militares que demasiado se entienden entre sí, soñando con desacreditar a los comisarios apenas hayan sacado sus sables en claro. Pero yo sé todo lo que se dice, se piensa, se hace, a bordo de estas naves de mierda. Cuídate de lo que hables. Me lo repetirían en el acto». «¿Me tienes por sospechoso?», preguntó Esteban, con una agria sonrisa. «Sospechosos son todos», dijo Víctor. «¿Por qué no estrenas la máquina, esta noche, en mi persona?» «Los carpinteros tendrían que apurarse en armarla. Demasiado trabajo para tan poco escarmiento». Comenzó Víctor a quitarse la camisa: «Vete a dormir». Le dio la mano, de modo cordial y sonoro, como en otros tiempos. Al mirarlo, el joven se sorprendió del parecido que había entre el Incorruptible, tal como se le veía en el cuadro del camarote, y el semblante presente, algo rehecho por una evidente imitación del porte de cabeza, del modo de fijar los ojos, de la expresión, a la vez cortés e implacable, del retratado. El vislumbre de ese rasgo de debilidad, de ese afán de parecerse físicamente a quien admiraba por encima de todos los demás seres, fue como una leve victoria compensadora para Esteban. Así, el hombre que en otros días se hubiera disfrazado tantas veces de Licurgo y Temístocles, en los juegos de la casa habanera, hoy, investido de poderes, realizado en ambición cumplida, trataba de remedar a otro hombre cuya superioridad aceptaba. Por vez primera, la soberbia de Víctor Hugues se doblegaba —acaso inconscientemente— ante una Dimensión Mayor.

XVII

La Máquina permanecía enfundada en la proa, reducida a un plano horizontal y otro vertical, escueta como figura de teorema, cuando la escuadra entró de lleno en los mares del calor, afirmándose la cercanía de las tierras en una presencia de troncos arrastrados por las corrientes, de raíces de bambúes, ramas de mangle, hojas de cocoteros, que flotaban sobre las aguas claroverdecidas, aquí, allá, por los fondos arenosos. Nuevamente se hacía posible un encuentro con navíos británicos y el desconocimiento de lo que hubiera podido ocurrir en la Guadalupe, desde las últimas noticias recibidas al zarpar, tenía a todo el mundo en un estado de expectación que cada singladura sin peripecias no venía sino a acrecer. Si no se podía desembarcar en la Guadalupe, las naves seguirían hacia Saint-Domingue. Pero los ingleses también podían haberse apoderado de Saint-Domingue. En tal caso, Chrétien y Víctor Hugues tratarían de alcanzar, por cualquier rumbo, las costas de los Estados Unidos, acogiéndose al amparo de la nación amiga. Esteban, enojado consigo mismo, casi asqueado de lo que consideraba, en frío, como una muestra de egoísmo inadmisible, no podía impedir que el corazón se le quedara en suspenso cuando se hablaba de la posibilidad de que la escuadra fuese a parar a Baltimore o a Nueva York. Aquello significaría el fin de una aventura que ya se le alargaba de modo absurdo: inútil ya en la armada francesa, pediría su libertad —o se la tomaría, que era lo mismo— regresando, cargado de historia y de historias, adonde lo escucharían con asombro como se escucha al peregrino que regresa de Santos Lugares. Fallida en acción, aunque no en experiencia cobrada, su primera salida al Gran Ruedo del Mundo equivalía a una iniciación precursora de futuras empresas. Por lo pronto, había que hacer algo que diese un significado a su existencia. Tenía deseos de escribir; de llegar, por medio de la escritura y de las disciplinas que impone, a las conclusiones que acaso pudieran derivarse de lo visto. No acababa de definir lo que sería ese trabajo. Algo importante, en todo caso; algo necesitado por la época. Algo que acaso disgustaría mucho a Víctor Hugues —y se gozaba en pensarlo. Acaso una nueva Teoría del Estado. Acaso una revisión del *Espíritu de las Leyes.* Acaso un estudio sobre los errores de la Revolución. «Lo mismo que escribiría un cochino emigrado», se dijo, abandonando el proyecto de antemano. En aquellos últimos años, Esteban había asistido al desarrollo, en sí mismo, de una propensión crítica —enojosa, a veces, por cuanto le vedaba el goce de ciertos entusiasmos inmediatos, compartidos por los más— que se negaba a dejarse llevar por un criterio generalizado. Cuando la Revolución le era presentada como un acontecimiento sublime, sin taras ni fallas, la Revolución se le hacía vulnerable y torcida. Pero ante un monárquico la hubiera defendido con los mismos argumentos que lo exasperaban cuando salían de boca de un Collot d'Herbois. Aborrecía la desaforada demagogia del *Pére Duchesne,* tanto como las monsergas apocalípticas de los emigrados. Se sentía cura frente a los anticuras; anticura frente a los curas; monárquico cuando le decían que todos los reyes —¡un Jaime de Escocia, un Enrique IV, un Carlos de Suecia, dígame usted!— habían sido unos degenerados; antimonárquico, cuando oía alabar a ciertos Borbones de España. «Soy un discutidor —admitía, recordando lo que Víctor le había dicho unos días antes—. Pero discutidor conmigo mismo, que es peor». Enterado por los Loeuillet, que poco a poco se habían soltado la lengua, del terror desatado por el Acusador Público en Rochefort, lo contemplaba con una mezcla de despecho y de malestar; de blandura y de envidia. Despecho, por verse excluido de su ámbito; malestar, desde que sabía de sus ensañamientos en el tribunal; blandura casi femenina, al agradecer de antemano cualquier muestra de amistad que hubiera consentido en darle; envidia, por la posesión de un Decreto que iba a conferir una dimensión histórica a ese hijo de panadero, nacido entre hornos y artesas. Esteban pasaba días dialogando, dentro de sí mismo, con un Víctor ausente, dándole consejos, pidiéndole cuentas, alzando la voz, en preparación mental de un coloquio que tal vez no se trabaría nunca y que, en caso de trabarse, modificaría el carácter de sus discursos preconcebidos, poniendo sensiblería y hasta lágrimas donde ahora, a media voz, se formulaban reproches, alegatos, preguntas categóricas y amenazas de ruptura... En esos días de espera incierta, Víctor se trasladaba temprano a la *Thétis*, en la chalupa abanderada, para cambiar impresiones con De Leyssegues —ambos acodados sobre mapas entre cuyos arrecifes y bajos fondos navegaba ya la escuadra. Esteban trataba de colocarse en su camino cuando iba o volvía, fingiendo que estaba absorbido por una tarea cualquiera mientras el otro le pasaba cerca. Pero Víctor nunca le dirigía la palabra cuando iba rodeado de capitanes y ayudantes. Aquel grupo empenachado, relumbrante de galones, constituía un mundo al cual no tenía acceso. Al verlo alejarse, Esteban miraba con una suerte de fascinación y de ira aquellas fuertes espaldas, apretadas por el paño sudado de la casaca; eran las espaldas de quien conocía los más íntimos secretos de su casa; de quien se hubiera inmiscuido en su existencia como una fatalidad, llevándola por rumbos cada vez más inciertos. «No te abraces a las estatuas heladas», se decía el joven, con dolida sorna, citándose a Epicteto, al medir la distancia que ahora lo separaba del compañero de otros tiempos. Pero él había visto esa estatua helada holgándose con hembras muy aguerridas —escogidas por aguerridas, precisamente— en las correrías que hubiesen emprendido tantas veces, en los primeros días de París, sin más objeto que la busca del placer. Aquel Víctor Hugues sin ropa, presumido de músculos ante sus amantes de una tarde, entregado al vino y a la broma gruesa, conservaba una frescura de carácter anterior a los ceños fruncidos del Hombre Rutilante, orgulloso de sus insignias republicanas, que hoy regía los destinos de la armada, usurpando funciones de almirante con un aplomo que intimidaba al propio De Leyssegues. «El Traje se te ha subido a la cabeza —pensaba Esteban—. Cuidado con la borrachera del Traje: es la peor de todas». Al amanecer de un día, dos alcatraces se posaron en el botalón de la *Pique*. La brisa olía a pasto, a melaza, a humo de leña. La escuadra, bogando despacio, largando sondas, se aproximaba a los temidos arrecifes de la Désirade. Desde la medianoche todos los hombres estaban alerta, y ahora, hacinados en las bordas, miraban hacia la isla de adusto perfil que se había pintado, desde el alba, como una enorme sombra tendida entre el mar y una masa de nubes muy bajas, detenida sobre las tierras. El agua estaba tan quieta, en este comienzo de junio, que la zambullida de un pez volador podía oírse a distancia; tan clara, que podía verse el paso de los agujones bajo la superficie. Las naves se inmovilizaron frente a una costa abrupta, donde no había trazas de cultivos ni viviendas. Una chalupa con varios marinos se desprendió de la *Thétis*, yendo hacia la isla a todo remo. Pronto, el Capitán De Leyssegues y los generales Cartier y Rouger abordaron a la *Pique*, para aguardar las noticias junto a Chrétien y Víctor Hugues... Al cabo de dos horas, cuando la expectación llegaba a su colmo, se vio reaparecer la chalupa. «¿Qué hay?», gritó el Comisario a los marinos, cuando creyó tenerlos al alcance de su voz. «Los ingleses están en la Guadalupe y Santa Lucía —aulló uno, levantando un aquelarre de imprecaciones en las cubiertas de los navíos—. Tomaron las islas cuando salíamos de Francia». A la tensión siguió el despecho. Se volvería a la incertidumbre de los días anteriores: ahora empezaría otra navegación azarosa, por mares poblados de barcos enemigos, hacia una isla de Saint-Domingue ocupada también —era lo más probable— por fuerzas que contaban con la ayuda de los colonos ricos, todos monárquicos, pasados a Inglaterra con sus hordas de negros. Y se saldría del peligro británico, para sortear el peligro español, con cien rodeos que llevarían la escuadra al ámbito de las Bahamas en la peor época del año —y recordaba Esteban unos versos de *La Tempestad* donde se hablaba de los huracanes de Bermudas. El derrotismo se apoderaba de los hombres. Ya que nada podía hacerse en la Guadalupe, lo mejor era largarse cuanto antes. Y se irritaban algunos de la testarudez de Víctor Hugues, que se hacía repetir y repetir, por quien había conseguido los informes, la historia de su breve andanza en tierra. No había lugar a dudas. La noticia le venía de personas distintas: un negro pescador, un labriego, el mozo de un tabernucho; luego había hablado con los guardias apostados en un fortín. Todos habían divisado las naves de la escuadra aunque, vistas a distancia, las confundieran con los barcos que, al mando del Almirante Jarvis, debían zarpar, o habían zarpado, o zarpaban en estos momentos de la Pointe-à-Pitre con rumbo a San Cristóbal. Este lugar, circundado de arrecifes, era peligroso en extremo: «Creo que no hay que esperar más —dijo Cartier—. Si nos agarran aquí, nos deshacen». Rouger era del mismo parecer. Pero Víctor no cedía. A poco se alzó violentamente el diapasón de las voces. Discutían los jefes y comisarios, en gran tremolina de sables, galones, bandas y escarapelas, largando tantas palabras gruesas como podía decirlas un francés del Año II, después de haber invocado a Temístocles y a Leónidas. Víctor Hugues, de pronto, acalló a los demás, con una frase tajante: «En una República los militares no discuten; obedecen. A la Guadalupe nos mandaron y a la Guadalupe iremos». Los otros agacharon la cabeza, como dominados por la tralla de un leonero. El Comisario dio orden de zarpar, sin más dilación, hacia las Salinas de la Grande Terre. Pronto se avistó la Marigalante, en un difumino de brumas opalescentes, y fue al zafarrancho. Y mientras cundía el ruido de cureñas rodadas, chirridos de cables y poleas, gritos, preparativos y formaciones presurosas, sobre el relincho de los caballos que ya husmeaban la tierra próxima y el pasto fresco, Víctor Hugues, se hizo entregar por los tipógrafos varios centenares de carteles impresos durante la travesía, en espesos caracteres entintados, donde se ostentaba el texto del Decreto del 16 Pluvioso, que proclamaba la abolición de la esclavitud y la igualdad de derechos otorgados a todos los habitantes de la isla, sin distinción de raza ni estado. Luego cruzó un bastimento enemigo. Aquello hubiera tenido un aspecto de felices vacaciones en islas de Barlovento, si la ausencia de noticias no desazonara a tantos ánimos. Inútil era interrogar el paisaje de la costa. Allí no pasaba nada. Sacaba un niño almejas de la arena; retozaban algunos perros con el agua por las tetas; pasaba una familia de negros, como en mudanza perpetua, cargando con enormes bultos en las cabezas... Empezaban algunos a suponer lo peor cuando, en la madrugada del cuarto día, una estafeta abordó a la *Thétis*, trayendo orden de llevar la flota a Pointe-à-Pitre. El Ejército de la República era victorioso. Después de una escaramuza, tenida a poco de desembarcar, los franceses habían avanzado cautelosamente, sin hallar la resistencia esperada. Víctor Hugues atribuía el repliegue constante de las tropas inglesas al terror de los colonos monárquicos ante quienes embestían sus inmundas banderas blancas con las banderas republicanas. Más animosos, los tripulantes de los buques mercantes, sorprendidos en el puerto, habían organizado la resistencia en el fuerte Fleur d'Epée, tras de dieciséis piezas de artillería. La noche anterior, Cartier y Rouger habían subido al asalto de ese reducto defendido por novecientos hombres, tomándolo por sorpresa, al arma blanca. Chrétien, por dar el ejemplo con harta bizarría, había caído de cara al enemigo. Los ingleses, desmoralizados por esa victoria, estaban atrincherados ahora en la Basse-Terre, tras de la Rivière Salée —minúsculo paso de agua, invadido por los mangles, que, pese a su delgadez, dividía la Guadalupe en dos comarcas distintas. Víctor Hugues se hallaba en la Pointe-à-Pitre desde medianoche, instalando su gobierno. Ochenta y siete barcos mercantes abandonados en el puerto habían pasado a poder de los franceses. Los almacenes estaban repletos de mercancías. La escuadra era esperada allá con urgencia... Comenzaron las maniobras, mientras las chalupas de transporte regresaban a sus naves. Una enorme alegría, alegría de fondo, casi visceral, movía a los hombres de las cofas a las bodegas, trepando, corriendo, empujando el espeque, izando, desenrollando, enrollando, arrumbando. La victoria, era buena. Pero, además, esta noche habría vinos y perniles frescos, hincados con dientes de ajo, mucho vino, y buey con zanahorias nuevas; habría muchísimo vino y ron del mejor, café del que mancha la taza, y acaso mujeres, de las rojizas, de las cobrizas, de las pálidas, de las oscuras —de las que llevan calzado de tacón alto bajo el encaje de las enaguas; de las que huelen a frangipana, agua de azahar, vetiver, y, más que nada, a hembra. Y con cantos y gritos, vítores a la República, levantados en los muelles y coreados en las naves, entró la escuadra en el puerto de la ciudad, aquel día de Pradial del Año II, llevando la guillotina, erguida en la proa de la *Pique*, bien bruñida como objeto nuevo —bien desenfundada para que la vieran bien y la conocieran todos. Víctor y De Leyssegues se abrazaron. Y juntos fueron al antiguo edificio del Senescalado —donde el Comisario procedía a la instalación de sus despachos y oficinas— para inclinarse ante el cuerpo de Chrétien, tendido con banda y escarapela, sobre un túmulo negro florecido de claveles rojos, nardos blancos y embelesos azules. Esteban fue despachado a la Alhóndiga del Comercio Extranjero. Hoy empezaría a desempeñar su cabal empleo, abriendo un Registro de Presas, a la vista de los buques dejados por el enemigo. En todas partes se ostentaban los carteles donde se proclamaba la abolición de la esclavitud. Los patriotas encarcelados por los «Grandes Blancos» eran puestos en libertad. Una multitud abigarrada y jubilosa vagaba por las calles, aclamando a los recién llegados. Para mayor regocijo se supo que el General Dundas, gobernador británico de la Guadalupe, había muerto en Basse-Terre, la víspera del desembarco francés. La suerte era propicia al ejército de la República. Mas, la bambochada marinera que todos se prometían para aquella tarde quedó en apetencia: el Capitán De Leyssegues dio comienzo, poco después del mediodía, a las obras de fortificación y defensa del puerto, hundiendo varias naves viejas en la barra, para vedar su entrada, y colocando cañones en los muelles, con las bocas apuntadas hacia el mar... Pero, cuatro días después, la suerte se volteó repentinamente. Una batería emplazada en el Morne Saint-Jean, más allá de la Rivière Salée, inició el bombardeo sistemático de la Pointe-à-Pitre. El Almirante Jarvis, luego de haber desembarcado sus tropas en el Gozier, ponía asedio a la ciudad... El terror se apoderó de la población, bajo los proyectiles caídos del cielo que a todas horas martillaban al azar, hundiendo techos, atravesando pisos, haciendo volar los tejados en aludes de barro rojo, rebotando en la mampostería, el pavimento de las calles, los cipos esquineros, antes de rodar con fragores de trueno hacia algo derribable —una columna, una baranda, un hombre atontado por la velocidad de lo que se le venía encima. Un olor de cal vieja, reseca, cineraria, envolvía la ciudad en una atmósfera de demolición, secando las gargantas, encendiendo los ojos. Una bala, topando con una muralla de cantería, saltaba a las casas de madera, se arrojaba escaleras abajo, yendo a dar a un aparador lleno de botellas, a los escaparates de una locería, a una bodega donde su trayectoria terminaba en un revuelo de duelas rotas, sobre el cuerpo destrozado de una parturienta. Despedida por un impacto, una campana había caído con tan tremendo alarido del bronce, que hasta los cañoneros enemigos se enteraron del caso. Mal resguardo contra el hierro era el de ese reino de persianas, mamparas, balcones ligeros, romanillas, barrotes de madera, emparrados y listones, donde todo estaba hecho para aprovechar el menor aliento de la brisa. Cada disparo resultaba un mazazo en jaula de mimbre, dejando cadáveres debajo de la mesa de nogal donde una familia hubiera buscado algún amparo. Pronto se conoció otra espantosa novedad: una batería con hornos, instalada en el Morne Savon, bombardeaba la población con balas calentadas al rojo vivo. Lo que quedaba en pie empezó a arder. A la cal sucedió el fuego. No acababa de dominarse un incendio cuando otro se prendía, más allá, en la tienda de paños, en el aserradero, en el depósito del ron que, prendido a su vez, arrojaba a las calles un lento derrame de llamas azules que las aceras llevaban hacia cualquier pendiente próxima. Como muchas casas pobres tenían techos de hojas y fibras trenzadas, un solo proyectil al rojo bastaba para acabar con una manzana entera. Para colmo, la falta de agua obligaba a combatir los incendios con el hacha, la sierra y el machete. A la destrucción caída del cielo, se añadía la consciente destrucción llevada por niños, mujeres y ancianos. Un humo negro, denso, sacado de abajo, de donde arden muchas cosas viejas y sucias, ponía penumbras repentinas, en pleno mediodía, sobre la ciudad supliciada. Y aquello, que era intolerable, imposible de soportar durante una hora, se prolongaba día y noche, en un estruendo perpetuo, donde el derrumbe se confundía con el grito, el crepitar de las fogaradas con el trueno a ras del suelo de lo que rodaba, topaba, rebotaba, pegando como ariete. Se vivía en el desastre y aunque su paroxismo pareciera alcanzado, el desastre se agrandaba de noticia en noticia. Tres intentos de acallar las mortíferas baterías habían fracasado. El General Cartier, extenuado por el insomnio, la fatiga y la poca costumbre del clima, acababa de morir. El General Rouger, alcanzado por un proyectil, agonizaba en una sala del edificio transformado en hospital militar. Habían reaparecido unos Frailes Dominicos misteriosos, soterrados, salidos de sus escondites, que, de pronto, se erguían en las cabeceras de los enfermos con una pócima o una tisana en la mano. En tales momentos nadie reparaba en sus hábitos, aceptándose el cuidado y el alivio inmediato, pronto seguidos de una reaparición de Crucifijos y Santos Oleos. Ese contrabando de la fe se insinuaba donde más gangrenas y heridas hubiera, no faltando quien reclamara los sacramentos, arrojando la escarapela, al sentir la proximidad de la muerte... A los innumerables tormentos se añadía ahora el de la sed. Como algunos cadáveres habían caído en los algibes, era imposible beber aquella agua envenenada. Los soldados hacían hervir el agua de mar preparando un café salobre que luego endulzaban con enormes cantidades de azúcar, añadiéndole algún alcohol. Los aguadores, que siempre habían abastecido la población con sus barricas llevadas en botes y en carros, no podían alcanzar los riachuelos cercanos a causa del tiro enemigo. Las ratas pululaban en las calles, corriendo en medio de los escombros, invadiéndolo todo, y como si esa plaga fuese poco, unos alacranes grises surgían de las maderas viejas, hincando el dardo donde mejor pudiese hincar. Varios barcos, en el puerto, estaban reducidos a errantes montones de tablas calcinadas. La *Thétis*, acaso herida de muerte, se escoraba en un panorama de mástiles rotos, de cuadernas dejadas en el hueso. Al vigésimo día del asedio apareció el Cólico Miserere. Las gentes se vaciaban en horas, largando la vida por los intestinos. En la imposibilidad de darles un cristiano sepelio, se enterraban los cuerpos donde fuera posible, al pie de un árbol, en un agujero cualquiera, al lado de las letrinas. Cayendo sobre el Cementerio Viejo, las balas habían sacado huesos a la luz, dispersándolos entre lápidas hundidas y cruces arrancadas. Víctor Hugues, seguido de los últimos jefes militares que le quedaban y de sus mejores tropas, se había atrincherado en el Morne du Gouvernement, eminencia que dominaba la ciudad y, enclavada en su perímetro, ofrecía el resguardo de una iglesia de cantería... Esteban, anonadado, estupefacto, incapaz de pensar en nada en medio del cataclismo que duraba desde hacía casi cuatro semanas, pasaba el tiempo acostado dentro de una suerte de guarida, de fosa horizontal, que se había cavado entre los sacos de azúcar que llenaban el almacén portuario donde, estando en labor de inventario, lo había sorprendido el bombardeo. Frente a él, siguiendo su ejemplo, los Loeuillet, padre e hijo, se resguardaban en una caverna entre sacos, más ancha, donde habían metido una parte del material de su imprenta —las cajas de tipos, sobre todo, que eran lo más irremplazable en esta tierra. No padecían de sed, ya que varios toneles de vino estaban guardados en aquel lugar, y, unas veces por refrescarse, otras por miedo, otras por beber, vaciaban jarros de aquel líquido tibio, que se iba agriando cada vez más, poniendo costras moradas en sus labios. Loeuillet, el viejo, hijo de camisardo, no se había ocultado, en tales momentos de miseria, de sacar la Biblia familiar, que traía escondida en una caja de papel. Cuando las balas pegaban cerca, envalentonado por lo mucho bebido, clamaba, desde las honduras de su antro, algún versículo del Apocalipsis. Y nada se concertaba mejor con la realidad que aquellas frases sacadas del delirio profético por la mano de Juan el Teólogo: «Y el primer Angel tomó la trompeta, y fue hecho granizo y fuego, mezclado con sangre, y fueron arrojados a la tierra, y la tercera par-

yectil enemigo, de tiempo en tiempo, derribando un transeúnte, desprendiendo una reja, astillando un retablo. Pero nadie se preocupaba ya por tan poca cosa, luego de lo padecido durante cuatro terribles semanas. Se supo entonces que el General Aubert, último integrante del Estado Mayor de la expedición, moría de fiebre amarilla. Víctor Hugues quedaba como único amo de la Grande Terre de la Guadalupe. Llamando a los Loeuillet a su despacho de ventanas rotas, cuyas cortinas a medio quemar colgaban como festones de miseria, les dictó, para impresión inmediata, el texto de un bando en el que se proclamaba el estado de sitio y la formación, por leva forzosa, de una milicia de dos mil hombres de color en estado de llevar las armas. Todo habitante que propalara falsos rumores, se mostrara enemigo de la Libertad o tratara de pasar a la Basse-Terre, sería sumariamente ejecutado, incitándose a los buenos patriotas a la delación de cualquier infidente. Por decreto quedaban ascendidos el Capitán Pelardy a general de división y comandante en Jefe de las Fuerzas Armadas, y el Comandante Boudet a general de brigada, con el cargo de instruir y disciplinar las tropas locales... Esteban se admiraba ante la energía demostrada por el Comisario desde el día del desembarco en las Salinas. Tenía un extraordinario poder de mando, al que se añadía una suerte impar. Nada resultaba más providencial para él, en estos momentos, que las muertes sucesivas de Chrétien, de Cartier, de Rouger y de Aubert. Con ellos habían desaparecido los únicos hombres que de algún modo hubiesen podido oponérsele. Ahora, la tirantez existente entre el mando militar y la autoridad civil quedaba anulada, de hecho. Víctor Hugues, que varias veces había tenido ásperas discusiones con los generales de la expedición, ufanos de sus galones, penachos y veteranías, descansaba desde hoy sobre dos colaboradores que le eran adictos, sabiendo, por lo demás, que de él dependía que la Convención los confirmara en sus nuevos grados... Aquella noche corrió el vino en la ciudad, y donde quedaran energías para ello hallaron los soldados cómo aliviarse de una prolongada abstinencia de mujer. El Comisario se mostró jovial, ocurrente, decidor, en un ban-

tanto en empezar. Serían las diez cuando regresó a la plaza, que ya estaba llena de una multitud pintoresca y bulliciosa, olvidada de padecimientos recientes. Ya aparecían los mandatarios civiles y militares en el estrado, encabezados por Víctor Hugues, los generales Pelardy y Boudet, y el Capitán De Leyssegues. Apretujáronse las gentes en torno a los nuevos jefes, contemplados por vez primera en sus atuendos de solemnidad, y se hizo un silencio aleteado por las palomas de un patio cercano. Después de abarcar el ámbito con una mirada lenta, el Comisario de la Convención abrió su discurso. Felicitó a los esclavos de ayer por haber pasado a la condición de ciudadanos libres. Hizo el elogio de la entereza con que el pueblo había soportado los días aciagos del bombardeo, rindiendo homenaje a las víctimas y rematando la primera progresión verbal con una emocionada oración fúnebre a la memoria de Chétien, Cartier, Rouger y Aubert —este último, muerto hacía apenas media hora, en el edificio del Hospital Militar, señalado con iracunda mano como si la muerte, allí, hubiera de encarnizarse con los mejores. Algo dijo luego del Cristóbal Colón, que, en su tercer viaje a América, descubriera esta isla poblada de seres felices, sencillos, entregados a la vida sana que constituye el estado natural del ser humano, dándole el nombre de la nave en que viajaba. Pero, con el Descubridor, habían llegado los sacerdotes cristianos, agentes del fanatismo y de la ignorancia que pesaban sobre el mundo como una maldición desde que San Pablo hubiera difundido las falsas enseñanzas de un profeta judío, hijo de un legionario romano llamado Pantherus —ya que el José de los pesebres era mera leyenda, desacreditada por los filósofos. Levantó el brazo hacia el Morne du Gouvernement, anunciando que se derribaría la iglesia allí alzada, para borrar toda huella de idolatría, y que los sacerdotes, aún ocultos, según le habían informado, en las inmediaciones de Le Moule y Sainte-Anne, habrían de prestar juramento a la Constitución... Esteban, muy atento a los gestos de una mulata cuyo madrás de tres puntas iba pregonando un «todavía-tengo-lugar-para ti» en el lenguaje de nudos del tocado que era entendido por todos los habitantes de la isla, se hallaba demasiado sumido en la contemplación de mohínes, dedos llevados a las ajorcas, hombros que se ahuecaban sobre un espinazo suavemente sombreado, para prestar la atención debida al discurso que, en aquel momento, bautizaba la Plaza Sartines con el nombre de Place de la Victoire. La voz de Víctor, metálica y neta, le llegaba por ráfagas, en las que rebrillaban, por lo subrayado del tono, una frase definidora, un concepto de Libertad, una cita clásica. Había elocuencia y había nervio. Y sin embargo, la Palabra no acababa de armonizarse con el espíritu de gentes acudidas a aquel lugar como quien viene a una fiesta, entretenidas en jugar, en rozarse los varones con las hembras, en desentenderse, a ratos, de un lenguaje que mucho difería —con aquel acento meridional, que Víctor, por añadidura, cargaba como un cuartel de heráldica— de la sabrosa jerga local. Pero ya terminaba el Comisario, luego de hacer el proceso de la Compañía de Indias y de los «Grandes Blancos» de la Guadalupe, anunciando que la lucha no había terminado: que aún había que aniquilar a los ingleses de la Basse-Terre y que muy pronto se iniciaría la ofensiva final, devolviéndose la paz a estas tierras libradas, por siempre, de la esclavitud. El discurso había sido claro, bien llevado, sin excesos de retórica; y ya aplaudía el público un remate coronado por una cita de Tácito, cuando observó De Leyssegues que una embarcación forzaba la barra del puerto, arrumbándose hacia el muelle más cercano. No había por qué inquietarse, empero, por tan mísera nave: era una balandra vieja, tan destartalada, despintada y sucia, que con velas hechas de sacos mal cosidos, parecía un esquife fantasmal sacado de un relato de naufragios. Atracó la balandra y se produjo un remolino en la multitud: hacia la tribuna del Comisario avanzaban unos hombres de manos y orejas informes, desdentados, renqueantes, con la piel plateada por ronchas escamosas. Eran leprosos de la Désirade que venían a prestar juramento de fidelidad a la Revolución. Con oportuno aplomo, Víctor Hugues les dio el tratamiento de ciudadanos enfermos, entregándoles una banda tricolor, y asegurándoles que pronto iría a su isla para saber de sus

que la Guadalupe se le volviera una pequeña Bélgica. Por lo demás, no tenía quejas de unos habitantes acostumbrados, por las peripecias de su larga historia, a convivir con el amo de turno. Se apoyaba, por el momento, en la gran masa manumisa, entregada al júbilo de su flamante ciudadanía, aunque ese mismo júbilo le planteara un inicial problema de gobierno: convencidos de que ya no tenían dueño a quien obedecer, los antiguos esclavos eran remisos a cultivar los campos. Las tierras labrantías quedaban entregadas a las malas yerbas, sin que todavía pudiese castigarse con harto rigor a quienes hallaban patrióticos pretextos para negarse a doblar el lomo sobre un suelo arado, vuelto a cerrarse sobre el surco de la aradura, levantando maderas inútiles y espinas al infinito bajo un sol que engrosaba sus especies por igual, sin saber de preferencias humanas... En eso apareció la *Bayonnaise,* trayendo armas y pertrechos y algunos soldados de infantería —aunque en número muy inferior al solicitado por los jefes militares. La Convención, necesitada de hombres, no podía deshacerse de grandes contingentes para defender una colonia remota. Esteban, llamado inesperadamente al despacho de Víctor Hugues para recoger un juego de pruebas, observó que el Comisario estaba entregado a la lectura de lo que esperaba más ansiosamente después de los despachos oficiales: la prensa de París, en la que, a veces, era mencionado. Hojeando los periódicos que el otro había visto ya, Esteban se enteró con estupor de la celebración de la Fiesta del Ser Supremo, y lo que era más desconcertante aún, de la condena del ateísmo como actitud inmoral, y por consiguiente, aristocrática y contrarrevolucionaria. Los ateos, de repente, eran considerados como enemigos de la República. Reconocía el Pueblo Francés la existencia del Ser Supremo y la Inmortalidad del Alma. Había dicho el Incorruptible que si la existencia de Dios, si la inmortalidad del alma, no hubiesen sido más que sueños, serían, aún así, las más hermosas concepciones del espíritu humano. Los hombres sin Dios eran calificados, ahora, de «monstruos desolados»... Esteban se dio a reir de tan buenas ganas que Víctor, frunciendo el entrecejo, lo miró por encima de sus periódicos abiertos: «¿Cuál es el chiste?» preguntó. «No valía la pena haber mandado derribar la capilla del Morne du Gouvernement, para enterarnos de esto», dijo Esteban, que desde hacía algunos días había vuelto a encontrar el buen humor de los de su raza en un ambiente que le iba devolviendo, por el sabor de las frutas, los olores marinos, la visión de ciertos árboles, algo de su personalidad de otros días. «Todo me parece muy bien —dijo Víctor, sin responder de modo directo—. Un hombre como El no puede equivocarse. Si creyó necesario hacerlo, bien hecho está». «Y hasta se le alaba, por haberlo hecho, en prosa de Tedéum, de Laude, de Magnificat», dijo Esteban. «La que cuadra con su estatura», dijo Víctor. «Es que no veo la diferencia que hay entre Jeovah, el Gran Arquitecto y el Ser Supremo», dijo Esteban. Y recordó al Comisario su impiedad de otros días; sus sarcasmos dirigidos a las «mascaradas salomónicas» de los masones. Pero el otro no lo escuchaba: «Demasiado judaísmo perduraba todavía en las Logias. En cuanto al Dios de los creyentes nada tiene que ver con la conciencia de que existe un Ser Superior, ilimitado y eterno, al que debe reverenciarse de modo razonable y digno, como cuadra a hombres libres. No invocamos al Dios de Torquemada, sino al Dios de los filósofos». Esteban se sentía desconcertado ante la increíble servidumbre de una mente vigorosa y enérgica, pero tan absolutamente politizada que rehusaba el examen crítico de los hechos, negándose a ver las más flagrantes contradicciones; fiel hasta el fanatismo —que eso sí podía calificarse de fanatismo— a los dictámenes del hombre que lo hubiese investido de poderes. «¿Y si mañana se volvieran a abrir las iglesias, dejaran los obispos de ser «bípedos mitrados», y salieran los santos y las vírgenes, en procesión, por las calles de París?», preguntó el joven. «Alguna poderosa razón habría para hacerlo». «Pero tú... ¿Tú crees en Dios?», gritó Esteban, creyendo acorralarlo. «Esa es una cuestión meramente personal que en nada alteraría mi obediencia revolucionaria», respondió Víctor. «Para ti la Revolución es infalible». «La Revolución... —dijo Víctor lentamente, mirando hacia el puerto, donde se trabajaba en enderezar el casco escorado de la *Thétis*—... la

Revolución ha dado un objeto a mi existencia. Se me ha asignado un papel en el gran quehacer de la época. Trataré de mostrar, en él, mi máxima estatura». Hubo una pausa que dio una mayor sonoridad al grito de los marineros que tiraban de un tren de cuerdas, al compás de salomas. «Y vas a implantar aquí el culto al Ser Supremo?», preguntó Esteban, a quien la posibilidad de ver entronizado a un Dios, una vez más, parecía el colmo de las abjuraciones. «No —respondió el Comisario, después de una leve vacilación—. Todavía no acabó de demolerse la iglesia del Morne du Gouvernement. Sería demasiado pronto. Esto hay que llevarlo más despacio. Si yo hablara ahora del Ser Supremo no tardarían los de aquí en representárselo clavado en una cruz, coronado de espinas, herido en el flanco, con lo cual no adelantaríamos nada. No estamos aquí en la latitud del Campo de Marte». Esteban tuvo, en aquel instante, la malvada satisfacción de oír en boca de Víctor Hugues lo que hubiera podido decir Martínez de Ballesteros. Sin embargo, *allá,* muchos españoles habían sido perseguidos y guillotinados por afirmar que los métodos dictados en París, eran inaplicables en países apegados a ciertas tradiciones: «No se debiera entrar en España —aconsejaban— proclamando el ateísmo». En la catedral de Zaragoza no podían exhibirse los hermosos pechos de alguna Mademoiselle Aubry, disfrazada de Diosa Razón, como había ocurrido en la iglesia de Notre Dame —puesta en venta poco después, aunque nadie se resolviera a adquirir, para uso propio, tan gótico, monumental e inhóspito edificio... «Contradicciones y más contradicciones —murmuró Esteban—. Yo soñaba con una Revolución tan distinta». «¿Y quién te mandaba creer en lo que no era? —preguntó Víctor—. Además todo esto es vana palabrería. Todavía los ingleses están en la Basse-Terre. Esto es lo único que debe preocuparnos». Y añadió con tono tajante: «Una Revolución no se argumenta: *se hace*». «¡Cuando pienso —dijo Esteban— que el altar del Morne du Gouvernement se hubiera salvado si el correo de París nos hubiese llegado más pronto! ¡Con haber hecho soplar un viento mejor sobre el Atlántico, Dios se quedaba en casa! ¡Quién sabe quién hace algo aquí» «¡Vete a trabajar!», dijo Víctor, empujándolo hacia la puerta con una pesada mano afincada entre los hombros. La hoja se cerró con tal estrépito que la mulata cantora, atareada en bruñir el pasamanos de la escalera, preguntó con sorna: «*Monsieur Víctor faché*?» Y cruzó Esteban la sala del comedor, perseguido por el piar de las mozas que se burlaban de él.

La imprenta de los Loeuillet trabajaba activamente en imprimir panfletos destinados a los laborantes franceses que vivían en las islas neutrales, prometiéndoles cargos y tierras si se acogían a los beneficios del gobierno revolucionario. Con esto se engrosaban los contingentes disponibles, aunque transcurrieran semanas sin que los de acá se resolvieran a forzar el paso de la Rivière Salée. A fines de Septiembre, la situación era la misma, cuando el Comisario supo que la fiebre amarilla hacía estragos en las filas británicas, y que el General Grey, temeroso de los ciclones que en esta época del año azotaban las islas de Barlovento, había llevado el grueso de su escuadra a Fort-Royal, de la Martinica, donde el puerto ofrecía un mejor resguardo contra los huracanes. Hubo deliberaciones acerca del mejor modo de aprovechar la situación. Al fin, se resolvió que el ejército francés se fraccionara en tres columnas al mando de De Leyssegues, Pelardy y Boudet, probándose la suerte con un triple desembarco en la Basse-Terre. Se confiscaron canoas, botes, cayucos, y hasta piraguas indias y, una noche, inicióse el ataque. Dos días después, los franceses eran dueños del Lamentin y del Petit-Bourg. Y, en la madrugada del 6 de Octubre, empezó el asedio del campo atrincherado de Berville... En la Pointe-à-Pitre se vivían horas de expectación. Unos opinaban que el sitio sería largo, puesto que los ingleses habían tenido el tiempo necesario para hacerse fuertes en la posición. Otros decían que el General Graham estaba desmoralizado ante el afianzamiento del Gobierno revolucionario en la Grande Terre, cuyas gentes parecían burlarse de las andanadas de balas que aún hacía disparar sobre la ciudad, de pura rabia, desde los altos del Morne Savon... En aquellos días, Esteban se reunía a menudo con Monsieur Anse, el custodio y accionador de la guillotina, que se estaba constituyendo un Gabinete de Curiosidades, coleccionando abanicos de mar, trozos de minerales, peces-luna embalsamados, raíces de formas zoológicas y encendidas caracolas. A menudo descansaban en la esplendorosa ensenada del Gozier, con su isleta relumbrante como un corazón de calcedonia. Monsieur Anse, después de poner unas botellas de vino a refrescar en hoyos arenosos, sacaba un viejo violín del estuche, y de espaldas al mar, se daba a tocar una linda pastoral de Philidor, a la que enriquecía de variaciones propias. Era un fino compañero de excursiones, siempre dispuesto a admirarse ante un trozo de azufre, una mariposa de traza egipcia o cualquier flor desconocida que le saliera al paso. A mediodía del 6 de Octubre, Monsieur Anse recibió la orden de montar la guillotina en una carreta y de salir apresuradamente hacia Berville. La plaza era tomada. Víctor Hugues, sin ordenar el asalto siquiera, había dado al General Graham un plazo de cuatro horas para capitular. Y cuando el Comisario entró en el campo atrincherado, donde quedaba el desorden de trastos dejados en la desbandada, se encontró con mil doscientos militares ingleses que no hablaban el inglés: en su retirada, Graham sólo había llevado consigo a veintidós colonos monárquicos, que le habían sido particularmente adictos, abandonando en tierra a los demás. Anonadados por la magna felonía de quien había sido su jefe, los franceses que habían combatido bajo las banderas británicas estaban reunidos por grupos lamentables, sin haber tenido el tiempo, siquiera, de despojarse de sus uniformes. «Hay cosas imposibles», dijo Monsieur Anse, al partir, haciendo un gesto ambiguo hacia la carreta donde la Máquina se ocultaba bajo lonas, pues el viento traía los olores de una lluvia que estaba cayendo ya sobre la María Galante, repentinamente pasada de verde claro a gris plomizo, con aquella centelleante nube que le barría el perfil... «Hay cosas imposibles», repitió Monsieur Anse, al regresar a la mañana siguiente, empapado y friolento, después de haber tratado de calentarse el cuerpo con el ron de los paradores. Y, algo borracho, contaba a Esteban que la guillotina no podía usarse para ejecuciones en masa. Que el trabajo tenía su tiempo y su ritmo y que no se explicaba cómo el Comisario, buen conocedor de la Máquina, había pretendido que ochocientos sesenta y cinco sentenciados a muerte le fueran desfilando bajo el filo. Se había hecho lo humano por acelerar la operación. Pero, a la medianoche, sólo treinta de los prisioneros habían recibido el castigo de su infidencia. «¡Basta ya!», había gritado el Comisario. Y los demás habían sido fusilados por partidas de diez, de veinte, mientras la carreta regresaba a la Pointe-à-Pitre, sorteando malos caminos. En lo que miraba a los pocos soldados ingleses copados en Berville, Víctor Hugues se había mostrado clemente, permitiéndoles que se juntaran con su armada en derrota, después de desarmarlos. Y a un joven capitán británico que demoraba en marcharse, había dicho: «Tengo el deber de encontrarme aquí. Pero, a ti... ¿quién te llama a contemplar la sangre francesa que me veo obligado a derramar?»... Había terminado la era de los Grandes Blancos en la Guadalupe. La noticia era pregonada, con gran repique de redoblantes, en la Place de la Victoire. «Hay cosas imposibles», repetía Monsieur Anse, apesadumbrado por el deslucimiento inicial de su ministerio: «Eran ochocientos sesenta y cinco. Un trabajo de romanos». Y Esteban escuchaba y volvía a escuchar el relato, como si le hablaran de una erupción volcánica ocurrida en una comarca muy remota. Berville era, para él, un mero nombre. En cuanto a lo demás, ochocientos sesenta y cinco rostros eran demasiados rostros para dibujar la imagen de uno solo.

XXI

Todavía quedaban algunos focos de resistencia en la Basse-Terre. Pero el arresto de los hombres traicionados por Graham se esfumaba en cuanto lograban apoderarse de alguna balandra para huir a una isla vecina. Cuando cayó el Fort-Saint-Charles, diose por terminada la campaña. La Désirade y la María Galante —cuyo gobernador, ex constituyente pasado al servicio de Inglaterra, prefirió suicidarse antes de presentar combate— estaban en poder de los franceses. Víctor Hugues era dueño de la Guadalupe, pudiendo anunciar a todos que ahora se trabajaría en paz. Y, para apoyar sus palabras con algún gesto simbólico, plantó los árboles que habrían de dar sombra en el futuro a la Place de la Victoire. Entonces tuvo lugar el acontecimiento que todos esperaban, desde hacía tiempo, con angustiada curiosidad: La guillotina empezó a funcionar en público. El día de su estreno, en las personas de dos capellanes monárquicos que habían sido sorprendidos en una granja donde se ocultaban fusiles y municiones, la ciudad entera se volcó en el ágora donde se alzaba un fuerte tablado con escalera lateral, al estilo de París, montado en cuatro horcones de cedro. Y como las modas republicanas ya se habían insinuado en la colonia, aparecieron mestizos vestidos de cortas chaquetas azules y pantalón blanco listado de rojo, en tanto que las mulatas lucían madraces nuevos con los colores del día. Nunca pudo verse una multitud más alegre y bulliciosa, con aquellos tintes de añil y de fresa que parecían tremolar al mismo ritmo de las banderas, en la mañana límpida y soleada. Las fámulas del Comisario estaban asomadas a las ventanas, gritando y riendo —y riendo más aún cuando la estremecida mano de un oficial se les subía por encima de las corvas. Muchos niños se habían trepado al techo de los edificios para ver mejor. Humeaba la fritura, derramábanse las jarras de jugos y garapiñas, y el ron clarín, tempranamente bebido, sobrealzaba los ánimos. Sin embargo, cuando Monsieur Anse se presentó en lo alto del patíbulo llevando sus mejores ropas de ceremonia —tan grave en su menester como bien descañonado por el barbero— se hizo un hondo silencio. Pointe-à-Pitre no era el Cabo Francés, donde, desde hacía tiempo, existía un excelente teatro, alimentado de novedades por compañías dramáticas de tránsito para la Nueva Orleáns. Aquí no se tenía nada semejante; nunca habíase visto un escenario abierto a todos, y por lo mismo descubrían las gentes, en aquel momento, la esencia de la Tragedia. El Fatum estaba ya presente, con su filo en espera, inexorable y puntual, acechando a quienes, por mal inspirados, habían vuelto sus armas contra la Ciudad. Y el espíritu del Coro se hallaba activo en cada espectador, con las estrofas y antiestrofas que brincaban y rebrincaban por encima del tablado. De pronto apareció un Mensajero, abrieron paso los Guardias, y la carreta hizo su entrada en el vasto decorado de la Plaza Pública, trayendo a los dos condenados, de manos unidas por un mismo rosario, encima de las muñecas amarradas. Se oyeron solemnes redobles de cajas; funcionó la báscula, cargando con el peso de un hombre obeso, y cayó la cuchilla en medio de un clamor de expectación. Minutos después, las dos primeras ejecuciones estaban consumadas... Pero no se dispersó la multitud, acaso sorprendida, al momento, de que el espectáculo trágico hubiese sido tan breve —con aquella sangre aún fluida que se escurría entre las rendijas del escenario. Pronto, por sacarse del horror que los tenía como estupefactos, pasaron muchos, repentinamente, al holgorio que habría de alargar aquel día que ya se daba por feriado y de asueto. Había que lucir las ropas recién estrenadas. Había que hacer algo que fuese afirmación de vida ante la Muerte. Y como los bailes de figuras eran los más apropiados para valorar atuendos y alborotar el tornasol de las faldas carmañolas, se dieron algunos a armar contradanzas de adelantar y retroceder en ringlera, mudar de parejas, hacerse reverencias y contonear las cinturas, desatendiendo a los bastoneros improvisados que trataban, en vano, de mantener alguna compostura en las filas y grupos. Al fin, tanta era la algarabía, tantas eran las ganas de bailar y saltar y reir y gritar, que se liaron todos en una enorme rueda, pronto rota en farándula, que, luego de dar vueltas en torno a la guillotina, se lanzó a las calles aledañas, yendo y regresando, invadiendo traspatios y jardines, hasta la noche. Ese día se inició el Gran Terror en la isla. No paraba ya la Máquina de funcionar en la Plaza de la Victoria, apretando el ritmo de sus tajos. Y como la curiosidad por presenciar las ejecuciones era siempre viva donde todos se conocían de vista o de tratos —y guardaba éste sus rencores contra aquél, y no olvidaba el otro alguna humillación padecida...— la guillotina empezó a centralizar la vida de la ciudad. El gentío del Mercado se fue mudando a la hermosa plaza portuaria, con sus aparadores y hornillas, sus puestos esquineros y tenderetes al sol, pregonándose a cualquier hora, entre desplomes de cabezas ayer respetadas y aduladas, el buñuelo y los pimientos, la corosola y el hojaldre, la anona y el pargo fresco. Y como era muy apropiado para tratar negocios, el lugar se transformó en una bolsa volante de escombros y cosas abandonadas por sus amos, donde a subasta podía comprarse una reja, un pájaro mecánico o un resto de vajilla china. Allí se cambiaban arneses por marmitas; naipes por leña; relojes de gran estilo por perlas de la Margarita. En un día se elevaban, el mostrador de hortalizas, el escaparate de buhonerías, a la categoría de tienda mixta —tremendamente mixta— donde aparecían baterías de cocina, salseras armoriadas, cubiertos de plata, piezas de ajedrez, tapicerías y miniaturas. El patíbulo se había vuelto el eje de una banca, de un foro, de una perenne almoneda. Ya las ejecuciones no interrumpían los regateos, porfías ni discusiones. La guillotina había entrado a formar parte de lo habitual y cotidiano. Se vendían, entre perejiles y orégano, unas guillotinas minúsculas, de adorno, que muchos llevaban a sus casas. Los niños, aguzando el ingenio, construían unas maquinillas destinadas a la decapitación de gatos. Una hermosa parda, muy distinguida por un Lugarteniente de De Leyssegues, ofrecía licores a sus invitados en unos frascos de madera, de forma humana, que al ser colocados en una báscula largaban los tapones —con graciosos rostros pintados, claro está— bajo la acción de una cuchilla de juguete, movida por un pequeño verdugo automático. Pero, a pesar de las muchas novedades y diversiones traídas en aquellos días a la vida pastoril y recoleta de la isla, podían observar algunos que el Terror empezaba a descender los peldaños de la condición social, segando ya a ras del suelo. Sabedor de que numerosos negros, en la comarca de las Abysses, se negaban a trabajar en el cultivo de fincas expropiadas, alegando que eran hombres libres, Víctor Hugues hizo apresar a los más díscolos, condenándolos a la guillotina. Esteban observaba, con alguna extrañeza por lo demás, que el Comisario, después de tanto haber pregonado la sublimidad del Decreto del 16 Pluvioso del Año II, no mostraba mayor simpatía hacia los negros: «Bastante tienen con que los consideremos como ciudadanos franceses», solía decir con tono áspero. Algún prejuicio racial le quedaba de su larga permanencia en Santo Domingo, donde los colonos habían sido particularmente duros en el trato de sus esclavos —siempre calificados de holgazanes, idiotas, ladrones, cimarrones en potencia, «propres-à-rien», por quienes los hacían trabajar de sol a sol. Los soldados de la República, por otra parte, muy llevados hacia la carne parda cuando de hembras se trataba, no perdían oportunidad de apalear y azotar a los negros con cualquier pretexto, reconociendo sin embargo que algunos, como un corpulento leproso llamado Vulcano, llegaban a ser magníficos artilleros. Hermanados en la guerra, negros y blancos se dividían en la paz. Por lo pronto, Víctor Hugues decretó el trabajo obligatorio. Todo negro acusado de perezoso o desobediente, discutidor o levantisco, era condenado a muerte. Y como había que llevar el escarmiento a toda la isla, la guillotina, sacada de la Plaza de la Victoria, se dio a viajar, a itinerar, a excursionar: el lunes amancía en Le Moule; el martes trabajaba en Le Gozier, donde había algún convicto de holgazanería; el miércoles daba razón de seis monárquicos, ocultos en la antigua parroquia de Sainte-Anne. La llevaban de pueblo en pueblo, pasándola por las tabernas. El ejecutor y sus asistentes la ponían a funcionar en vacío, mediante copas y propinas, para que todos quedaran enterados de su mecanismo. Y como en esos paseos no podía trasladarse la escolta de rodoblantes que, en la Pointe-à-Pitre, servía para acallar cualquier gritería postrera de los condenados, cargaban con una gran tambora en el carricoche —tambora que comunicaba una feriante alegría a las demostraciones. Los campesinos, deseosos de comprobar la fuerza de la máquina, ponían troncos de bananos en la báscula —nada se parece más a un cuello humano, con su haz de conductos porosos y húmedos, que un tronco de banano— para ver cómo quedaban cercenados. Y hasta llegóse a demostrar, por zanjar una porfía, que la cuchilla no era detenida por un mazo de seis cañas de azúcar. Luego, los festejados visitantes proseguían el viaje hacia el lugar de su destino, fumando y cantando al compás de la tambora, con los gorros frigios pasados de rojo a castaño por el sudor. La báscula, al regreso, cargaba con tantas frutas que parecía llevada por la Carreta de la Abundancia.

A comienzos del Año III, Víctor Hugues se vio alzado a la cima del éxito. La Convención, entusiasmada con las noticias recibidas, ratificaba todos sus ascensos militares, aprobaba sus nombramientos y decretos, felicitándolo con prosas de panegírico y anunciándole el envío de refuerzos, en soldados, armas y municiones. Pero ya el Comisario no los necesitaba: su leva forzosa había creado un ejército de diez mil hombres, satisfactoriamente adiestrados. En todos los puntos vulnerables de la costa, procedíase a realizar obras de fortificación. Las confiscaciones de bienes habían llenado las arcas, y los almacenes estaban repletos de cuanto fuese necesario. Durante su viaje a la otra mitad de la isla, Víctor Hugues —recordando que allí hubiera estado, muchos años antes— se había enternecido ante la belleza de la ciudad de Basse-Terre, toda rumorosa de aguas vivas, de fuentes públicas que hacían reinar una deliciosa frescura en las avenidas plantadas de tamarindos. Era una población más hidalga y linajuda que la Pointe-à-Pitre, con sus calles empedradas, su malecón umbroso, sus casonas de cantería que evocaban rincones de Rochefort, de Nantes, de la Rochela. De buenas ganas hubiera trasladado el Comisario su residencia a la quieta y acogedora parroquia de Saint-François; pero el puerto para la descarga del ganado traído de las islas cercanas —ganado que era arrojado por sobre las bordas, al llegar, para que fuese nadando hasta la orilla—, era de escaso resguardo para su flota. Prosiguiendo su viaje de jefe triunfante, se vio aclamado por los leprosos de la Désirade, los «pequeños blancos» de María Galante, y hasta por los indios caribes de aquella isla, que solicitaron, por boca de su cacique, el honor de ser acogidos a los beneficios de la ciudadanía francesa. Sabiendo que aquellos hombres eran magníficos marineros, muy conocedores de un archipiélago que recorrían con sus veloces barcas desde mucho antes de que aparecieran las naves del Gran Almirante de Isabel y Fernando por esos parajes, repartió escarapelas y prometió cuanto pidieron. Víctor Hugues mostraba una mayor simpatía hacia los caribes que hacia los negros: le agradaban por su orgullo, su agresividad, su altanera divisa de «Sólo el caribe es gente» —y más ahora que llevaban cucardas tricolores en el amarre del taparrabos. En su visita a la María Galante, el Comisario se hizo mostrar la playa donde esos frustrados conquistadores de las Antillas hubieran empalado a unos bucaneros franceses que, muchos años atrás, habían tratado de quitarles algunas mujeres. Todavía quedaban esqueletos, huesos, cráneos, en las estacas plantadas junto al mar: atravesados por la madera como los insectos alfilerados de un naturalista, los cadáveres habían atraído a tantos y tantos buitres, durante varios días, que la costa, vista a distancia, parecía cubierta de una bullente lava... Colmado de agasajos y aclamaciones, el Comisario no dejaba de tener presente, sin embargo, que los ingleses rondaban por estos mares, pretendiendo ejercer una suerte de bloqueo. Víctor solía encerrarse, de noche, en compañía de De Leyssegues, quien ya lucía galones de contraalmirante, para trazar los planes de una acción naval que abarcaría todo el ámbito del Caribe. El proyecto era tenido en gran secreto y en ello se estaba cuando Esteban, al entrar un día en el despacho del Comisario, lo encontró despeinado, sudoroso, con el rostro crispado por la ira. Daba vueltas a la gran mesa del consejo, deteniéndose tras de los funcionarios que, abandonando sus tareas, se disputaban las hojas de periódicos recién llegados. «¿Te has enterado?», gritó al joven, señalando una noticia con mano temblorosa. Allí se estampaba la increíble crónica de lo ocurrido en París, el 9 Thermidor. «¡Miserables! —clamaba Víctor—. Han derribado a los mejores». Lo desmedido del suceso tenía estupefacto a Esteban. Todo, además, cobraba un relieve doblemente dramático por obra de la distancia. Como quien lleva en la mente la imagen de un objeto largamente contemplado, teniéndolo por presente aun cuando acaso el objeto hubiera desaparecido, habíase hablado, en esta misma sala, en presente, en función de realidad inmediata y hasta de futuro, de un hombre que había dejado de existir varios meses antes. Cuando se estaba discutiendo, aquí mismo, el Culto del Ser Supremo, su instaurador había lanzado ya, al pie del patíbulo, la terrible queja que le arrancara el dolor de su quijada rota, brutalmente despegada del vendaje por un gesto del verdugo. Para Víctor Hugues, el hecho era doblemente atroz, sugiriendo tales implicaciones que se negaba la mente a poner un coto a las conjeturas. No sólo se había desplomado el gigante cuyo retrato seguía bien colgado, allí, donde todos podían contemplarlo tal como se mostrara en los días de su mayor gloria; no sólo se veía privado el Comisario de quien le había otorgado su confianza, dándole poderes y autoridad, sino que ahora tendría que esperar semanas y semanas, y acaso meses, para saber del giro que tomaban los acontecimientos en Francia. Era probable que la reacción se tomaría un implacable desquite. Acaso se tenía un gobierno nuevo que destruiría todo lo hecho por el anterior. En la Guadalupe aparecerían nuevos Investidos de Poderes, con el semblante hosco, el gesto negador, cargando con misteriosas órdenes. El informe pasado por Víctor Hugues a la Convención acerca de la matanza de Berville podía volverse contra él. Acaso estaba ya destituido, o abocado a un proceso que tanto podía significar el término de su carrera como el fin de su vida. Leía y releía los nombres de los caídos de Thermidor, como si pudiese descifrar en ellos las claves de su destino. Algunos de los presentes insinuaban a media voz que ahora se entraría en un período de lenidad, de indulgencia, de restablecimiento de los cultos. «O de restauración monárquica», pensaba Esteban, a quien la idea producía a la vez una impresión de alivio, de paz recobrada después de tantas tormentas y un sentimiento de repulsa, de execración del Trono. Si tanto se habían afanado los hombres; si tantos habían profetizado, sufrido, aclamado, caído, entre los incendios y arcos de triunfo de un vasto sueño apocalíptico, era menester que, al menos, el Tiempo no se retrovertiera. La sangre entregada no iría a trocarse ya por viejas gualdas reales. Podía surgir aún algo justo; acaso más justo que lo que tantas veces hubiera dejado de serlo por demasiado hablarse —había sido uno de los males de la época— en términos de abstracción. Podía ponerse la esperanza en una Libertad más disfrutada y menos pregonada; en una Igualdad menos derrochada en palabras, más impuesta por las leyes; en una Fraternidad que menos caso hiciera de la delación y se manifestara en el restablecimiento de tribunales verdaderos, nuevamente provistos de jurados... Víctor seguía paseando, más calmado, a lo largo de la sala, con las manos en las espaldas, acabando por detenerse ante el retrato del Incorruptible. «Pues aquí todo seguirá como antes —dijo al fin—. Yo ignoro esta noticia. No la acepto. Sigo sin conocer más moral que la moral jacobina. De aquí no me sacará nadie. Y si la Revolución ha de perderse en Francia seguirá en América. Ha llegado el momento de que nos ocupemos de la Tierra Firme». Y volviéndose hacia Esteban: «Vas a traducir inmediatamente al español la Declaración de los Derechos del Hombre y del Ciudadano, y el texto de la Constitución». «¿La del 91 ó la del 93?», preguntó el joven. «La del 93. No conozco otra. Es necesario que de esta isla salgan las ideas que habrán de agitar a la América Española. Si tuvimos algunos partidarios y aliados en España, también los tendremos en el Continente. Y acaso más numerosos, porque los descontentos más abundan en las colonias que en la Metrópoli».

XXII

Cuando el viejo camisardo Loeuillet supo que tendría que imprimir textos en castellano se percató con espanto, que no había traído «eñes» en sus cajas de tipos. «¿A quién se le ocurre figurar ese sonido en una letra disfrazada? —decía, furioso consigo mismo—. ¿Se imaginan que una noble y majestuosa palabra como «Cygne» pueda escribirse «Ciñe»?» El hecho de que no hubiese sido advertido, además, demostraba la desorganización y el desorden en que vivían los hombres que pretendían gobernar el mundo: «¡No se les ocurre pensar que en castellano se usan tildes! —clamaba—. ¡Partida de ignorantes!» Al fin resolvió que las tildes serían sustituidas por acentos circunflejos, recortados de otras letras, lo cual complicaría considerablemente el trabajo de composición. Pero pronto quedó impresa la *Declaración de Derechos del Hombre y del Ciudadano,* entregándose la edición a las oficinas del Comisario, donde reinaba una pesada atmósfera de desconcierto y de zozobra. El viento de Thermidor soplaba sobre muchas conciencias. Las críticas que algunos habían guardado para sí empezaban a expresarse en conciliábulos, desconfiados de quien demasiado se acercara. Cuando Esteban llevó a Loeuillet su versión española de la Constitución del 93, el tipógrafo le hizo observar cuán capciosos eran los manejos de una propaganda que se apoyaba en planteamientos ideales para crear la ilusión de una realidad alcanzada donde, precisamente, esa realidad no había sido alcanzada —en terreno donde las mejores intenciones habían tenido hasta ahora, pavorosos rebotes. Acaso los americanos tratarían, ahora, de aplicar unos principios que el Terror había atropellado en su casi totalidad, para tener que violarlos a su vez, urgidos por las contingencias políticas del momento. «Aquí no se habla de los filos ni de los pontones», decía el camisardo, haciendo alusión a las gabarras que aún llenaban todos los puertos atlánticos de Francia, con sus gimientes cargas de cautivos —como aquella del *Bohomme Richard,* tristemente famosa, cuyo nombre, evocador del Almanaque de Benjamín Franklyn, sonaba como un sarcasmo. «Volvamos a nuestros impresos», decía Esteban. Por lo pronto había que cumplir con una faena diaria, que el joven realizaba a conciencia, hallando una suerte de descanso, de alivio a sus cavilaciones, en traducir lo mejor posible; se volvía minucioso, casi purista, en la búsqueda del vocablo exacto, del mejor sinónimo, de la puntuación adecuada, sufriendo porque el castellano de hoy se mostrara tan remiso a aceptar los giros concisos y modernos del idioma francés. Encontraba algo como un placer estético en traducir bien,

mañana a la paz del oficio. Y se vivía al día, pensándose en la recompensa de una copa a media tarde, un baño de agua fresca, la brisa que llegaría con el anochecer, el florecimiento de un azahar, la moza que hoy vendría, acaso, a holgarse con uno. En medio de acontecimientos de una tal magnitud que rebasaba los poderes de información, medida y valoración del hombre corriente, era prodigiosamente divertido, de pronto, observar las transformaciones de un insecto mimético, los manejos nupciales de un escarabajo, una súbita multiplicación de mariposas. Nunca percibió tanto Esteban el interés de lo muy pequeño —titilación de renacuajos en un barril lleno de agua, brote de un hongo, hormigas que roían las hojas de un limonero dejándolo como encaje— como en esos tiempos llevados hacia lo universal y desmedido. Una linda mulata había entrado en su habitación, un día, con el fútil pretexto de pedirle pluma y tinta, llevando ajorcas de lucimiento y faldas muy planchadas sobre las rumorosas enaguas olientes a vetiver. Media hora después de que los cuerpos se hubieran confundido en deleitoso intríngulis, la mujer, sin una cinta que la vistiera, se había presentado con una grácil reverencia: «*Mademoiselle Athalie Bajazet, coiffeuse pour dames*». «¡Maravilloso país!», había exclamado el joven, olvidando sus preocupaciones. Desde entonces, Mademoiselle Athalie Bajazet dormía todas las noches con él. «Cada vez que se quita las faldas, me regala dos tragedias de Racine», decía Esteban a los Loeuillet, entre carcajadas... Llamado por menesteres de su contabilidad —tenía que hacer el inventario de ciertos cargamentos traídos a los puertos de la isla— iba el joven alguna vez a la Basse-Terre, metiendo el caballo en accidentados caminos donde la vegetación era particularmente frondosa por los muchos arroyos y torrentes que bajaban de los Mornes, siempre envueltos en nieblas y vapores. En esas andanzas iba descubriendo una vegetación semejante a la de su isla natal, cuyo conocimiento entero le vedara la enfermedad, y que ahora le venía al encuentro, llenando la laguna que perduraba en el reciente acontecer de su adolescencia. Husmeaba con gozo la muelle fragancia de las anonas, la parda acidez del tamarindo, la carnosa blandura de tantas frutas de pulpas rojas y moradas, que en sus recónditos pliegues guardaban semillas suntuosas, con texturas de carey, de ébano o de caoba pulida. Hundía el rostro en la blanca frialdad de las corosolas; rasgaba el amaranto del caimito para buscar, con ávidos labios, las vidriosas grajeas que se ocultaban en las honduras de su carne. Un día, mientras su caballo desensillado retozaba en el agua de un arroyo echando los cuatro cascos arriba, Esteban emprendió la aventura de treparse a un árbol. Y después de vencer la prueba iniciada que le significaba alcanzar las difíciles ramas de acceso, comenzó a ascender hacia el remate de una copa, por un caracol de brazos cada vez más apretados y livianos, sostenes del gran revestimiento de follajes, de la colmena verde, del suntuoso sotechado visto desde dentro por vez primera. Una exaltación inexplicable, rara, profunda, alegraba a Esteban, cuando pudo descansar, a horcajadas, sobre la horquilla cimera de aquella estremecida edificación de maderas y estambres. Trepar a un árbol es una empresa personal que acaso no vuelva a repetirse nunca. Quien se abraza a los altos pechos de un tronco, realiza una suerte de acto nupcial, desflorando un mundo secreto, jamás visto por otros hombres. La mirada abarca, de pronto, todas las bellezas y todas las imperfecciones del Arbol. Se sabe de las dos ramas tiernas, que se apartan como muslos de mujer, ocultando en su juntura un puñado de musgo verde; se sabe de las redondas heridas dejadas por la caída de los vástagos secos; se sabe de las esplendorosas ojivas de arriba, tanto como de las bifurcaciones extrañas que llevaron todas las savias hacia un madero favorecido, dejando el otro en escualidez de sarmiento bueno para las llamas. Trepando a su mirador, entendía Esteban la relación arcana que tanto se había establecido entre el Mástil, el Arado, el Arbol. Los grandes signos del «Aau», del Aspa de San Andrés, de la Serpiente de Bronce, del Ancora y de la Escala, estaban implícitos a todo Arbol, anticipándose lo Creado a lo Edificado, dándose normas al Edificador de futuras Arcas... Las sombras del atardecer sorprendían a Esteban en el mecimiento de algún alto tronco, entregado a una soñolienta voluptuosidad que hubiera podido prolongarse indefinidamente. Entonces pintábanse con nuevas siluetas ciertas criaturas vegetales de abajo: los papayos, con sus ubres colgadas del cuello, parecían animarse, emprendiendo la marcha hacia las lejanías humosas de La Souffrière; la Ceiba, «madre de todos los árboles» —como decían los sabios negros—, se hacía más obelisco, más columna rostral, más monumento y elevación sobre las luces del crepúsculo. Algún mango muerto se transformaba en un haz de serpientes detenidas en el impulso de morder, o bien, vivo y rebosante de una savia que le rezumaba por la corteza y las cáscaras jaspeadas, florecía repentinamente, encendiéndose en amarillo. Esteban seguía la vida de estas criaturas con el interés que podía inspirarle el desenvolvimiento de alguna existencia zoológica. Primero aparecían las frutas en germen, semejantes a verdes abalorios, cuyo áspero zumo tenía un sabor de almendras heladas. Luego, aquel organismo colgante iba cobrando forma y contorno, alargándose hacia abajo para definir el perfil cerrado por un mentón de bruja. Le salían colores a la cara. Pasaba de lo musgoso a lo azafranado y maduraba en esplendores de cerámica —cretense, mediterránea, antillana siempre— antes de que las primeras manchas de la decrepitud, en pequeños círculos negros, comenzaran a horadar sus carnes olorosas a tanino y yodo. Y una noche, al desprenderse y caer con sordo ruido entre las yerbas mojadas por el rocío, era anuncio de muerte próxima para el fruto, con aquellos lunares que se iban ensanchando y ahondando hasta abrirse en llagas habitadas por las moscas. Como cadáver de prelado en Danza Macabra ejemplar, lo caído se iba despojando de piel y entrañas, hasta quedar en el hueso de una semilla listada, incolora, envuelta en hilachas de sudario. Pero aquí, en este mundo sin muertes invernales ni resurrecciones en Pascuas Floridas, el ciclo de la vida se reanudaba sin demora: semanas después, de la semilla yacente brotaba, semejante a un minúsculo árbol asiático, un retoño de hojas rosadas, de una suavidad tan semejante a la de la piel humana, que las manos no se atrevían a tocarlas... A veces, Esteban era sorprendido en sus viajes a través de la hojarasca por algún aguacero, y entonces comparaba el joven, en su memoria auditiva, la diferencia que había entre las lluvias del Trópico y las monótonas garúas del Viejo Mundo. Aquí, un potente y vasto rumor, en tiempo maestoso, tan prolongado como un preludio de sinfonía, anunciaba de lejos el avance del turbión, en tanto que los buitres tiñosos, volando bajo en círculos cada vez más cerrados, abandonaban el paisaje. Un deleitoso olor a bosques mojados, a tierra entregada a humus y savias, se expandía hacia el universal olfato hinchando el embozo de las aves, agachando las orejas del caballo —infundiendo al hombre una rara sensación de apetencia física; vago deseo de estrecharse con una carne de ansias compartidas. El rápido ensombrecimiento de la luz se acompañaba de secos capirotazos en las más altas ramazones, y, de repente, era la caída de lo gozoso y frío, hallando distintas resonancias en cada materia —dando la afinación de la enredadera y del plátano, el diapasón de lo membranoso, la percutiente sonoridad de la hoja mayor. El agua era rota, muy arriba por la copa de las palmeras que la arrojaban, cual por tragantes de catedral, sobre la grave y tamborileante resonancia de palmas menores; y rebotaban las gotas en los parches de un verde tierno antes de caer sobre follajes tan apretados que al llegar al nivel de las malangas tensas como piel de pandero habían sido mil veces divididas, fraccionadas, nebulizadas, por los distintos pisos de la masa vegetal —antes de promover, a ras del suelo, el júbilo de las gramas y los espartos. El viento imponía sus tempos a la vasta sinfonía, que no tardaba en transformar los arroyos en riadas, con estrepitosos desprendimientos de guijarros precipitados en alud; tumultuosos descensos que rebasaban los cauces, arrastrando piedras de arriba, troncos muertos, gajos de muchos garfios, raíces tan enredadas de flecos y de tiras que al llegar al limo de abajo se detenían como naves encalladas. Y luego se calmaba el cielo, se dispersaban las nubes, se prendía el crepúsculo y proseguía Esteban su viaje, sobre un caballo mojado y vivo, bajo un rocío de árboles que se identificaban por las voces propias en un vasto Magnificat de olores... Cuando Esteban

en coche que sólo compartía a veces con De Leyssegues, a la ensenada del Gozier donde, sin más traje que unas bragas de hilo, se daba a remar hasta la isla deshabitada, de donde sólo regresaba cuando aparecían las plagas nocturnas, salidas de los manglares costeros. Repasaba las obras de oradores antiguos, preparando acaso una defensa en la cual quería mostrarse elocuente. Sus órdenes se hacían apresuradas y contradictorias. Era sujeto a imprevisibles accesos de ira que se traducían en la repentina destitución de sus allegados o en la imposición de una condena a muerte que todos daban por conmutada. Una mañana de mal amanecer ordenó que los restos del General Dundas, antiguo gobernador británico de la isla, fuesen desenterrados y arrojados a la vía pública. Durante horas, los perros, trabados en pelea, se arrebataron los mejores trozos de la carroña llevando de calle en calle, inmundos despojos humanos aún adheridos al uniforme de gala con el cual había sido enterrado el jefe enemigo. Esteban hubiera querido tener poderes para aplacar aquel ánimo conturbado, puesto en alerta por la primera vela inesperada que apareciera en el horizonte, cuya soledad aumentaba a medida que crecía su dimensión histórica. Recio y duro, dotado de genio militar, arrojado como pocos, había tenido en esta isla un éxito que sobrepasaba, en mucho, otros logros de la Revolución. Y, sin embargo, un remoto viraje político, ocurrido allá, muy lejos, donde ya se sabía que, sucediendo al Terror Rojo, se había desatado un Terror Blanco, accionaban las fuerzas desconocidas que entregarían la colonia, probablemente, a gentes incapaces de gobernarla. Para colmo se sabía también que Dalbarade, el protector de Víctor Hugues, tan vigorosamente defendido por Robespierre cuando se le acusara de haber protegido a un amigo de Dantón, se había pasado al bando termidoriano. Asqueado por tales sucesos, reaccionando contra una aprensión de noticias que no acababan de llegarle, el Comisario se dio a apurar los preparativos de una empresa que venía madurando, con el Contraalmirante De Leyssegues, desde hacía varios meses. «¡Vayan todos a la mierda! —gritó un día, pensando en los que examinaban su situación, en París—. Cuando lleguen con sus papeles limpia-culos seré tan poderoso que podré restregárselos en la cara.»

Y cierta mañana se advirtió una insólita actividad en el puerto. Varias naves ligeras —balandras, sobre todo— eran sacadas a tierra y puestas en entibado para la carena. En las naves mayores trabajaban carpinteros, calafates, embreadores, hombres de brocha, sierra y martillo, concertados en alborotosa faena, mientras los artilleros trasladaban cañones livianos a bordo, llevándolos en botes de espadilla. Asomado a una ventana de la vieja Alhóndiga del Comercio Extranjero, Esteban pudo observar que una de las menores tareas consistía en cambiar los nombres de los barcos. De pronto, la *Calypso* quedaba transformada en la *Tyrannicide,* la *Semillante* en la *Carmagnole, L'Hirondelle* en la *Marie-Tapage,* el *Lutin* en el *Vengeur.* Y nacían luego, sobre las tablas viejas que tanto hubiesen servido al Rey, los títulos nuevos, pintados con caracteres bien visibles, de la *Tintamarre,* la *Cruelle, Ça-Ira,* la *Sans-Jupe, L'Athenienne,* el *Poignard,* la *Guillotine, L'Ami du Peuple,* el *Terroriste,* la *Bande Joyeuse.* Y la *Thétis,* curada de las heridas recibidas durante el bombardeo de Pointe-à-Pitre, pasaba a llamarse *L'Incorruptible,* seguramente por voluntad de un Víctor Hugues que sabía jugar con la neutralidad genérica de ciertas palabras. Esteban se preguntaba la razón de aquel zafarrancho, cuando Mademoiselle Athalie Bajazet le hizo saber que se le esperaba urgentemente en el despacho del Jefe. Las copas de ponche que se llevaba una de sus fámulas revelaban que el Comisario había bebido un poco —aunque conservara la sorprendente seguridad de gestos y de pensamiento que el licor, lejos de menguar, solía afianzar en él. «¿Tienes mucho empeño en quedarte aquí?», dijo, sonriente. La pregunta era tan inesperada que Esteban se adosó a una pared, revolviéndose el pelo con mano agitada. Hasta ahora, la imposibilidad de marcharse de la Guadalupe había sido tan evidente que jamás se le hubiera ocurrido pensar en eso. El otro insistía: «¿Tienes mucho empeño en permanecer en la Pointe-à-Pitre?» En la imaginación de Esteban se pintó un barco providencial, luminoso, de velas anaranjadas por los fulgores de un hermoso poniente, destinado a alguna fuga. Acaso el Comisario, amenazado por una carta, doblegado por íntimas angustias, se había resuelto a dejar sus investiduras, pasando a algún puerto holandés, desde donde pudiera navegarse libremente a cualquier parte. Se sabía que el anhelo de muchos, en la desbandada de robespierristas que ahora había empezado, era de llegar a Nueva York donde existían algunas imprentas francesas, listas a publicar memorias y alegatos. Y tampoco faltaba, en la colonia, quien soñara con Nueva York. Refiriéndose a sí mismo, Esteban habló francamente: No veía ya cuál podía ser su utilidad en esta isla que pronto sería regida por Personas Desconocidas. Era evidente que la reacción barrería con todos los funcionarios actuales. (Miraba hacia los baúles y maletas que ya empezaban a subir al despacho, traídos a lomo de cargadores, amontonándose en los rincones que Víctor señalaba). Además, él no era francés. Y, por lo mismo, sería tratado como tratan los de una facción política a los extranjeros entrometidos en un bando adverso. Su suerte sería, tal vez, la de Guzmán o Marchena. Si le ofrecían los medios de irse, se iría sin vacilar... La cara de Víctor se había endurecido singularmente durante la confesión. Cuando Esteban se percató de ello, era demasiado tarde: «¡Pobre imbécil! —gritaba el otro—. ¿Así que ya me das por vencido, destituido, aniquilado por la chusma termidoriana? ¿Eres de los que comparten el secreto alborozo de quienes me quisieran ver llevado a París entre dos guardias? ¡Bien me dijo la mulata ésa, querida tuya, que te pasabas el tiempo hablando de derrotismos con el viejo hideputa de Loeuillet! ¡Buenos sueldos he pagado a la cabrona para que me cuente! ¿Conque quieres largarte antes de que esto se termine? Pues... ¡No se terminará!... ¿Me oyes?... ¡No se terminará!» «¡Cuánta porquería!», gritó Esteban, exasperado contra sí mismo por haberse franqueado a quien le había tendido una celada, después de hacerlo vigilar por la mujer que compartía su lecho. El otro adoptó un tono de mando: «Hoy mismo vas a pasar con tus registros, recados de escribir, armas y bagajes, al

Ami du Peuple. Así descansarás un poco de lo que llamas hipócritamente, lo sé, "mis inevitables crueldades". Yo no soy cruel. Hago lo que debo hacer. No es lo mismo». Amansó el tono como si charlara distraídamente con alguno de sus lugartenientes y, mirando hacia los árboles de la Plaza de la Victoria, que ya cargaban con hojas nuevas sobre los tallos recios plantados, explicó a Esteban que la presión británica seguía pesando sobre la isla; que en la Barbados se iba a concentrar una flota enemiga, y que era preciso adelantarse a los acontecimientos. En punto a esta estrategia naval, sólo el corso, el auténtico corso —el clásico, el grande, el único— había dado resultados en el ámbito del Caribe, usándose de naves móviles y ligeras, fáciles de guarecer en ensenadas de poco fondo, de maniobrar en parajes erizados de corales, que siempre habían aventajado a los pesados galeones españoles de otros tiempos y hoy aventajarían a las naves inglesas demasiado armadas. Las Flotas Corsarias de la República Francesa operarían por pequeñas escuadras, con plena autonomía de acción, en una zona delimitada por la Tierra Firme, que abarcaría el ámbito de todas las posesiones inglesas y españolas de las Antillas, sin restricciones de latitud, aunque cuidándose de no molestar a los holandeses. Alguna nave, desde luego, podía caer en manos del enemigo para gran contento de quienes fuesen infieles a la Revolución. («Que los hay, los hay», decía Víctor, acariciando un espeso legajo de informes confidenciales donde la relación garabateada en papel de estraza se avecindaba con la sutil denuncia, trazada anónimamente, sin faltas de ortografía, en finas hojas afiligranadas). Los desertores gozaban de mayor indulgencia cuando a tiempo sabían arrancarse el gorro frigio. Eran presentados a los periodistas como víctimas de un régimen intolerable, y más si eran franceses. Se les hacía hablar de sus desengaños y padecimientos, bajo una tiranía peor que todas las conocidas, facilitándoseles los medios de regresar al hogar donde, arrepentidos, narrarían sus malandanzas en los despeñaderos de irrealizables utopías. Esteban se indignó ante la intención que le era atribuida: «Si crees que soy capaz de prestarme a eso... ¿por qué me embarcas en una de tus naves?» El otro le topó la cara con la nariz, como quien remedara un altercado de marionetas: «Porque eres un excelente escribano y necesitamos uno por cada flota para levantar el Acta de las Presas y hacer los inventarios muy de prisa, antes de que algún bribón meta las uñas en lo que pertenece a la República». Y tomando una pluma y una regla, el Comisario trazó seis columnas en una ancha hoja de papel: «Acércate —dijo— y no pongas esa cara de burro. Llevarás el *Libro de Presas* de la manera siguiente: Primera columna: *Producto bruto;* Segunda columna: *Producto de ventas y subastas* (si las hubiere); Tercera columna: *5 por ciento para los inválidos habidos en las naves;* Cuarta columna: *15 céntimos para el cajero de los inválidos;* Quinta columna: *Derechos de los capitanes corsarios;* Sexta columna: *Gastos legales para el envío de las liquidaciones* (si por algún motivo hubiera que mandarlas con otra escuadra). ¿Está claro?»... Víctor Hugues, en aquel momento, parecía un buen tendero provinciano, entregado a la labor de hacer un balance de fin de año. Hasta en el modo de tener la pluma, le quedaba algo del antiguo comerciante y panadero de Port-au-Prince.

CAPÍTULO TERCERO

Se aprovechan.

GOYA

EN un vasto júbilo de salvas, banderas tricolores, músicas revolucionarias, comenzaron a salir las pequeñas escuadras del puerto de la Pointe-à-Pitre. Esteban, luego de holgarse por última vez con Mademoiselle Athalie Bajazet y de morderle los pechos con una ferocidad que mucho debía al rencor, le había amoratado las nalgas a bofetones —tenía el cuerpo demasiado lindo para que pudiera pegársele en otra parte— por soplona y policía, dejándola gimiente, arrepentida y, acaso por vez primera, realmente enamorada. Lo había ayudado a vestirse tratándolo de *Mon doux seigneur* y ahora, en la popa del brick, que ya dejaba atrás el islote de los Cochinos, miraba el joven hacia la ciudad distante con una deleitosa sensación de alivio. La escuadra de dos pequeñas naves y una mayor en la que le tocaba navegar le parecía, en verdad, harto endeble, harto pobre, para enfrentarse con los recios lugres ingleses o con sus cúters peligrosamente avispados por la poca manga. Pero esto era preferible a permanecer en el mundo cada vez más demoníaco de un Víctor Hugues resuelto a agrandar su propia estampa, ajustándose a la estatura hipostática de quien era ya calificado, en periódicos americanos, de «Robespierre de las Islas»... Esteban respiraba profundamente, como si quisiera limpiarse los pulmones de inhalaciones mefíticas. Ahora se iba hacia el mar, y más allá del mar, hacia el Océano inmenso de las odiseas y anábasis. A medida que la costa se hacía más lejana, cobraba el mar mayores espesores de azul y pasábase a una vida regida por sus ritmos. Una marinera burocracia se establecía a bordo yendo cada cual a lo de su incumbencia —el despensero metido de narices en el pañol, atareado el carpintero en cambiar los toletes de una chalupa, embreando éste, apareando relojes el otro, con los afanes del cocinero, empeñado en que la merluza traída de estreno fuese servida a las seis en la mesa de los oficiales, en tanto que la gran sopa de puerros, coles y batatas, pasara a los cuencos de las mesas corrientes antes de que se entintaran las luces del crepúsculo. Aquella tarde todos se sentían como devueltos a una existencia normal, a un ancho horario cotidiano, ajeno a la tremebunda escansión de la guillotina —salidos de una temporalidad desaforada para inscribirse en lo inmutable y eterno. Ahora se viviría sin periódicos de París, sin lecturas de alegato e inquisición, sin voceríos contradictorios, de cara al sol, trabado el hombre en diálogo con los astros, en interrogaciones de la almicantarada y la Estrella Polar... No bien entró el *Ami du Peuple* en la mar verdadera, cuando un ballenato, escupiendo el agua con garbo de surtidor, se hizo a la vista, pronto hundido por el susto de creerse embestido por uno de los balandrones. Y sobre el agua casi violácea del atardecer, veía Esteban dibujarse la silueta del pez enorme, en agua más oscurecida por su sombra, como la metáfora inmediata de un animal de otros siglos, extraviado desde hacía acaso cuatrocientos o quinientos años, en latitudes ajenas... Durante varios días, al no avistar navío alguno, la escuadrilla —compuesta de la *Décade* y el *Tintamarre,* además del brick— más parecía entregada a un viaje de placer que destinada a un quehacer agresivo. Fondeábase en alguna ensenada, amainábanse las velas, e iban los marinos a tierra, quien por leña, quien por almejas —tan numerosas que se las encontraba a medio palmo bajo la arena—, aprovechando la coyuntura para holgazanear entre los uveros de playa o bañarse en alguna caleta. La claridad, la transparencia, el frescor del agua, en las primeras horas de la mañana, producían a Esteban una exaltación física muy semejante a una lúcida embriaguez. Retozando donde diera pie, aprendía a nadar, sin resolverse a regresar a la orilla cuando era hora de hacerlo; se sentía tan feliz, tan envuelto, tan saturado de luz que, a veces, al estar nuevamente en suelo firme, tenía el aturdido y vacilante andar de un hombre ebrio. A eso llamaba sus «borracheras de agua», ofreciendo el cuerpo desnudo al ascenso del sol, echado de bruces en la arena, o de boca arriba, abierto de piernas y de brazos, aspado, con tal expresión de deleite en el rostro que parecía un místico bienaventurado favorecido por alguna Inefable Visión. A veces, movido por las energías nuevas que tal vida le iba infundiendo, emprendía largas exploraciones de los acantilados, trepando, saltando, chapaleando —maravillándose de cuanto descubría al pie de las rocas. Eran vivas pencas de madréporas, la poma moteada y cantarina de las porcelanas, la esbeltez catedralicia de ciertos caracoles que, por sus piones y agujas, sólo podían verse como creaciones góticas; el encrespamiento rocalloso de los abrojines, la pitagórica espiral del huso —el fingimiento de muchas conchas que, bajo la yesosa y pobre apariencia ocultaban en las honduras una iluminación de palacio engualdado. Paraba el erizo sus dardos morados, cerrábase la ostra medrosa, encogíase la estrellamar ante el paso humano, en tanto que las esponjas, prendidas de algún peñasco inmerso, se mecían en un vaivén de reflejos. En ese prodigioso Mar de las Islas, hasta los guijarros del Océano tenían estilo y duende; los había tan perfectamente redondos que parecían pulidos en tornos de lapidarios; otros eran abstractos en forma, pero danzantes en anhelo, levitados, espigados, asaeteados, por una suerte de impulso brotado de la materia misma. Y era la transparente piedra con claridades de alabastro, y la piedra de mármol violado, y el granito cubierto de destellos que corrían bajo el agua, y la piedra humilde, erizada de bigarros —cuya carne con sabor a alga sacaba el hombre de su minúsculo caracol verdinegro usando una espina de nopal. Porque los más portentosos cactos montaban la guardia en los flancos de esas Hespérides sin nombres a donde arribaban las naves en su aventurosa derrota; altos candelabros, panoplias de verdes yelmos, colas de faisanes verdes, verdes sables, motas verdes, sandías hostiles, membrillos rastreros, de púas ocultas bajo mentidas tersuras —mundo desconfiado, listo a lastimar, pero desgarrado siempre por el parto de una flor roja o amarilla, ofrecida al hombre, tras de la hincada, con el alevoso regalo del higo de Indias y de la tuna, a cuya pulpa se accedía por fin a condición de burlar una nueva barrera de cerdas ardientes. En contrapartida de aquella vegetación armada, cubierta de clavos, que impedía trepar a ciertas crestas rematadas por las corosolas maduras, era, abajo en el mundo de lo cámbrico, las selvas de corales, con sus texturas de carne, de encajes, de estambres, infinitas, y siempre diversas, en sus árboles llameantes, trasmutados, aurifiscentes; árboles de Alquimia, de grimorios y tratados herméticos; ortigas de suelos intocables, flamígeras yedras, enrevesados en contrapuntos y ritmos tan ambiguos que toda delimitación entre lo inerte y lo palpitante, lo vegetal y lo animal, quedaba abolida. La selva de coral hacía perdurar, en medio de una creciente economía de las formas zoológicas, los primeros barroquismos de la Creación, sus primeros lujos y despilfarros: sus tesoros ocultos donde el hombre, para verlos, tendría que remedar el pez que hubiese sido antes de ser esculpido por una matriz, añorando las branquias y la cola que hubieran podido hacerle elegir aquellos paisajes fastuosos por perenne morada. Esteban veía en las selvas de coral una imagen tangible, una figuración cercana —y tan inaccesible, sin embargo— del Paraíso Perdido, donde los árboles, mal nombrados aún, y con lengua torpe y vacilante por un Hombre-Niño, estarían dotados de la aparente inmortalidad de esta flora suntuosa, de ostensorio, de zarza ardiente, para quien los otoños o primaveras sólo se manifestaban en variaciones de matices o leves traslados de sombras... De sorpresa en sorpresa descubría Esteban la pluralidad de las playas donde el Mar, tres siglos después del Descubrimiento, comenzaba a depositar sus primeros vidrios pulidos; vidrios inventados en Europa, desconocidos en América; vidrios de botellas, de frascos, de bombonas, cuyas formas habían sido ignoradas en el Nuevo Continente; vidrios verdes, con opacidades y burbujas; vidrios finos destinados a catedrales nacientes, cuyas hagiografías hubiera borrado el agua; vidrios que, caídos de barcos, rescatados de naufragios, habían sido arrojados a esta ribera del Océano como misteriosa novedad, y ahora empezaban a subir a la tierra, pulidos por olas con mañas de tornero y de orfebre que devolvían una luz a sus matices extenuados. Había playas negras, hechas de pizarras y mármoles pulverizados, donde el sol ponía regueros de chispas; playas amarillas, de tornadiza pendiente, donde cada flujo dejaba la huella de su arabesco, en un constante alisar para volver a dibujar; playas blancas, tan blancas, tan esplendorosamente blancas que alguna arena, en ellas, se hubiese pintado como mancha, porque eran vastos cementerios de conchas rotas, rodadas, entrechocadas, trituradas —reducidas a tan fino polvo que se escapaban de las manos como un agua inasible. Maravilloso era, en la multiplicidad de aquellas Oceánidas, hallar la Vida en todas partes, balbuciente, retoñando, reptando, sobre rocas desgastadas como sobre el tronco viajero, en una perenne confusión entre lo que era de la planta y era del animal; entre lo llevado, flotado, traído, y lo que actuaba por propio impulso. Aquí ciertos arrecifes se fraguaban a sí mismos y crecían; la roca maduraba; el peñasco inmerso estaba entregado, desde milenios, a la tarea de completar su propia escultura, en un mundo de peces-vegetales, de setas-medusas, de estrellas carnosas, de plantas errabundas, de helechos que según las horas se teñían de azafrán, de añil o de púrpura. Sobre la madera sumergida de los mangles aparecía, de pronto, un blanco espolvoreo de harinas. Y las harinas se hacían hojuelas de pergamino, y el pergamino se hinchaba y endurecía transformándose en escamas adheridas al palo por una ventosa, hasta que, una buena mañana, definíanse las ostras sobre el árbol, vistiéndolo de conchas grises. Y eran ostras en rama lo que traían los marinos, habiendo desprendido un gajo a machete: mata de mariscos, racimo y ramo, manojo de hojas, conchas y esmaltes de sal, que se ofrecían al hambre humana como el más insólito, el más indefinible de los manjares. Ningún símbolo se ajustaba mejor a la Idea de Mar que el de las anfibias hembras de los mitos antiguos, cuyas carnes más suaves se ofrecían a la mano del hombre en la rosada oquedad de los lambíes, tañidos desde siglos por los remeros del Archipiélago, de boca pegada a la concha, para arrancarles una bronca sonoridad de tromba, bramido de toro neptuniano, de bestia solar, sobre la inmensidad de lo entregado al Sol... Llevado al universo de las simbiosis, metido hasta el cuello en pozos cuyas aguas eran tenidas en perpetua espuma por la caída de jirones de olas rotas, laceradas, estrelladas en la viviente y mordedora roca del «diente-perro», Esteban se maravillaba al observar cómo el lenguaje, en estas islas, había tenido que usar de la aglutinación, la amalgama verbal y la metáfora, para traducir la ambigüedad formal de cosas que participaban de varias esencias. Del mismo modo que ciertos árboles eran llamados «acacia-pulseras», «ananás-porcelana», «madera-costilla», «escoba-las-diez», «primo-trébol», «piñón-botija», «tisana-nube», «palo-iguana», muchas criaturas marinas recibían nombres que, por fijar una imagen, establecían equívocos verbales, originando una fantástica zoología de peces-perros, peces-bueyes, peces-tigres, roncadores, sopladores, voladores, colirrojos, listados, tatuados, leonados, con las bocas arriba o las fauces a medio pecho, barrigas-blancas, espadones y pejerreyes; arranca testículos el uno —y se habían visto casos—, herbívoro el otro, moteada de rojo la murena de areneros, venenoso el de más allá cuando había comido pomas de manzanillo, sin olvidar el pez-vieja, el pez-capitán, con su rutilante gola de escamas doradas, y el pez-mujer —el misterioso y huidizo manatí, entrevisto en bocas de río, donde lo salado y lo del manantial se amaridaban, con su femenina estampa, sus pechos de sirena, poniendo jubilosos retozos nupciales en los pastos anegados. Pero nada era comparable, en alegría, en euritmia, en gracia de impulsos, a los juegos de las toninas, lanzadas fuera del agua, por dos, por tres, por veinte, o definiendo el arabesco de la ola al subrayarlo con la forma disparada. Por dos, por tres, por veinte, las toninas, en giro concertado, se integraban en la existencia de la ola, viviendo sus movimientos con tal identidad de descansos, saltos, caídas y aplacamientos, que parecían llevarla sobre sus cuerpos, imprimiéndole un tiempo y una medida, un compás y una secuencia. Y era luego un perderse y un esfumarse, en busca de nuevas aventuras, hasta que el encuentro con un barco volviera a alborotar aquellos danzantes del mar, que sólo parecían saber de piruetas y tritonadas, en ilustración de sus propios mitos... Alguna vez se hacía un gran silencio sobre las aguas, presentíase el Acontecimiento y aparecía, enorme, tardo, desusado, un pez de otras épocas, de cara mal ubicada en un extremo de la masa, encerrado en un eterno miedo a su propia lentitud, con el pellejo cubierto de vegetaciones y parásitos, como casco sin carenar, que sacaba el vasto lomo en un hervor de rémoras, con solemnidad de galeón rescatado, de patriarca abisal, de Leviatán traído a la luz, largando espuma a mares en una salida a flote que acaso fuera la segunda desde que el astrolabio llegara a estos parajes. Abría el monstruo sus ojillos de paquidermo, y, al saber que cerca le bogaba un desclavado cayuco sardinero, se hundía nuevamente, angustiado y medroso, hacia la soledad de sus transfondos, a esperar algún otro siglo para regresar a un mundo colmado de peligros. Terminado el Acontecimiento, volvía el mar a sus quehaceres. Encallaban los hipocampos en las arenas cubiertas de erizos vaciados, despojados de sus púas, que al secarse se transformaban en pomas geométricas de una tan admirable ordenación que hubiesen podido inscribirse en alguna Melancolía de Durero; encendíanse las luminarias del pez-loro, en tanto que el pez-ángel y el pez-diablo, el pez-gallo y el pez-de-San-Pedro, sumaban sus entidades de auto sacramental al Gran Teatro de la Universal Devoración, donde todos eran comidos por todos, consustanciados, imbricados de antemano, dentro de la unicidad de lo fluido... Como las islas, a veces, eran angostas, Esteban, para olvidarse de la época, marchaba solo, a la otra banda, donde se sentía dueño de todo: suyas eran las caracolas y sus músicas de pleamar; suyos los careyes, acorazados de topacios, que ocultaban sus huevos en agujeros que luego rellenaban y barrían con las escamosas patas; suyas las esplendorosas piedras azules que rebrillaban sobre la arena virgen de la restinga jamás hollada por una planta humana. Suyos eran también los alcatraces, poco temerosos del hombre por conocerlo poco, que volaban en el regazo de las olas con engreído empaque de mejillas y papada, antes de elevarse de pronto para caer casi verticalmente, con el pico impulsado por todo el peso del cuerpo, de alas apretadas para caer más pronto. Alzaba el ave su cabeza en triunfante alarde, pasábale por el cuello el bulto de la presa, y era entonces un alegre sacudimiento de las plumas caudales, en testimonio de satisfacción, de acción de gracia, antes de alzar un vuelo bajo y ondulante, tan paralelo al movimiento del mar como lo era, bajo la superficie, el vertiginoso nadar de las toninas. Echado sobre una arena tan leve que el menor insecto dibujaba en ella la huella de sus pasos, Esteban, desnudo, solo en el mundo, miraba las nubes, luminosas, inmóviles, tan lentas en cambiar de forma que no les bastaba el día entero, a veces, para desdibujar un arco de triunfo o una cabeza de profeta. Dicha total, sin ubicación ni época. Tedéum... O bien, con la barbilla reclinada en el frescor de una hoja de uvero, abismábase en la contemplación de un caracol —de uno solo— erguido como monumento que le tapara el horizonte, a la altura del entrecejo. El caracol era el Mediador entre lo evanescente, lo escurrido, la fluidez sin ley ni medida y la tierra de las cristalizaciones, estructuras y alternancias, donde todo era asible y ponderable. De la Mar sometida a ciclos lunares, tornadiza, abierta o furiosa, ovillada o destejida, por siempre ajena al módulo, el teorema y la ecuación, surgían esos sorprendentes carapachos, símbolos en cifras y proporciones de lo que precisamente faltaba a la Madre. Fijación de desarrollos lineales, volutas legisladas, arquitecturas cónicas de una maravillosa precisión, equilibrios de volúmenes, arabescos tangibles que intuían todos los barroquismos por venir. Contemplando un caracol —uno solo— pensaba Esteban en la presencia de la Espiral durante milenios y milenios, ante la cotidiana mirada de pueblos pescadores, aún incapaces de entenderla ni de percibir siquiera, la realidad de su presencia. Meditaba acerca de la poma del erizo, la hélice del muergo, las estrías de la venera jacobita, asombrándose ante aquella Ciencia de las Formas desplegada durante tantísimo tiempo frente a una humanidad aún sin ojos para pensarla. ¿Qué habrá en torno mío que esté ya definido, inscrito, presente, y que aún no pueda entender? ¿Qué signo, qué mensaje, qué advertencia, en los rizos de la achicoria, el alfabeto de los musgos, la geometría de la pomarrosa? Mirar un caracol. Uno solo. Tedéum.

XXV

Después de mucho asustarse en el primer zafarrancho, yendo a buscar amparo en lo más hondo de la nave —su indispensable condición de escribano lo autorizaba a ello—, Esteban advirtió pronto que el oficio de corsario, tal como lo entendía el Capitán Barthélemy, jefe de la escuadrilla, era, en lo corriente, de pocas peripecias. Cuando se topaba con un bastimento poderoso y bien artillado, seguía de largo sin sacar los colores de la República. Cuando la presa era posible, cerrábanle el paso las embarcaciones ligeras, en tanto que el brick disparaba un cañonazo de advertencia. La bandera enemiga era arriada sin resistencia, en señal de sumisión. Barloábanse las naves, saltaban los franceses a la otra, y se procedía a reconocer la carga. Si era de poca monta, se tomaba cuanto fuera útil —incluyendo el dinero y pertenencias personales de la tripulación intimidada— y traíase al *Ami du Peuple* lo que sirviera. Luego se devolvía la nave al humillado capitán, que proseguía su rumbo o regresaba al puerto de procedencia para reportar su desventura. Si la carga era importante y de valor, había instrucciones de tomarla con nave y todo —y más si la nave era buena— y conducirla a Pointe-à-Pitre con su tripulación. Pero ese caso no se había presentado todavía para la escuadrilla de Barthélemy cuyos registros llevaba Esteban con burocrático rigor. Más balandras y tres puños que cargueros de verdad surcaban habitualmente esos mares, llevando a menudo mercancías que no interesaban. No se había salido de la Guadalupe, ciertamente, para buscar azúcar, café o ron, que allá sobraban. Sin embargo, aun en las embarcaciones más maltrechas y de peor estampa encontraban los franceses de qué echar mano: un ancla nueva, armas, pólvora, herramientas de carpintería, calabrotes, un mapa reciente con indicaciones útiles para perlongar la Tierra Firme. Y había, por otra parte, lo que huroneando se descubría en cofres y rincones oscuros. Hallaba éste dos buenas camisas y un pantalón de nankín; daba el otro con una tabaquera de esmalte, o el enjoyado cáliz de un religioso venido de Cartagena, a quien amenazaban con echar al mar si no entregaba «la misa entera»: la cruz y el ostensorio, que bien podían ser de oro. Se trataba ahí de un capítulo de tomas individuales que escapaban por fuerza a la contabilidad de Esteban y que Barthélemy fingía ignorar para no malquistarse con su gente sabiendo que, ahora, en pleitos con la marinería republicana, perdía siempre el capitán y más si, como él, hubiera servido alguna vez en las armadas del Rey. De ahí que en la popa del *Ami du Peuple* se hubiese armado una bolsa de trueque y venta de cosas expuestas sobre cajones o colgadas de cordeles que solían visitar los marineros de la *Décade* y el *Tintamarre*, cuando se fondeaba en alguna ensenada para cortar leña, trayendo ellos, a su vez, lo que querían mercar. En medio de ropas, gorros, cinturones y pañuelos, aparecían las cosas más singulares: relicarios hechos de un carapacho de tortuga; batas habaneras de espumeantes encajes; cascarones de nuez que encerraban toda una boda de pulgas vestidas a la mexicana; peces embalsamados, con lengua de raso carmesí; pequeños caimanes rellenos de paja; demonios candomberos, de hierro forjado; cajas de caracoles, pájaros de azúcar candi, guitarras-tres de Cuba o de Venezuela; pócimas afrodisíacas hechas con la Yerba Garañón o el famoso Bejuco de Santo Domingo, y cuanto trofeo pudiera asociarse a la idea de mujer: zarcillos, collares de abalorios, enaguas, guayucos, rizos atados con cintas, dibujos de desnudos, estampas licenciosas, y, para remate, una muñeca de pastora que bajo las faldas ocultaba una sedosa y bien guarnida natura tan perfectamente ejecutada en diminutas proporciones que era maravilla verla. Y como el dueño de la figura pidiese por ella un precio exorbitante, haciéndose tratar de ladrón por quienes no podían adquirírla, Barthélemy, temiendo alguna riña, hizo comprar el objeto por el sobrecargo del brick, con el ánimo de regalarlo a Víctor Hugues —muy llamado desde el 9 Thermidor a una ostentosa lectura de libros licenciosos, acaso por alardear de que la política de París había dejado de interesarle... Felices fueron las tripulaciones un día en que, habiendo dado caza a una nave portuguesa, descubrieron que la *Andorinha* estaba toda cargada de vinos, en tal cantidad de tintos, verdiños y madeiras, que las calas olían a lagar. Apresuróse Esteban a hacer el inventario de las barricas puestas al resguardo de la demasiado sedienta marinería, que ya había echado mano de algunos toneles, despachándose el contenido a largos lamparazos. Solo, en una umbrosa bodega que lo era doblemente, el escribano se servía a sí mismo, a salvo de porfías y rebatiñas, con un ancho cuenco de caoba donde se amaridaba el sabor del mosto con el perfume de la madera espesa y fresca, de carnoso contacto para los labios. En Francia había aprendido Esteban a gustar del gran zumo solariego que por los pezones de sus vides había alimentado la turbulenta y soberbia civilización mediterránea —ahora prolongada en este Mediterráneo Caribe, donde proseguíase la Confusión de Rasgos iniciada, hacía muchos milenios, en el ámbito de los Pueblos del Mar. Aquí venían a encontrarse, al cabo de larga dispersión, mezclando acentos y cabelleras, entregados a renovadores mestizajes, los vástagos de las Tribus Extraviadas, mezclados, entremezclados, despintados y vueltos a pintar, aclarados un día para anochecerse en un salto atrás, con una interminable proliferación de perfiles nuevos, de inflexiones y proporciones, alcanzados a su vez por el vino que, de las naves fenicias, de los almacenes de Gades, de las ánforas de Maarkos Sestios, había pasado a las carabelas del Descubrimiento, con la vihuela y la tejoleta, para arribar a estas orillas propiciadoras del trascendental encuentro de la Oliva con el Maíz. Husmeando el cuenco húmedo, evocaba Esteban ahora, con repentina emoción, los toneles envejecidos, patriarcales, del comercio habanero —tan distante y apartado de sus rumbos actuales —donde el isócrono gotear de algunas canillas tenía el mismo sonido que aquí se escuchaba. De pronto, el absurdo de su vida actual se le hizo perceptible en tal grado —estaba ante un Teatro del Absurdo— que se arrimó a una amurada, estupefacto, con los ojos fijos, como asombrado por la contemplación de su propia figura en un escenario. En estos últimos tiempos el mar, la vida física, las peripecias de la navegación, lo habían tenido como olvidado de sí mismo, entregado a la mera satisfacción animal de sentirse cada vez más sano y fuerte. Pero ahora se veía ahí, en el decorado de una cala vinatera ayer desconocida, preguntándose qué hacía en tal lugar. Buscaba un camino que le era negado. Esperaba una oportunidad que no se presentaría. Burgués por el nacimiento, oficiaba de Escribano de Corsarios —profesión cuyo mero enunciado era un absurdo. Sin ser un prisionero, lo era de hecho, puesto que su destino actual lo ligaba a una nacionalidad de hombres combatida por todo el mundo. Nada era tan semejante a una pesadilla como aquel escenario donde se contemplaba a sí mismo, durmiente despierto, juez y parte, protagonista y espectador, circundado de islas semejantes a la única donde no pudiera arribar, condenado, acaso por una vida entera, a oler los olores de su infancia, a encontrar en casas, árboles, iluminaciones peculiares (¡oh, ciertos embadurnos anaranjados, ciertas puertas azules, ciertos granados asomados sobre una tapia!), el marco de su adolescencia, sin que lo suyo, lo que le pertenecía desde la infancia y la adolescencia, le fuese restituido. Una tarde había sonado la Aldaba Mayor de la Morada, dándose inicio a la operación diabólica que comenzara por trastornar tres vidas hasta entonces unidas, con juegos que sacaban de sus tumbas a Licurgo y Mucio Scévola, antes de abarcar una ciudad con sus tribunales de sangre, una isla, varias islas, un mar entero, donde la voluntad de Uno Solo, ejecutor póstumo de una Voluntad Acallada, pesaba sobre todas las vidas. Desde la aparición de Víctor Hugues —lo primero que se había sabido de él era que usaba un paraguas verde— el Yo contemplado en esta escenografía de barricas y toneles había dejado de pertenecerse a sí mismo: su existir, su devenir, estaban regidos por la Voluntad ajena... Era mejor beber para empañar una indeseable lucidez, tan exasperante en estos momentos que daba ganas de gritar. Esteban arrimó el cuenco a una canilla y lo llenó hasta el borde. Arriba, los hombres coreaban las coplas de «Los tres cañoneros de Auvernia».

Desembarcóse al día siguiente en una costa desierta y boscosa, donde sabía el piloto de *L'Ami du Peuple* —zambo de caribe y negro, nacido en la María Galante, a quien su conocimiento del ámbito antillano confería una real autoridad— que había cochinos salvajes como para hacer un bucán a la altura de los vinos que se pondrían a refrescar en las bocas de unos manantiales. No tardó la caza en organizarse, y los animales traídos, conservando todavía en las trompas un furioso encogimiento de jabalíes acorralados, pasaron a manos de los cocineros. Después de limpiarlos de cerdas y pellejos negros con escamarodes de pescado, tendieron los cuerpos sobre parrillas llenas de brasas, de lomo al calor, con las entrañas abiertas —tenidas abiertas por finas varas de madera. Sobre aquellas carnes empezó a caer una tenue lluvia de jugo de limón, naranja amarga, sal, pimienta, orégano y ajo, en tanto que una camada de hojas de guayabo verde, arrojada sobre los rescoldos, llevaba su humo blanco, agitado, oloroso a verde —aspersión de arriba, aspersión de abajo— a las pieles, que iban cobrando un color de carey al tostarse, quebrándose a veces, con chasquido seco, en una larga resquebrajadura que liberaba el unto, promoviendo alborotosos chisporroteos en el fondo de la fosa, y cuya misma tierra olía ya a chamusquina de verraco. Y cuando faltó poco para que los cerdos hubiesen llegado a su punto, sus vientres abiertos fueron llenados de codornices, palomas torcaces, gallinetas y otras aves recién desplumadas. Entonces se retiraron las varas que mantenían las entrañas abiertas y los costillares se cerraron sobre la volatería, sirviéndole de hornos flexibles, apretados a sus resistencias, consustanciándose el sabor de la carne oscura y escueta con el de la carne clara y lardosa, en un bucán que, al decir de Esteban, fue «Bucán de Bucanes» —cantar de cantares. Corrió el vino en las jícaras, al compás de la engullidera, en tal profusión —con barriles rotos a hachazos en la borrachera; barriles largados sobre las cuestas de grava, que acababan arrojando las duelas al toparse con una piedra filosa; barriles rotos por quienes los hacían rodar de bando a bando, en combativa porfía; barriles estrellados, agujereados a balazos, zapateados por un mal bailador de flamenco, maricón y algo español, que cargaba la *Décade* a título de pinche, por ser amigo de la Libertad— que las tripulaciones acabaron por dormirse ahítas, muertas, al pie de los árboles uveros o sobre las arenas que aún conservaban calores de sol... En el pesado desperezo del alba, advirtió Esteban que muchos marineros se habían acercado a la orilla, mirando hacia las naves, que ahora eran cinco —contándose con la *Andorinha.* La recién llegada era de estampa tan antigua, tan desusada, con aquel mascarón medio roto, con aquel alcázar despintado y sucio, que parecía surgida de otros siglos, como buque de gente aún creída que el Atlántico terminaba en el Mar de Tinieblas. Pronto se desprendió un caique de sus bordas destartaladas, traído hacia la playa por varios negros casi desnudos, que zagualaban de pie, al ritmo de una bárbara saloma de remontadores de ríos. El que parecía oficiar de jefe saltó a tierra, haciendo genuflexiones que podían ser interpretadas como gestos de amistad, dirigiéndose a uno de los cocineros negros en un dialecto que éste, acaso nacido en tierras del Calabar, parecía entender a medias. Al fin de un gesticulado coloquio, el intérprete explicó que el viejo buque era un negrero español, cuya tripulación había sido arrojada al mar por los esclavos amotinados que ahora se acogían a la protección de los franceses. En todas las costas del Africa se sabía ya que la República había abolido la esclavitud en sus colonias de América y que, en ellas, los negros eran ciudadanos libres. El Capitán Barthélemy estrechó la mano al cabecilla, haciéndole entrega de una escarapela tricolor que fue recibida con gritos de júbilo por los de su banda, pasando de mano en mano. Y el caique comenzó a traer otros negros, y otros más, en tanto que los impacientes acudían a nado para tener noticias. Y repentinamente, sin poder contenerse, se arrojaron todos sobre los restos del bucán, royendo huesos, devorando vísceras desechadas, chupando las grasas frías para aliviarse de una hambruna de semanas. «Pobre gente —decía Barthélemy, con los ojos empañados—. Esto sólo nos limpiaría de muchas culpas.» Esteban, enternecido, llenaba su cuenco de vino, ofreciéndolo a esclavos de ayer que le besaban las manos. El sobrecargo de *L'Ami du Peuple,* que había ido a reconocer la nave entregada, llegó en esto con la noticia de que a bordo quedaban mujeres, muchas mujeres, ocultas en los sollados, temblorosas de miseria y de miedo, sin saber lo que en tierra ocurría. Barthélemy, prudente, dio la orden de que no las hicieran desembarcar. Una chalupa les llevó carne, galletas, bananos, y algún vino, en tanto que las gentes reanudaban el trabajo de la víspera, saliendo a la caza de nuevos cerdos salvajes. Mañana habría que regresar a la Pointe-à-Pitre con la nave portuguesa, las distintas mercancías tomadas a diestro y a siniestro, la carga de vinos y aquellos negros que irían a engrosar útilmente la milicia de hombres de color, siempre necesitada de brazos para las arduas tareas de fortificación en las cuales asentaba Víctor Hugues su poderío... Al final de la tarde recomenzó la engullidera del día anterior, pero con muy distinto ánimo. A medida que el vino se subía a las cabezas, los hombres parecían más preocupados por la presencia de las hembras, cuyos anafes ardían sobre las luces del poniente, en medio de risas que se oían desde la orilla. Interrogaban algunos a los marineros que habían estado a bordo del buque negrero, pidiendo detalles. Las había muy jóvenes, las había garridas y bien plantadas —que los tratantes no cargaban con viejas, por ser mercancía invendible. Y al calor de la bebida, acudían los pormenores: «*Y en avec des fesses comme ça... Y'en a qui sont a poil... Y'en a une, surtout...*» De pronto, diez, veinte, treinta hombres corrieron a los botes, dándose a remar hacia el barco viejo, sin hacer caso de los gritos de Barthélemy, que trataba de contenerlos. Los negros habían dejado de comer, poniéndose de pie con inquietas gesticulaciones. Y pronto, rodeadas de una codicia agresiva, llegaron las primeras negras, llorosas, suplicantes, acaso realmente asustadas, pero sumisas a quienes las arrastraban hacia los matorrales cercanos. Nadie hacía caso a los oficiales, aunque éstos hubiesen desenvainado los sables... Y, en medio del tumulto, llegaban otras negras, y otras negras más, que echaban a correr por la playa, perseguidas por los marinos. Creyendo ayudar con ello a Barthélemy, que se desgañitaba en insultos, amenazas y órdenes que nadie oía, los negros, armados de estacas, se arrojaron sobre los blancos. Hubo una recia pelea, con cuerpos que rodaban en la arena, pisoteados, pateados; cuerpos levantados en vilo y tirados sobre las gravas; gente caída al mar, trabada en lucha, que trataba de ahogar a otros metiéndoles la cabeza debajo del agua. Al fin los negros quedaron acorralados en un socavón rocoso, en tanto que de su nave se traían cadenas y cepos suficientes para aherrojarlos. Barthélemy, asqueado, regresó a *L'Ami du Peuple,* dejando sus hombres entregados a la violencia y a la orgía. Esteban, teniendo el buen cuidado de cargar con una lona húmeda para acostarse encima —conocía las añagazas de la arena— se llevó una de las esclavas a una suerte de cuna, tapizada de líquenes secos, que había descubierto entre las peñas. Muy joven, dócilmente entregada, prefiriendo esto a sevicias mayores, desenrolló la moza el paño roto que la vestía. Sus senos de adolescente, con el pezón anchamente pintado de ocre; sus muslos, carnosos y duros, prestos a apretar, alzarse, o llevar las rodillas al nivel de los pechos, se ofrecían al varón en tensión y lisura. En toda la isla sonaba un asordinado concierto de risas, exclamaciones, cuchicheos, sobre el cual se alzaba a veces un vago bramido, semejante a la queja de una bestia enferma, oculta en alguna guarida cercana. A ratos cundía el ruido de una riña —acaso por la posesión de una misma mujer. Esteban volvía a encontrar el olor, las texturas, los ritmos y jadeos de Quien, en una casa del barrio del Arsenal de la Habana, le hubiera revelado los paroxismos de su propia carne. Una sola cosa valía esta noche: el Sexo. El Sexo, entregado a rituales propios, multiplicado por sí mismo en una liturgia colectiva, desaforada, ignorante de toda autoridad o ley... El alba se pintó en un concierto de dianas, y Barthélemy, resuelto a imponer su autoridad, dio orden a las tripulaciones de regresar inmeditamente a bordo de sus naves. Quien demorara en la isla, sería dejado ahí. Hubo nuevos altercados con marinos que pretendían conservar sus negras como presas legítimas y personales. El Capitán de la Escuadra los aquietó con la promesa formal de que las hembras les serían entregadas cuando se llegara a la Pointe-à-Pitre. La manumisión tendría lugar allá, no antes, de acuerdo con los trámites legales de nombramiento e inscripción que transformaban los antiguos esclavos en ciudadanos franceses. Volvieron los negros y negras a su buque y la escuadra tomó el camino del regreso... Pero, a poco de navegar, Esteban, cuyo sentido de la orientación se había aguzado mucho en los últimos tiempos —habiendo adquirido por añadidura algunos conocimientos de navegación— creyó observar que el rumbo llevado por los barcos no era cabalmente el que podría conducirlos a la Isla de Guadalupe. Barthélemy frunció el ceño ante la observación del escribano. «Guárdese el secreto —dijo—: Usted sabe muy bien que no podré cumplir la promesa que hice a esos forbantes. Sería un precedente funesto. El Comisario no lo toleraría. Vamos a una isla holandesa, donde venderemos el cargamento de negros». Esteban lo miró con asombro invocando el Decreto de Abolición de la Esclavitud. El Capitán sacó de su despacho un pliego de instrucciones escritas de puño y letra de Víctor Hugues: «Francia, en virtud de sus principios democráticos, no puede ejercer la trata. Pero los capitanes de navíos corsarios, están autorizados, si lo estiman conveniente o necesario, a vender en puertos holandeses los esclavos que hayan sido tomados a los ingleses, españoles y otros enemigos de la República». «¡Pero esto es infame! —exclamó Esteban—. ¿Y hemos abolido la trata para servir de negreros entre otras naciones?» «Yo cumplo con lo escrito —replicó Barthélemy secamente. Y, creyéndose obligado a invocar una inadmisible jurisprudencia—: Vivimos en un mundo descabellado. Antes de la Revolución andaba por estas islas un buque negrero, perteneciente a un armador filósofo, amigo de Juan Jacobo. ¿Y sabe usted cómo se llamaba ese buque? El *Contrato Social.*»

XXVI

En pocos meses, el corso revolucionario se fue transformando en un negocio fabulosamente próspero. Cada vez más audaces en sus correrías, alentados por sus éxitos y beneficios, ansiosos de capturas mayores, los capitanes de la Pointe-à-Pitre se aventuraban más lejos —hacia la Tierra Firme, la Barbados o las Vírgenes— no temiendo mostrarse en las cercanías de islas donde bien podía salirles al encuentro una escuadra de temible estampa. A medida que transcurrían los días, iban perfeccionando sus técnicas. Renovando las tradiciones corsarias de antaño, preferían los marinos navegar en escuadrillas de embarcaciones pequeñas —balandras, cúters, goletas de buena andana— fáciles de manejar y de ocultar, rápidas en la fuga, acosantes en la caza, a tripular grandes bastimentos de una lenta maniobra —de fácil blanco para la artillería adversa, y la británica en particular, cuyos cañoneros diferían de los franceses en la táctica de no tratar de desarbolar, sino de pegar en la madera del casco, cuando la ola hacía descender las bocas de fuego, apuntándose a lo seguro. Con todo esto, el puerto de Pointe-à-Pitre estaba lleno de naves nuevas y sus almacenes no tenían cabida ya para guardar tantas y tantas mercancías, tantas y tantas cosas, habiendo sido necesario levantar galpones en la orilla de los manglares que bordeaban la ciudad para recibir lo que seguía llegando cada día. Víctor Hugues había engordado un poco, sin mostrarse menos activo desde que su cuerpo había empezado a estirarle el paño de las casacas. Contra la espera de muchos, el Directorio, remoto y atareado, reconocida la eficiencia del Comisario en lo de rescatar la colonia y defenderla, acababa de confirmarlo en sus cargos. Así, había llegado el mandatario a constituirse una suerte de gobierno unipersonal, autónomo e independiente, en esta parte del orbe, realizando en proporción asombrosa su inconfesada aspiración de identificarse con el Incorruptible. Había querido *ser* Robespierre, y *era* un Robespierre a su manera. Como Robespierre, en otros días, hubiese hablado de *su* gobierno, de *su* ejército, de *su* escuadra, Víctor Hugues hablaba ahora de *su* gobierno, de *su* ejército, de *su* escuadra. Vuelto a la arrogancia de los primeros tiempos, el Investido de Poderes se otorgaba a sí mismo, a la hora del ajedrez y de los naipes, el papel de único Continuador de la Revolución. Se jactaba de no leer ya los periódicos de París, porque «le apestaban a bribón». Advertía Esteban, sin embargo, que Víctor Hugues, muy ufano de la prosperidad de la isla y del dinero que continuamente mandaba a Francia, estaba recobrando el espíritu del comerciante acaudalado que sopesa sus riquezas con deleitoso gesto. Cuando sus naves regresaban con buenas mercancías, el Comisario presenciaba la descarga, valorando los fardos, barricas, enseres y armas, a ojo de buen cubero. Valiéndose de testaferros, había abierto una tienda mixta, en cercanías de la Plaza de la Victoria, donde se tenía el monopolio de ciertos artículos, que sólo allí podían adquirirse a precios arbitrariamente fijados. Al final de la tarde nunca dejaba Víctor de pasar por aquel comercio para compulsar los libros en la penumbra de una oficina olorosa a vainilla, cuyas puertas arqueadas guarnecidas de buenos herrajes, se abrían sobre dos calles esquineras. También la guillotina se había aburguesado, trabajando blandamente, un día sí y cuatro no, accionada por los asistentes de Monsieur Anse, que consagraba lo mejor de su tiempo a completar las colecciones de su Gabinete de Curiosidades, muy rico ya en coleópteros y lepidópteros ennoblecidos por impresionantes títulos latinos. Todo era carísimo y siempre había dinero para pagarlo en aquel mundo de economía cerrada donde los precios subían constantemente, con una moneda que regresaba y volvía a regresar a los mismos bolsillos, más cotizada aún cuando se tornara más macuquina, menguada en su tenor de metal por raspados y limaduras que se reconocían al tacto... En uno de sus descansos en la Pointe-à-Pitre, tuvo Esteban —parecía un mulato por lo quemado de su tez— la alegría de enterarse, aunque muy tardíamente, de la paz firmada entre España y Francia. Pensó que con ello se restablecerían las comunicaciones con la Tierra Firme, Puerto Rico y la Habana. Pero grande fue su desengaño al saber que Víctor Hugues se negaba a enterarse de lo acordado en Basilea. Resuelto a seguir capturando naves españolas, las tenía por «sospechosas de suministrar contrabando de guerra a los ingleses», autorizando a sus capitanes a «requisarlas» y a definir, por cuenta propia, lo que había de entenderse por contrabandos de guerra. Tendría Esteban que seguir desempeñando su oficio en la escuadra de Barthélemy, viendo alejarse la oportunidad de salirse de un mundo que la vida marítima, intemporal y regida por la sola Ley de los Vientos, le hacía cada vez más ajena. A medida que transcurrían los meses, se iba resignando a vivir al día —en días que no se contaban— contentándose con disfrutar de los gozos menudos que podía traerle una jornada apacible o de pesca entretenida. Se había encariñado con algunos de sus compañeros de andanzas: Barthélemy, que conservaba sus modales de oficial del antiguo régimen y cuidaba de la pulcritud de sus ropas en los momentos de más apuro; el cirujano Nöel, que no acababa de escribir un farragoso tratado sobre los vampiros de Praga, las endemoniadas de Loudun y los convulsionados del Cementerio de San Medardo; el matarife Achilles, negro de la isla de Tobago que tocaba asombrosas sonatas en calderos de distintos tamaños; el ciudadano Gibert, maestro calafate, que recitaba largos trozos de tragedias clásicas con tales inflexiones meridionales que los versos, siempre añadidos de sílabas, no acababan de cuadrar con el metro alejandrino, cuando transformaba un *Brutus* en *Brutusse* o *Epaminondas* en *Epaminondasse.* Por lo demás, el mundo de las Antillas fascinaba al joven, con su perpetuo tornasol de luces en juego sobre formas diversas, portentosamente diversas, dentro de la unidad de un clima y de una vegetación común. Amaba la montañosa Dominica, de profundos verdores, con sus pueblos llamados *Bataille, Massacre,* en recuerdo de sucesos escalofriantes, mal narrados por la historia. Conocía las nubes de Nevis, tan mansamente recostadas sobre sus colinas que el Gran Almirante, al verlas, las había tomado por imposibles heleros. Soñaba con ascender alguna vez hasta la cima del puntiagudo picacho de Santa Lucía, cuya mole, plantada en el mar, se divisaba en la distancia como un faro edificado por ingenieros ignotos, en espera de las naves que alguna vez traerían el Arbol de la Cruz en la trabazón de sus mástiles. Suaves y abrazadas al hombre cuando se las abordaba por el Sur, las islas de este inacabable archipiélago se hacían abruptas, fragosas, desgastadas por altas olas quebradas en espumas, en sus costas erguidas contra los vientos del Norte. Toda una mitología de naufragios, tesoros perdidos, sepulturas sin epitafio, luces engañosas encendidas en noches de tormenta, nacimientos predestinados —el de Madame de Maintenon, el de un taumaturgo sefardita, el de una amazona que llegó a ser reina de Constantinopla— se unía a estas tierras cuyos nombres repetíase Esteban en voz baja, para gozarse de la eufonía de las palabras: Tórtola, Santa Ursula, Virgen Gorda, Anegada, Granaditas, Jerusalem Caída... Ciertas mañanas el mar amanecía tan quieto y silencioso que los crujidos isócronos de las cuerdas —más agudas de tono cuanto más cortas fueran; más graves cuanto más largas— se combinaban de tal suerte que, de popa a proa, eran anacrusas y tiempos fuertes, appogiaturas y notas picadas, con el bronco calderón salido de un arpa de tensos calabrotes, de pronto pulsada por un alisio. Pero en la navegación que hoy se llevaba, los vientos leves se habían hinchado repentinamente, impulsando olas cada vez más alzadas y densas. El mar verde-claro se había transformado en un mar verde-de-yedra, opaco, cada vez más levantisco, que de verde-tinta pasaba al verde-humo. Los marineros de colmillo husmeaban las ráfagas, sabiendo que olían distinto, con ese negror de sombra que se les atropellaba por encima y esos bruscos aquietamientos, cortados por lluvias tibias, de gotas tan pesadas que parecían de mercurio. En las cercanías del crepúsculo pintóse la andante columna de una tromba y las naves, como llevadas en palmas, pasando de cresta en cresta, se dispersaron en la noche, con los fanales extraviados. Se corría ahora sobre el desacompasado hervor de un agua levantada por sus propias voliciones, que pegaba de frente, de costado, largando embates de fondo a las quillas, sin que los rápidos enderezos logrados a timón pudieran evitar las arremetidas que barrían las cubiertas de borda a borda, cuando no hallaban el barco de popa al empellón. Barthélemy mandó montar andariveles para facilitar las maniobras: «Hemos sido agarrados de lleno», dijo, ante la ascensión de la clásica tormenta de Octubre, inequívoca en sus advertencias, que alcanzaría sus paroxismos después de la medianoche. Esteban, sobrecogido por la imposibilidad de escapar a la prueba de afrontar una tempestad, se encerró en su camarote, tratando de dormir. Pero era imposible entrar en el sueño con aquella sensación de desplazamiento de vísceras que se producía apenas el cuerpo estaba tendido. La nave había penetrado en un vasto bramido que corría de horizonte a horizonte, haciendo gemir las maderas por cada tabla, por cada cuaderna. Y transcurrían las horas, bajo la lucha que los hombres libraran arriba, en tanto que el brick parecía bogar a una velocidad inadmisible, levantado, descendido, arrojado, escorado, adentrándose cada vez más en el ámbito del huracán. Esteban, sin tratar de dominarse, estaba adosado al camastro, mareado, invadido por el terror, esperando que el agua se derramara escotillas abajo, llenando las calas, forzando las puertas... Y, de pronto, poco antes del amanecer, le pareció que el mugido del cielo fuese menos intenso y que los embates se espaciaban. Arriba, en la cubierta, los marinos se habían concertado en un gran coro, clamando a todo pulmón el cántico de la Virgen del Perpetuo Socorro, intercesora de los hombres de mar ante la cólera divina. Remozando oportunamente una vieja tradición francesa, los Corsarios de la República invocaban la Madre del Redentor, en su miseria, para que acabara de aplacar las olas y calmara el viento. Las voces, que tan a menudo habían sonado en contrapunteos de coplas soeces, rogaban ahora a La que Sin Pecado Concibiera, en términos de liturgia. Esteban se persignó y subió al puente. El peligro había pasado: solo, sin saber de las otras naves —acaso perdidas, acaso hundidas— *L'Ami du Peuple* penetraba en un golfo poblado de islas.

Poblado de islas, pero con la increíble particularidad de que eran islas muy pequeñas, como bocetos, proyectos de islas, acumulados allí como se amulan los estudios, los esbozos, los vaciados parciales de estatuas, en el taller de un escultor. Ninguna de esas islas era semejante a la siguiente y ninguna era constituida por la misma materia. Unas parecían de mármol blanco, perfectamente estériles, monolíticas y lisas, con algo de busto romano hundido en el agua hasta los hombros; otras eran montones de esquistos, paralelamente estriados, a cuyas desoladas terrazas superiores se aferraban, con garras múltiples, dos o tres árboles de muy viejas y azotadas ramazones —a veces uno, infinitamente solitario, de tronco blanquecido por el salitre, semejaba a un enorme varec. Algunas estaban tan socavadas por el trabajo de las olas, que parecían flotar sin punto de apoyo aparente; otras eran roídas por los cardos o arruinadas por sus propios derrumbes. En sus flancos abríanse cavernas de cuyos techos colgaban cactos gigantes, cabeza abajo, con las flores amarillas o rojas alargadas en festones, como raras arañas de teatro, sirviendo de santuario al enigma de alguna forma rara, geométrica, aislada, montada en zócalo —cilindro, pirámide, poliedro— a manera de misterioso objeto de veneración, piedra de la Meca, emblema pitagórico, materialización de algún culto abstracto. A medida que se adentraba el brick en aquel extraño mundo que el piloto no había contemplado nunca ni lograba ubicar tras de la tremebunda deriva de la noche anterior, sentíase Esteban llevado a expresar su asombro ante esas *cosas* puestas allí, inventándoles nombres: aquella no podía ser sino la Isla del Angel, con esas alas abiertas, bizantinas que como al fresco se pintaban en un acantilado; ésta era la Isla Gorgona, coronada de sierpes verdes, seguida de la Esfera Trunca, del Yunque Encarnado, y de la Isla Blanda, tan totalmente cubierta de guano y excrementos de alcatraces que parecía un bulto claro, sin consistencia, arrastrado por la corriente. Se iba de la Escalinata de los Cirios al Morro-que-parecía-mirar; del Galeón Varado al Alcázar empenachado de espumas por las olas arrojadas en vestíbulos demasiado angostos, que se transformaban en plumas enormes al romperse hacia lo alto en la verticalidad de un farallón. Se iba de la Peña Cejuda al Cráneo de Caballo —con espantables negruras en los ojos y las narices— pasándose por las Islas Andrajosas, rocas tan viejas, tan pobres, tan humildes, que parecían mendigas cubiertas de harapos, entre otras, frescas, relucientes, ebúrneas —más jóvenes de algunos milenios. Se iba de la cueva-Templo, consagrada a la adoración de un Triángulo de Diorita, a la Isla Condenada, desintegrada por las raíces de ficus marinos que pasaban sus brazos por entre las piedras, como gúmenas que se hincharan de año en año para promover un derrumbe final. Maravillábase Esteban al advertir que el Golfo Prodigioso era algo así como un estado previo de las Antillas —un anteproyecto que reuniera, en miniatura, todo lo que, en escala mayor, pudiera verse en el Archipiélago. Aquí también había volcanes plantados en la onda; pero bastaban cincuenta gaviotas para nevarlos. Aquí tam bién había Vírgenes Gordas y Vírgenes Flacas, pero bastaban diez abanicos de mar, crecidos lado a lado, para medir sus cuerpos... Al cabo de varias horas de una lenta navegación constantemente vigilada por la sonda, se halló el brick ante una playa gris, erizada de postes donde secaban anchas redes. Veíase una aldea de pescadores —siete casas de hojas, con cobertizos comunes para resguardar las barcas— dominada por una atalaya de guijarros donde un avistador de tozuda facha esperaba la aparición de algún cardumen, con la trompa de caracol al alcance de la mano. A lo lejos, en el vértice de un espolón, divisábase un castillo almenado, ciclópeo, de sombría estampa, erguido sobre un paredón de rocas violáceas. «Las Salinas de Araya» —dijo el piloto a Barthélemy, quien dio orden de virar en redondo para huir de la proximidad de aquella fortaleza temible, obra de los Antonelli, arquitectos militares de Felipe II— centinela, desde hacía siglos, del erario de España. Sorteando escollos salió la nave a todo trapo de lo que ahora quedaba reconocido como el Golfo de Santa Fe.

XXVII

Transcurrieron varios meses en los mismos afanes y quehaceres. Barthélemy, que iba siempre a lo seguro y afrontable, sin dárselas de azote de los mares, tenía un providencial olfato para dar con la presa peor defendida y mejor cargada. Fuera de un feo encuentro con un buque danés, de Altona, cuya tripulación se defendiera con brío, negándose a arriar la bandera y embistiendo las naves que se atravesaban en su paso, la escuadrilla llevaba una vida apacible y próspera, con un escribano sin madera de héroe, muy metido en lecturas, a quien los demás, por broma, invitaban a esconderse en las calas apenas avistábase una chalupa pesquera. Pero ahora *L'Ami du Peuple*, tenido en continua andana, regresando un día para salir al otro —pues el demonio del lucro se había apoderado de su capitán, estimulado por la vista de tantos colegas rápidamente enriquecidos— daba muestras de agotamiento. Bastaba con cualquier mal tiempo para que la nave se volviera femenina y quejosa, azorrada y renqueante. Chillaba por todas sus tablas. Se le reventaban abscesos de pintura en los mástiles y las amuras. Las bordas aparecían sucias y golpeadas. Fue necesario proceder a reparaciones que arrojaron a Esteban, de súbito, en una Guadalupe cuyas transformaciones no había podido observar cabalmente en las breves escalas de los últimos tiempos. La Pointe-à-Pitre era ya, de hecho la ciudad más rica de América. No podía pensarse que México, de la que tantas maravillas se contaban, con sus plateros y orfebres, sus minas taxqueñas, sus vastos talleres de hilado, hubiese alcanzado alguna vez semejante prosperidad. Aquí el oro rebrillaba al sol en un desaforado correr de luises torneses, cuádruples, guineas británicas, «moëdas» portuguesas, troqueladas con las efigies de Juan V, la reina María y Pedro III, en tanto que la plata se palpaba en el escudo de seis libras, la piastra filipina y mexicana, a más de ocho monedas de vellón, recortadas, agujereadas, desmenuzadas a la comodidad de cada cual. Un vértigo se había apoderado de los pequeños tenderos de ayer, pasados a ser armadores de corsarios, unos por medios propios, otros reunidos en sociedades y comanditas. Las viejas Compañías de Indias, con sus arcas y alhajeros, se remozaban en este remoto extremo del Mar Caribe, donde la Revolución estaba haciendo —y muy realmente— la felicidad de muchos. El Registro de Presas engrosaba sus folios con la enumeración de quinientas ochenta embarcaciones, de todo tipo y procedencia, abordadas, saqueadas o traídas a rastras por las flotas. Ya interesaba poco lo que, en tales días, pudiese ocurrir en Francia. La Guadalupe se bastaba a sí misma, vista ya con simpatía y hasta con envidia por algunos españoles del Continente, que recibían su literatura de propaganda a través de las posesiones holandesas. Y era portentoso espectáculo el de los desembarcos de aventureros cuando, volviendo de alguna correría afortunada, bajaban de las naves llevando por las calles una rutilante parada. Exhibiendo muestras de indiana, muselinas anaranjadas y verdes, sederías de Mazulipatán, turbantes de Madrás, mantones de Manila, y cuantas telas preciosas podían hacer tremolar ante los ojos de las mujeres, ostentaban un milagrero atuendo, ya establecido por la moda local, que, sobre sus pies descalzos —o de medias puestas sin zapatos— alzaba un tornasol de casacas galoneadas, camisas guarnecidas de pieles y cintajos en los cuellos, sin que les faltara —y era cuestión de pundonor— el empenachado remate del sombrero de fieltro, medio caído de alas, adornado con plumas teñidas en republicanos colores. El negro Vulcano ocultaba sus lepras bajo tales galas que parecía un emperador conducido en triunfo. El inglés Joseph Murphy, montado en zancos, golpeaba sus címbalos al nivel de los balcones. E iban todos al salir de sus barcos, escoltados por los vítores de la multitud, al barrio del Morne-à-Cail, donde un compañero inválido había abierto un café. *Au rendez-vous des Sans-Culottes,* con jaula de tucanes y cenzontles junto al mostrador, cuyas paredes estaban cubiertas de alegorías caricaturescas y dibujos obscenos trazados al carbón. Encendíase la juerga y habría, durante dos o tres días, gran holgorio de aguardiente y de hembras, en tanto que los armadores vigilaban la descarga de lo trasladado, jugándose las mercancías, a medida que iban apareciendo, en mesas arrimadas a las naves... Una tarde, Esteban tuvo la sorpresa de encontrarse con Víctor Hugues en el café de Morne-à-Cail, rodeado de capitanes que, por una vez, hablaban de cosas serias en tal lugar. «Siéntate, muchacho, y pide...», había dicho el Agente del Directorio quien, elevado a tal cargo algún tiempo antes, no debía tenerlas todas consigo, a juzgar por un discurso dicho en el tono de quien busca demasiado el asentimiento ajeno. Insistiendo en detalles y cifras, citando fragmentos de informes más o menos oficiales, acusaba a los norteamericanos de vender armas y naves a los ingleses, con el ánimo de expulsar a Francia de sus colonias de América, olvidando lo que se había hecho por ellos: «El solo nombre de americano —clamaba, repitiendo lo escrito en una proclama reciente— sólo inspira aquí el desprecio y el horror. El americano se ha vuelto reaccionario, enemigo de todo ideal de libertad, después de engañar al mundo con sus comedias cuáqueras. Los Estados Unidos están encartonados en un nacionalismo orgulloso, enemigo de cuanto pueda conturbar su poderío. Los mismos hombres que hicieron su independencia reniegan, ahora, de cuanto los hizo grandes. Tendríamos que recordar a esa pérfida gente que, sin nosotros, que les hemos prodigado nuestra sangre y nuestro dinero para darles esa misma independencia, Jorge Washington hubiera sido ahorcado por traidor». El Agente se jactaba de haber escrito al Directorio instigándolo a declarar la guerra a los Estados Unidos. Pero las respuestas habían revelado una lamentable ignorancia de la realidd, con invitaciones a la prudencia que pronto se transformaron en voces de alarma y llamadas al orden. La culpa era —decía Víctor— de los militares de carrera, como Pelardy, a quienes había arrojado de la colonia, tras de violentos altercados por meterse en lo que no les importaba, y que ahora intrigaban contra él en París. Invocaba los éxitos de sus iniciativas, la depuración de la Isla, la prosperidad reinante. «En cuanto a mí, seguiré hostilizando a los Estados Unidos. El interés de Francia lo exige», concluyó, con la agresiva firmeza de quien pretende acallar, de antemano, cualquier objeción. Era evidente, pensaba Esteban, que quien había gobernado hasta ahora con una autoridad absoluta, comenzaba a sentir, en torno suyo, la presencia poderosa de hombres a quienes el logro y la fortuna habían agigantado. Antonio Fuët, marino de Narbona, a quien Víctor había entregado el mando de una relumbrante nave de arboladuras a la americana, con bordas de caoba revestidas de cobre, estaba hecho un personaje de epopeya, aclamado por las muchedumbres, desde que había ametrallado una nave portuguesa cargando los cañones con monedas de oro a falta de otros proyectiles. Luego, los cirujanos del *Sans-Pareil* se habían atareado sobre los muertos y heridos, recuperando el dinero encajado en sus cuerpos y entrañas, a punta de escalpelo. Y era ese Antono Fuët —«Capitán Moëda», por apodo— quien tenía la audacia de vedar al Agente, por ser autoridad civil y no militar, la entrada a un club que los capitanes poderosos habían abierto en una iglesia llamada «del Palais Royal» por burla, cuyos jardines y dependencias cubrían toda una manzana de la ciudad. Y enterábase Esteban, con estupor, que la masonería había renacido, pujante y activa entre los corsarios franceses. En el Palais Royal tenían su Logia, donde se alzaban nuevamente las Columnas Jakin y Boaz. Por el efímero atajo del Ser Supremo habían regresado al Gran Arquitecto —a la Acacia y el mallete de Hiram-Abi. Oficiaban de maestros y caballeros los capitanes Laffite, Pierre Gros, Mathieu Goy, Christophe Chollet, el renegado Joseph Murphy, Langlois-pata-de-palo, y hasta un mestizo llamado Petreas-el-Mulato, en el seno de una Tradición recobrada por el celo de los hermanos Modesto y Antonio Fuët. Así, lejos de los fusiles con cañones recortados, usados en los abordajes, sonaban, en las ceremonias de iniciación, las nobles espadas del ritual, blandidas por manos que habían hurgado en carne de cadáveres para rescatar monedas ennegrecidas por una sangre demasiado pegajosa... «Toda esta confusión —pensaba Esteban —se debe a que añoran el Crucifijo. No se puede ser torero ni corsario sin tener un Templo donde dar las gracias a Alguien por llevar todavía la vida a cuestas. Pronto aparecerán los exvotos a la Virgen del Perpetuo Socorro». Y se regocijó íntimamente observando que algunas fuerzas soterradas empezaban a minar el poderío de Víctor Hugues. Operábase en él aquel inverso proceso afectivo que lleva a desear la humillación o la caída de seres ayer admirados, cuando se vuelven demasiado orgullosos o arrogantes. Miró hacia el tablado de la guillotina, siempre erguido en su lugar. Asqueado de sí mismo, sucumbió a la tentación de pensar que la Máquina, ahora menos activa, quedando enfundada a veces durante semanas, aguardaba al Investido de Poderes. Otros casos se habían visto. «Soy un cerdo —dijo a media voz—. Si fuese cristiano me confesaría».

Días después hubo un gran alboroto en el barrio portuario, que era como decir la ciudad entera. El Capitán Christophe Chollet, de quien no se tenían noticias desde hacía dos meses, regresaba con su gente en un trueno de salvas, seguido de nueve barcos tomados, al cabo de un combate naval, en aguas de la Barbados. Los había de bandera española, inglesa, norteamericana, y en uno de los últimos venía el raro cargamento que constituía una compañía de ópera, con músicos, partituras y decorados. Se trataba de la troupe de Monsieur Faucompré, fuerte tenor que desde hacía años paseaba el *Ricardo Corazón de León* de Grètry del Cabo Francés a la Habana y a la Nueva Orleáns, como parte de un repertorio que incluía *Zemire et Azor, La Serva Padrona, La Belle Arsène,* y otras obras de gran lucimiento, que a veces se embellecían con primores de tramoya, espejos mágicos y escenas de tempestad. Ahora, el propósito de llevar el arte lírico a Caracas y otras ciudades de América, donde las compañías menores, poco costosas en sus traslados, empezaban a realizar grandes beneficios, terminaba en la Pointe-à-Pitre, población sin teatros. Pero Monsieur Faucompré, empresario además de artista, informado de la reciente riqueza de la colonia, estaba encantado de haber ido a dar allá, luego del susto de un abordaje, durante el cual había tenido la presencia de ánimo de ayudar a sus compatriotas, dándoles útiles orientaciones desde el resguardo de una escotilla. Franceses eran los de su conjunto, entre franceses se estaba y el cantante, muy acostumbrado a enardecer a los colonos realistas con el aria de *Oh, Richard! Oh, mon roi!,* se había pasado al nuevo sentimiento revolucionario, voceando *El Despertar del Pueblo* desde el alcázar. de la nao almirante, para regusto de la tripulación, con calderones que hacían vibrar —le constaba al sobrecargo— los vasos del comedor de oficiales. Con Faucompré venían Madame Villeneuve, cuyo talento versátil se acomodaba, si era necesario, a los papeles de pastora ingenua tanto como al de madre de Gracos o reina infortunada, y las Damoiselles Montmousset y Jeandevert, rubias y parleras, magníficas en todo lo que fuese el estilo de Paisiello y Cimarosa. Olvidadas quedaron las naves tomadas en bizarro combate, ante el desembarco de la compañía, cuyas mujeres llevaban ostentosos atuendos a la moda, moda aún ignorada en la Guadalupe, donde poco se sabía aún de sombreros volados, sandalias a la griega, ni túnicas casi transparentes, de talle bajo pecho, que aventajaban los cuerpos ajustándose a sus escorzos —con aquellos baúles repletos de trajes tan aparatosos como resudados, las columnas y tronos cargados en hombros, y el clavicordio concertante llevado a la casa de gobierno en un carro de mulas con el cuidado que hubiese podido ponerse en mudar un Arca de la Alianza. Había llegado el Teatro a la ciudad sin teatros, y como había que hacer teatro, se tomaron las providencias oportunas... Como la plataforma de la guillotina podía servir de buen escenario, la Máquina fue trasladada a un traspatio cercano, quedando en poder de las gallinas, que pasaron el sueño a lo alto de los montantes. Las tablas fueron lavadas y cepilladas para que en ellas no quedaran huellas de sangre, y tendiéndose una lona de árboles a árboles, comenzaron los ensayos de una obra preferida a todas las que se tenían en repertorio, tanto por su universal celebridad como por el contenido de ciertas coplas que habían anunciado el espíritu revolucionario: *El Adivino de Aldea* de Juan Jacobo. Como los músicos traídos por Monsieur Faucompré eran poco numerosos, se trató de agrandar el conjunto con instrumentistas prestados por la banda de Cazadores Vascos. Pero, ante la poca ciencia de gente empeñada en ejecutar gallardamente sus partes con cinco compases de retraso, el concertador de la Compañía prefirió prescindir de sus servicios, quedando el acompañamiento del canto a cargo de la tecla, unas pocas maderas y los imprescindibles violines que Monsieur Anse se había encargado de adiestrar. Y hubo función de gala, una noche, en la Plaza de la Victoria. Noche de gala donde se volcó repentinamente todo el nuevorriquismo de la colonia. Cuando la gente de menos hubo llenado los linderos del espacio reservado a la gente de más, separada de la plebe por cuerdas forradas de terciopelo azul con lazos tricolores, aparecieron los capitanes, cubiertos de entorchados, condecoraciones, bandas y escarapelas, acompañados de sus *dudúes,* enjoyadas, enajorcadas, consteladas, de piedras buenas y piedras malas, platas mexicanas y perlas de Margarita, hasta donde pudieran ostentarse. Esteban llegó con una Mademoiselle Athalie Bajazet rutilante y transfigurada, encendida de lentejuelas, en cueros bajo una túnica griega a la moda del día. Víctor Hugues y sus funcionarios, en primera fila, rodeados de mujeres piadoras y solícitas, se hacían pasar bandejas de ponche y vinos sin volver las cabezas hacia las últimas filas, donde se hacinaban las madres de las barraganas afortunadas, obesas, fondonas, cargadas de ubres, inexhibibles, que lucían vestidos fuera de moda, trabajosamente ajustados, con retazos y añadidos, a sus desbordadas humanidades. Esteban observó que Víctor fruncía el ceño al ver que la llegada de Antonio Fuët era saludada con una ovación, pero en eso sonó la Obertura y Madame Villeneuve, acallando aplausos, atacó el aria de Colette:

> J'ai perdu tout mon bonheur
> J'ai perdu mon serviteur,
> Colin me delaisse...

Apareció el Adivino con engolado acento de Estrasburgo, y prosiguió la acción, en medio del gozo general, muy olvidado del gozo que no hacía mucho tiempo promoviera, en tal lugar, la novedosa acción de la guillotina. El público, muy agudo en lo de agarrar alusiones al paso, supo aplaudir las estrofas dotadas de algún contenido revolucionario que el personaje de Colin, interpretado por Monsieur Faucompré, se afanaba en señalar con guiños dirigidos al Agente del Directorio, y a los oficiales y capitanes acompañados de sus amigas.

> Je vais revoir ma charmante maîtresse
> adieu châteaux, grandeures, richesses....
>
> Que de seigneurs d'importance
> Voudraient avoir sa foi;
> Malgrès toute leur puissance
> Ils sont moins hereux que moi.

Y sonaron clamores de entusiasmo, al llegarse al Final, que fue preciso repetir cinco veces, ante la insaciable exigencia del público:

> A la ville on fait bien plus de fracas
> Mais sont-ils aussi gais dans leurs ébats?
> Toujours contents
> Toujours chantants.
> Beauté sans fard
> Plaisir sans arts
> Tous leurs concerts valent-ils nos musettes?

Y hubo un fin de fiesta, con himnos revolucionarios cantados a todo pecho por Monsieur Faucompré, vestido de sans-culotte, seguido de un gran sarao en el Palacio de Gobierno, donde se brindó con vino de grandes cotos. Víctor Hugues, haciendo poco caso de las asiduidades de Madame Villeneuve, cuya madura belleza evocaba las Ledas fastuosas de la pintura flamenca, estaba entregado a íntimos coloquios con una mestiza martiniqueña, Marie-Anne Angelique Jacquin, a la que parecía extrañamente apegado desde que, sintiéndose rodeado de intrigas, necesitaba sentir, acaso, el calor humano que como Mandatario había querido desdeñar. Esta noche, el hombre sin amigos se mostraba amable con todos. Cuando pasaba tras de Esteban, le ponía la mano en el hombro, con gesto paternal. Poco antes del alba, se retiró a sus habitaciones, en tanto que Modesto Fuët y el comisionado Lebas —hombre de confianza del Agente a quien algunos tenían, tal vez infundadamente, por un espía del Directorio— se largaban a las afueras de la ciudad en compañía de las guapas Montmousset y Jeandever. El joven escribano, muy bien bebido, regresó a su albergue por calles oscuras, divirtiéndose en ver cómo Mademoiselle Athalie Bajazet, después de quitarse las sandalias a la antigua, se recogía la túnica griega hasta medio muslo para pasar los charcos dejados por la lluvia del día anterior. Al fin, cada vez más alarmada por el peligro de las salpicaduras fangosas, se sacó el vestido por la cabeza, terciándoselo del hombro al cuello. «Hace calor esta noche», dijo, a modo de excusa, matando a palmetazos los mosquitos que zaherían sus nalgas. Atrás sonaban los tardíos martillos de quienes acababan de desmontar el decorado de la ópera.

XXVIII

El 7 de Julio de 1798 —para ciertos hechos no valían las cronologías del Calendario Republicano— los Estados Unidos declararon la guerra a Francia en los mares de América. Fue como un trueno que retumbara en todas las cancillerías de Europa. Pero la próspera, voluptuosa y ensangrentada isla de Nuestra Señora de Guadalupe ignoró durante largo tiempo una noticia que había de cruzar dos veces el Atlántico para alcanzarla. Cada cual seguía en lo suyo, quejándose a diario de un verano que, aquel año, resultaba particularmente caluroso. Algún ganado murió a causa de una epidemia; hubo un eclipse de luna, la banda del Batallón de Cazadores Vascos dio algunas retretas y se produjeron algunos incendios en los campos a causa de un sol que había resecado demasiado los espartos. Víctor Hugues sabía que el despechado General Pelardy hacía cuanto le era posible por desacreditarlo ante el Directorio, pero el Agente, pasadas las angustias de otros días, se tenía por insustituible en su cargo. «Mientras yo pueda mandar su ración de oro a esos señores —decía— me dejarán tranquilo.» Se afirmaba en los mentideros de la Pointe-à-Pitre que su fortuna personal ascendía a más de un millón de libras. Hablábase de su posible matrimonio con Marie-Anne-Angelique Jacquin. Fue entonces cuando, llevado por una creciente apetencia de riquezas, creó una agencia mediante la cual se aseguraba la administración de los bienes de los emigrados, de las finanzas públicas, del armamento de los corsarios y del monopolio de las aduanas. Grande fue la tormenta desatada por esa iniciativa, que afectaba directamente a una multitud de gente favorecida, hasta entonces, por su gobierno. En las plazas, en las calles comentóse la arbitrariedad del proceder, en tal grado que fue necesario sacar la guillotina al aire libre, abriéndose un nuevo aunque breve período de terror, como oportuna advertencia. Los enriquecidos, los favorecidos, los funcionarios prevaricadores, los usufructuarios de propiedades abandonadas por sus dueños, tuvieron que tragarse las protestas. Behemot se hacía comerciante, rodeándose de balanzas, pesas y romanas, que a todas horas valoraban el caudal de lo engullido por sus almacenes. Cuando se tuvo conocimiento de la declaración de guerra de los Estados Unidos, los mismos que habían saqueado veleros norteamericanos echaron sobre Víctor Hugues la culpa de lo que ahora veían como un desastre, cuyas consecuencias podían ser catastróficas para la colonia. Como la noticia había tardado mucho en llegar, era muy posible que la isla, ya rodeada de buques enemigos, fuese atacada hoy, o esta misma tarde, o acaso mañana. Se hablaba de una poderosa escuadra salida de Boston, de un desembarco de tropas en la Basse-Terre, de un próximo bloqueo... Tal era la atmósfera de inquietud y de zozobra cuando, una tarde, el coche que Víctor Hugues usaba en sus paseos a las afueras de la ciudad se detuvo ante la imprenta de los Loeuillet, donde Estaban trabajaba en corregir unas pruebas. «Deja eso —le gritó el Agente por una ventanilla—. Acompáñame al Gozier». Durante el trayecto se habló de sucesos nimios. Al llegar a la ensenada, el Agente hizo subir al joven a una barca y, quitándose la casaca, remó hasta la isleta. Ya en la playa se estiró largamente, descorchó una botella de sidra inglesa, y, con tono pausado empezó a hablar. «Me echan de aquí. No hay otro modo de decirlo: me echan de aquí. Los señores del Directorio pretenden que yo vaya a París para rendir cuentas de mi administración. Y eso no es todo: viene un arrastrasables, el General Desfourneaux, para sustituirme, en tanto que el infame Pelardy regresa triunfalmente en calidad de Comandante de las Fuerzas Armadas». Se recostó en la arena, mirando hacia el cielo, que empezaba a ensombrecerse. «Falta ahora que yo entregue el poder. Aún tengo gente conmigo». «¿Vas a declarar la guerra a Francia?», preguntó Esteban que, después de lo ocurrido con los Estados Unidos, creía a Víctor capaz de cualquier arrojo. «A Francia, no. Si acaso, a su cochino gobierno.» Hubo un largo silencio, durante el cual preguntóse el joven por qué el Agente, tan poco dado a confiarse, lo había escogido para desahogarse del peso de una noticia que todos ignoraban aún —noticia catastrófica para quien jamás hubiera conocido reveses graves en su carrera. Volvió a sonar la voz del otro: «Ya no tienes por qué seguir en la Guadalupe. Te daré un salvoconducto para Cayena. De ahí podrás pasar a Paramaribo. Allá hay naves norteamericanas y españolas. Verás cómo te las arreglas». Esteban contuvo su júbilo, temiendo caer en una celada, como le había ocurrido ya otra vez. Pero ahora todo estaba claro. El hombre derribado explicaba que, desde hacía tiempo, ayudaba con envíos de medicinas, dinero y mercancías a más de un deportado de Sinnamary y de Kurú. Sabía el joven que algunos de los máximos protagonistas de la Revolución estaban confinados en la Guayana, pero lo sabía de manera vaga y confusa, puesto que en muchos casos se le habían citado los nombres de «deportados» que luego aparecían firmando artículos en la prensa de París. Ignoraba el destino de Collot d'Herbois en el ámbito americano. De Billaud-Varennes había oído decir que criaba papagayos en algún lugar, cerca de Cayena. «Acabo de saber que este Directorio de mierda ha prohibido que se mande nada a Billaud desde Francia. Quieren matarlo de hambre y de miseria», dijo Víctor. «¿Billaud no fue uno de los que traicionaron al Incorruptible?», preguntó Esteban. El otro se arremangó para rascarse el sarpullido que le enrojecía los antebrazos: «No es éste el momento de hacer reproches a quien fue un gran revolucionario. Billaud tuvo sus errores; errores de patriota. No dejaré que lo maten de miseria». En las circunstancias actuales no le convenía, sin embargo, que se le tuviera por un protector del antiguo miembro del Comité de Salud Pública. Lo que pedía al joven, a cambio de su liberación, era que embarcase al día siguiente a bordo de la *Venus de Medicis,* goleta despachada a Cayena con un cargamento de vinos y harina, para hacer llegar una importante suma de dinero a manos del amigo caído en desgracia. «Ten cuidado allá con Jeannet, el Agente del Directorio. Me tiene una envidia enfermiza. Trata de imitarme en todo, pero se queda en caricatura. Un cretino.

Estuve a punto de declararle la guerra.» Esteban observaba que Víctor, siempre saludable de aspecto, tenía el cutis de un mal color amarillento. Ya le abultaba demasiado el vientre bajo la camisa mal abotonada. «Bueno, *petiot* —dijo, con repentina dulzura—. Meteré en prisión a ese Desfourneaux cuando llegue. Y veremos lo que ocurre. Terminó para ti la gran aventura. Ahora regresarás a tu casa; al almacén de tu gente. Es un buen negocio: cuídalo. No sé lo que pensarás de mí. Acaso, que soy un monstruo. Pero hay épocas, recuérdalo, que no se hacen para los hombres tiernos». Tomó un poco de arena, haciéndola correr de una mano a la otra como si fuesen las ampollas de una clepsidra. «La revolución se desmorona. No tengo ya de qué agarrarme. No creo en nada.» Caía la noche. Volvieron a cruzar la ensenada y, regresando al coche, fueron a la casa de gobierno. Víctor tomó unos sobres y paquetes lacrados: «Esto es el salvoconducto, con dinero para ti. Esto es para Billaud. Esta carta es para Sofía. Buen viaje... *emigrado*». Esteban abrazó al Agente con repentino cariño: «¿Para qué te habrás metido en política?», preguntó recordando los días en que el otro no hubiese enajenado aún su libertad en el ejercicio de un poder que se había vuelto, en fin de cuentas, una trágica servidumbre. «Acaso porque nací panadero —dijo Víctor—. Es probable que si los negros no hubiesen quemado mi panadería aquella noche, no se hubiera reunido el Congreso de los Estados Unidos, para declarar la guerra a Francia. Si *la nariz de Cleopatra*... ¿quién dijo eso?...» Cuando se vio nuevamente en la calle, camino de su albergue, Esteban tuvo la sensación de vivir en futuro que produce la proximidad de los grandes cambios. Se sentía extrañamente desvinculado del ambiente. Todo lo conocido y habitual se tornaba ajeno a su propia vida. Se detuvo frente a la Logia de los Corsarios, sabiendo que la contemplaba por última vez. Entró en una taberna para despedirse de su presencia en aquel lugar, a solas, frente a un vaso de aguardiente con limón y nuez moscada. El mostrador, los barriles, el alboroto de las mulatas servidoras eran cosas del pasado. Se rompían los nexos. Volvía a exotizarse aquel trópico dentro del cual, por tanto tiempo, había estado integrado. En la Plaza de la Victoria, los ayudantes de Monsieur Anse trabajaban en desarmar la guillotina. Había terminado la Máquina, en esta isla, su tremebundo quehacer. El reluciente y acerado cartabón, colgado por el Investido de Poderes en lo alto de sus montantes, regresaba a su caja. Se llevaban la Puerta Estrecha por la que tantos habían pasado de la luz a la noche sin regreso. El Instrumento, único en haber llegado a América, como brazo secular de la Libertad, se enmohecía, ahora, entre los hierros inservibles de algún almacén. En vísperas de jugarse el todo por el todo, Víctor Hugues escamoteaba el artefacto que él mismo había erigido en necesidad primordial, con la imprenta y las armas, eligiendo tal vez, para sí mismo, una muerte en la que el hombre, en suprema actitud de orgullo, pudiese contemplarse en el morir.

CAPÍTULO CUARTO

selvática, que venía a la ciudad en sus piraguas para ofrecer guayabas, bejucos medicinales, orquídeas o yerbas de cocimiento. Algunos traían sus hembras para prostituirlas en los fosos del Fuerte, a la sombra del Polvorín, o detrás de la clausurada iglesia de Saint-Sauveur. Se veían rostros tatuados o embadurnados con extraños tintes. Y lo más raro era que, a pesar de un sol que se metía por los ojos, realzando los exotismos del cuadro, aquel mundo abigarrado, pintoresco en apariencia, era un mundo triste, agobiado, donde todo parecía diluirse en sombras de aguafuerte. Un Arbol de la Libertad, plantado frente al feo y desconchado edificio que servía de Casa de Gobierno, se había secado por falta de riego. En una casona de muchas galerías estaba instalado un Club Político fundado por los funcionarios de la Colonia; pero ni energías les quedaban ya para repetir los discursos de otrora, habiendo transformado aquel lugar en un garito permanente, donde se tallaban cartas al pie de un amoscabado retrato del Incorruptible que nadie quería tomarse el trabajo de descolgar, a pesar de los ruegos del Agente del Directorio, porque estaba fuertemente clavado en la pared por las esquinas del marco. Quienes gozaban de bienes o prebendas administrativas, no conocían más distracción que la de engullir y beber, reuniéndose en interminables comilonas que empezaban a mediodía para prolongarse hasta la noche. Pero en todo se echaba de menos el bullicio, el tornasol de faldas, las modas nuevas, que tanto alegraban las calles de la Pointe-à-Pitre. Los hombres llevaban trajes raídos, heredados del antiguo régimen, sudando tanto en sus casacas de paños espesos, que siempre las tenían mojadas en las espaldas y las axilas. Sus esposas llevaban falda y adornos semejantes a los que, en París, lucían las aldeanas de los coros de ópera. No había una residencia hermosa, una taberna divertida, un sitio donde estar. Todo era mediocre y uniforme. Donde parecía que hubiera existido un Jardín Botánico, sólo se veía ahora un matorral hediondo, basurero y letrina pública, revuelto por perros sarnosos. Mirando hacia el Continente, se advertía la proximidad de una vegetación densa, hostil, mucho más infranqueable que los muros de una prisión. Esteban sentía una suerte de vértigo al pensar que la selva que allí empezaba era la misma que se extendía, sin descansos ni claros, hasta las riberas del Orinoco y las riberas del Amazonas; hasta la Venezuela de los españoles; hasta la Laguna de Parima; hasta el remotísimo Perú. Cuanto fuera amable en el Trópico de la Guadalupe, se tornaba agresivo, impenetrable, enrevesado y duro, con esos árboles acrecidos en estatura que se devoraban unos a otros, presos por sus lianas, roídos por sus parásitos. Para quien venía de lugares tan lindamente llamados *Le Lamentin, Le Moule, Pigeon,* los mismos nombres del Maroní, del Oyapoc, del Appronague, cobraban una sonoridad desagradable, mordedora, anuncio de pantanos, crecientes brutales, proliferaciones implacables... Esteban con los oficiales de la *Venus de Medicis,* fue a presentar sus respetos a Jeannet, entregándole una Carta de Víctor Hugues, que fue leída con casi ostentoso desgano. El Agente Particular del Directorio en Guayana —era imposible pensar que con tal facha fuese primo de Dantón— tenía una estampa repulsiva, con su tez verdecida por una dolencia hepática y la ausencia del brazo izquierdo, que habían tenido que amputarle a consecuencia de unas mordeduras de verraco. Supo Esteban que Billaud-Varennes había sido relegado a Sinnamary, así como la masa de deportados franceses —muchos de ellos confinados en Kurú o en Conanama— a quienes la entrada a la ciudad estaba prohibida. Allá —decía Jeannet— tenían tierras labrantías en abundancia y cuanto les fuera necesario para purgar, con el mayor decoro, las penas impuestas por los distintos gobiernos revolucionarios: «¿Muchos sacerdotes refractarios?», preguntó Esteban. «Hay de todo —contestó el Agente, con estudiada indiferencia—: Diputados, emigrados, periodistas, magistrados, sabios, poetas, curas franceses y belgas.» Esteban no creyó oportuno mostrar curiosidad por conocer el exacto paradero de determinadas personas. El capitán de la *Venus de Medicis* le había aconsejado que hiciera llevar el dinero destinado a Billaud-Varennes por personas interpuestas. Y, en espera de lograrlo, tomó albergue en la posada de un tal Hauguard, la mejor de Cayena, donde se ofrecían buenos vinos y una comida aceptable.

«Aquí no ha funcionado la guillotina —decía Hauguard, mientras las negras Angesse y Scholastique, recogidos los platos, iban por una botella de tafia—. Pero lo que nos gastamos acaso sea peor, porque más vale caer por un solo tajo que morir a plazos.» Y explicaba a Esteban cómo debía interpretarse aquello de las «tierras labrantías» presentadas por Jeannet como la providencia de los deportados. Si en Sinnamary, donde se encontraba Billaud, se llevaba una vida miserable, algo atemperada sin embargo por la proximidad de un ingenio de azúcar y algunas haciendas más o menos prósperas, los meros nombres de Kurú, de Conanama, de Iracubo, eran sinónimos de muerte lenta. Confinados en áreas designadas de modo arbitrario, sin autorización para moverse de allí, los deportados se hacinaban por nueve, por diez, en barracas inmundas, revueltos los sanos y los enfermos, como en pontones, sobre suelos anegadizos, impropios para todo cultivo, sufriendo hambre y penurias —privados de los remedios más indispensables cuando algún cirujano, mandado por el Agente del Directorio en gira de inspección oficial, no les repartía algún aguardiente a modo de panacea. «A eso llaman "la guillotina seca"», decía Hauguard. «Triste realidad ciertamente —dijo Esteban—. Pero aquí vinieron a parar no pocos fusiladores de Lyón, acusadores públicos, asesinos políticos; gente que llegó a disponer los cuerpos de los guillotinados en posiciones obscenas al pie de los patíbulos.» «Justos y pecadores andan revueltos», dijo Hauguard espantando las moscas a abanicazos. Iba el joven a preguntarle por Billaud, cuando un anciano andrajoso, nimbado por un vaho de aguardiente, se acercó a la mesa, clamando que cuanta calamidad agobiara a los franceses estaba más que merecida. «Deje quieto al señor», dijo el posadero, mostrando algún respeto por el corpulento viejo, cuya estampa no carecía a pesar de la miseria, de una cierta majestad. «Eramos como patriarcas bíblicos, rodeados de prole y de ganado, amos de granjas y de eras —decía el intruso con un acento añejo, algo renqueante y pesado, que Esteban oía por vez primera—. Nuestras eran las tierras de la Prée-des-Bourques, del Pont-à-Bouts, de Fort-Royal, y tantas otras que no tuvieron parecido en el mundo, porque nuestra piedad —nuestra gran piedad— atrajo sobre ellas el favor de Dios.» Se persignó lentamente, con un gesto tan olvidado en esta época, que pareció a Esteban el colmo de la originalidad: «Eramos los acadienses de la Nueva Escocia, tan fieles súbditos del Rey de Francia, que durante cuarenta años nos negamos a firmar un infame papel donde habíamos de reconocer por soberanos a la gorda de Ana Estuardo y a un Rey Jorge, que el Maldito tendrá en los fuegos de sus mansiones. Y por ello advino el Gran Desarreglo. Un día, los soldados ingleses nos arrojaron de nuestras casas, tomaron nuestros caballos y reses, saquearon nuestras arcas, y fuimos deportados en masa a Boston, o lo que era peor, a Carolina del Sur o a Virginia, donde se nos trató peor que a los negros. Y a pesar de la miseria y de la inquina de los protestantes y del odio de todos los que nos veían andar por las calles como mendigos, seguíamos alabando a nuestros Señores: el que reina en los Cielos y el que, de padre a hijo, reina en la Tierra. Y como la Acadia no volvía a ser lo que fuera cuando eran nuestros arados bendecidos por el Altísimo, cien veces nos ofrecieron la restitución de nuestras tierras, de nuestras granjas, a cambio del sometimiento a la Corona Británica. Y cien veces rehusamos, señor. Al fin, después de quedar diezmados, de rascarnos con la teja de Job y de yacer entre cenizas, fuimos rescatados, por las armadas de Francia. Y llegamos a nuestro lejano país, señor, seguros de ser salvados. Pero nos dispersaron en tierras malas y no atendieron nuestros reclamos. Y nosotros decíamos: «La culpa no la tiene el buen Rey, que acaso ignora nuestras miserias presentes y no puede figurarse lo que fue la Acadia de nuestros padres». Y algunos como yo, fuimos traídos a esta Guayana donde el suelo habla un lenguaje desconocido. Hombres del abeto y del acre, de la encina y del abedul, nos vimos aquí donde cuanto brota y retoña es engendro maligno; donde la labranza de hoy es malograda, en una noche, por la obra del Diablo. Acá, señor, la presencia del Diablo se manifiesta en la imposibilidad de establecer un orden. Lo que se hace recto se torna curvo, o lo que debería ser curvo se vuelve recto. El sol, que era vida y alegría en nuestra Acadia, después de los deshielos de la primavera, se hace maldición en las orillas del Maroní. Lo que allá servía para hinchar las mieses, se hace aquí el azote que ahoga y pudre las mieses. Me quedaba, sin embargo, el orgullo de no haber abjurado de mi fidelidad al Rey de Francia. Estaba entre franceses que, al menos, me miraban con respeto, por haber pertenecido a un pueblo libre como no hubo otro y que, sin embargo, prefirió la ruina, el destierro y la muerte, antes que faltar a su fidelidad... Nuestras, señor, eran las tierras de la Prée-des-Bourques, del Pont-à-Bouts, de la Grand Prée. Y un día fueron ustedes, franceses —y golpeaba el borracho la mesa con nudosos puños— quienes se atrevieron a decapitar a nuestro Rey, produciendo el Segundo Gran Desarreglo, que habría de despojarnos de decoro y de dignidad. Me vi tratado de «sospechoso», de enemigo de no sé qué, de contra no sé qué, que llevo más de sesenta años padeciendo por no querer ser sino francés; yo, que perdí mi heredad y vi morir a mi mujer, despatarrada por un parto malo, en la cala de un buque-prisión, por no renegar de mi patria y de mi fe... Los únicos franceses que quedan en el mundo, señor, son los acadienses. Los demás se volvieron unos anarquistas sin obediencia a Dios ni a nadie, que sólo sueñan en terminar revueltos con los lapones, los moros y los tártaros». Echó mano el viejo a una botella de tafia, y, vaciándose un enorme lamparazo en el gaznate, fue a caer sobre unos sacos de harina donde se durmió de bruces, rezongando acerca de los árboles que en esta tierra no se daban... «Es cierto que fueron grandes franceses —dijo Hauguard—. Lo malo es que siguen vivos en una época que no es la suya. Son como gente de otro mundo.» Y pensaba Esteban en lo absurdo del encuentro, en la Guayana, de estos acadienses convencidos de la inmutable grandeza de un régimen contemplado en sus pompas y alegorías, retratos y símbolos, con otros hombres que, de tanto conocer las flaquezas de ese mismo régimen, habían consagrado sus vidas a la tarea de destruirlo. Había Mártires por la Distancia, que nunca entenderían a los Mártires por la Cercanía. Quienes nunca habían visto un Trono, se lo figuraban monumental y sin fisuras. Quienes lo habían tenido delante de los ojos, conocían sus resquebrajamientos y desdorados... «¿Qué pensarán los ángeles de Dios?», dijo Esteban, con una pregunta que debió parecer a Hauguard el colmo de la incoherencia. «Que es un solemne majadero —respondió el otro, riendo—, aunque Collot d'Herbois, en los últimos días de su vida, no hizo sino reclamar su ayuda.» Y supo entonces Esteban cuál había sido el lamentable fin del fusilador de Lyón. Al llegar a Cayena, había sido alojado, con Billaud, en el hospital de las monjas, ocupando, por cruel casualidad, una celda llamada «Sala de San Luis» —él, que había pedido la condena inmediata, sin aplazamiento, del último de los Luises. Desde el comienzo se había entregado desaforadamente a la bebida, garabateando, en las tabernas, deshilvanados fragmentos de una verídica Historia de la Revolución. En noches de borrachera, lloraba su desventura, su soledad en este infierno, con mímicas y paroxismos de cómico viejo que exasperaban al austero Billaud: «No estás en un escenario —le gritaba—. Guarda al menos tu dignidad pensando que, como yo, has cumplido con tu deber». El latigazo de la reacción termidoriana, al alcanzar tardíamente la colonia, excitó a los negros contra los antiguos miembros del Comité de Salud Pública. No podían salir a las calles sin ser objeto de befas e insultos: «Si hubiese que empezar de nuevo —decía Billaud entre dientes— no prodigaría la libertad a hombres que no saben a que precio se alcanza; abrogaría el Decreto del 16 Pluvioso del Año II». («Gran orgullo de Víctor fue traerlo a América», pensaba Esteban.) Jeannet hizo salir a Collot de la población, confinándolo en Kurú. Allí, entregado al alcohol, el Buen Padre Gerard vagaba por los caminos, con la casaca rota y los bolsillos llenos de cuartillas sucias, interpelando a las gentes, tumbándose a dormir en los fosos, armando escándalos en las fondas donde le negaban el crédito. Una noche, creyendo acaso que se trataba de aguardiente, bebió una botella de medicamento. Medio envenenado fue despachado a Cayena por un oficial de salud. Pero los negros encargados de su traslado lo abandonaron en el camino, tratándolo de asesino de Dios y de los hombres. Derribado por una insolación, se vio llevado, por fin, al Hospital de las Monjas de Saint-Paul de Chartres, donde le tocó yacer, por segunda vez, en la Sala de San Luis. A gritos empezó a llamar al Señor y a la Virgen, implorando el perdón de sus culpas. Los clamores eran tales que un guardia alsaciano, enfurecido por ese arrepentimiento postrero, le recordó que, un mes antes, lo había inducido todavía a blasfemar el santo nombre de la Madre de Dios, diciéndole además que la historia de Santa Odilia era una mera patraña inventada para embrutecer al pueblo. Ahora Collot pedía un confesor, pronto, cuanto antes, sollozante y convulso, gimiendo que se le abrasaban las entrañas, que lo devoraba la fiebre, que ya no habría salvación para él. Al fin rodó al suelo, y se fue en un vómito de sangre. Jeannet se enteró de su muerte cuando jugaba al billar con algunos funcionarios: «Que lo entierren. No merece mayores honores que un perro», dijo, sin soltar el taco enfilado a buena carambola. Pero el día de su sepelio, un alegre estrépito de tambores llenaba la ciudad. Los negros, bien enterados de que algo había cambiado en Francia, habían pensado, aunque tardíamente, en celebrar su Carnaval de Epifanía, olvidado durante los años del ateísmo oficial. Desde temprano se habían disfrazado de Reyes y Reinas del Africa, de diablos, hechiceros, generales y bufones, echándose a las calles con calabazos, sonajas y cuanto pudiera golpearse y sacudirse en honor de Melchor, Gaspar y Baltasar. Los sepultureros, cuyos pies se agitaban impacientemente al compás de las músicas lejanas, cavaron a toda prisa una fosa exigua, donde metieron a empellones el ataúd de tablas rajadas, cuya tapa, además, estaba medio desclavada. A mediodía, mientras se bailaba en todas partes, aparecieron varios cochinos, de los plomizos, pelados, ore judos; de los de trompa afilada y hambre perenne, que metieron el hocico en la sepultura, encontrando buena carne tras de una madera ya vencida por el peso de la tierra. Empezó la inmunda ralea, sobre un cuerpo removido, empujado, hurgado por la avidez de las bestias. Alguna se llevó una mano que le sonaba a bellotas entre los dientes. Otras se ensañaron en la cara, en el cuello, en los

una sensación de derrumbe interior. Dábale el pulso un sordo embate y algo se le desplomaba en medio del pecho, dejándolo sin respiración. Un miedo, hasta ahora desconocido, se apoderaba de él, habitándolo como una enfermedad. Ya no podía dormir una noche entera. Despertaba, a poco de acostarse, con la impresión de que todo lo oprimía: las paredes estaban ahí para cercarlo; el techo bajo, para enrarecer el aire que respiraba; la casa era un calabozo; la isla una cárcel; el mar y la selva, murallas de una espesura inmedible. Las luces del alba le traían un cierto alivio. Se levantaba lleno de valor, pensando que hoy ocurriría algo; que algún suceso imprevisto le abriría los caminos. Pero a medida que transcurría un día sin peripecias, era invadido por una desesperanza que, al crepúsculo, lo dejaba sin ánimo y sin fuerzas. Se desplomaba en su lecho, quedando en una inmovilidad tal —pétreo, incapaz de hacer un gesto, como si el cuerpo le pesara inmensamente— que la negra Angesse, creyéndolo debilitado por algún acceso de fiebre intermitente, le vaciaba cucharadas de pócima quinada en la boca para reanimarlo. Veníale entonces el pavor ante la soledad y, bajando al comedor de la posada, mendigaba la compañía de cualquiera —Hauguard, un bebedor jovial, el acadiense de bíblicas recordaciones...— para aturdirse hablando... En eso se supo que Jeannet había sido destituido por el Directorio en favor de un nuevo agente, Burnet, que —según se decía— mucho estimaba a Billaud-Varennes. La noticia fue recibida con espanto por los funcionarios de la colonia. Temerosos de que los confinados de Sinnamary denunciaran abusos y depredaciones, se enviaron medicamentos y víveres a los de mayor personalidad y ejecutoria, cuyas acusaciones podían alzarse hasta los oídos del nuevo mandatario. Dábase el caso raro de que los últimos jacobinos, perseguidos en Francia, levantaran la cabeza en América, inexplicablemente favorecidos por otorgamientos de poderes y nombramientos oficiales. De repente se establecía un tráfico activo entre Cayena, Kurú y Sinnamary, que Esteban creyó oportuno aprovechar para deshacerse de los paquetes y cartas que Víctor Hugues le había confiado. Nada le impedía destruir el contenido de los bultos envueltos en lonas cosidas, ni apoderarse de los valores encerrados en las cajas lacradas que completaban la encomienda. Con ello se libraría de un bagaje siempre comprometedor en época de pesquisas policiales, sin tener que rendir cuentas de su fea acción, menos fea ahora cuando la situación del Máximo Deportado cambiaba de cariz. Billaud-Varennes, por otra parte, era un personaje que le inspiraba una tenaz aversión. Pero Esteban por mucho haber frecuentado los medios revolucionarios, se había vuelto supersticioso. Creía que ciertos alardes de salud o de dicha traían la enfermedad o la desventura. Creía que el destino era siempre duro con quienes se mostraban demasiado confiados en su suerte. Y creía, sobre todo, que el incumplimiento de un encargo, o, en ciertos casos el mero hecho de no molestarse en ayudar a quien fuese desdichado podía producir una paralización de energías o corrientes favorables a la propia persona, culpable de egoísmo o dejadez ante alguna Fuerza Desconocida, pesadora de actos. Y al ver que no hubiese hallado un modo, siquiera novelesco, de pasar a Paramaribo, pensaba que podrían volver las circunstancias a su favor, afanándose en cumplir el encargo de Víctor Hugues. A falta de otro confidente, se franqueó con Hauguard, hombre acostumbrado a vérselas con gentes de muy distinta lana, que iba de sus ollas a sus negras sin desvelarse por políticas. Por él supo que si Collot d'Herbois había sido objeto de un desprecio general, a causa de su alcoholismo, de sus sollozos de histrión fracasado, de sus cobardías postreras, Billaud se sentía rodeado de un odio que, lejos de intimidarlo, tenía el poder de estimular un orgullo que asombraba a los mismos que, por indirecta u olvidada orden suya, sufrían los rigores de la deportación. En medio de tantos desalentados y arrepentidos, de tantos debilitados y amargados, el Implacable de ayer se negaba a toda claudicación, solitario y huraño, tallado de una pieza, afirmando que si la Historia, dando un salto atrás lo volviera a situar ante las contingencias vividas, actuaría exactamente como antes. Era cierto que criaba loros y cacatúas; pero era para poder decir, a modo de sarcasmo, que sus aves, como los pueblos, repetían todo lo que se les quisiera enseñar... Esteban hubiera querido evitarse el viaje a Sinnamary, entregando lo que guardaba a alguna persona de confianza, conocida por el posadero. Para gran sorpresa suya, Hauguard le aconsejó que hablara con la Superiora de las Monjas de Saint-Paul-de-Chartres, a quien Billaud-Varennes estimaba grandemente tratándola de «muy respetable hermana», desde que había sido atendido por ella durante una grave enfermedad contraída a poco de llegar a la colonia... Al día siguiente, fue introducido el joven en una angosta sala del Hospital, donde se detuvo, atónito ante un gran crucifijo, colgado frente a una ventana abierta sobre el mar. Entre cuatro paredes blancas, pasadas a pintura de cal, donde no había más muebles que dos taburetes, el uno de peludo cuero de res, el otro de crines trenzadas —materia del Buey, materia del Asno—, el diálogo entre el Océano y la Figura cobraba un patetismo sostenido y perenne, situado fuera de toda contingencia y lugar. Cuanto podía entre Luces, Engendros y Tinieblas, estaba dicho —por siempre dicho— en lo que iba de una escueta geometría de madera negra a la inmensidad fluida y Una de la placenta universal, con aquel Cuerpo Interpuesto, en trance de agonía y renacer... Tanto tiempo hacía que Esteban no se encontraba con un Cristo que tenía la impresión de cometer un acto íntimamente fraudulento al mirarlo ahora, de muy cerca, como quien se hubiera encontrado con un viejo conocido, vuelto sin permiso de las autoridades a una patria común de donde hubiese sido desterrado. Por lo pronto, aquel personaje había sido el testigo y confidente de su infancia; estaba presente aún en la cabecera de cada cama de la remota casa paterna, donde se estaría esperando el regreso de un Ausente. Y luego, era el recuerdo de tantas cosas que se sabían ambos. Ni palabras hacían falta para hablar de cierta huida al Egipto y de la noche famosa en el establo, con tantos reyes y pastores (y me acuerdo ahora de la caja de música con su pastora, traída a mi cuarto por aquellos Reyes en una Epifanía que me fuera particularmente dolorosa a causa de la enfermedad) y de los mercaderes que vendían baratijas en los portales del templo y de los pescadores del lago (semejantes los veía yo a unos, andrajosos y barbudos, que pregonaban calamares frescos en mi ciudad) y de tempestades aplacadas y de los verdes ramos de un Domingo (Sofía me traía los que le daban las clarisas: eran de hoja de palma real, mullida y amarga; permanecían húmedas, trenzadas en los barrotes de mi cama, durante varios dias), y también del máximo pleito, y de la sentencia y de la enclavación. «¿Cuánto tiempo hubiera soportado yo?», se preguntaba Esteban, desde niño, al pensar que unos clavos, traspasando el centro de la mano, no debían doler tanto. Y había probado, cien veces, hincándose con un lápiz, con una aguja de bordar, con el pico de una alcuza, empujando y hundiendo, sin mucho sufrir. Con los pies, la prueba sería más ardua, sin duda, a causa del espesor. Era posible, sin embargo, que la crucifixión no hubiese sido el peor de los suplicios inventados por el hombre. Pero la Cruz era un Ancora y era un Arbol, y era necesario que el Hijo de Dios padeciera su agonía sobre la forma que simbolizaba a la vez la Tierra y el Agua —la madera y el mar, cuyo eterno coloquio había sorprendido Esteban, aquella mañana, en la angosta sala del Hospital. Sacado de sus reflexiones intemporales por un toque de corneta arrojado desde lo alto de la fortaleza, pasó bruscamente a pensar que la debilidad de la Revolución, que tanto atronaba el mundo con las voces de un nuevo *Dies Irae,* estaba en su ausencia de dioses válidos. El Ser Supremo era un dios sin historia. No le había surgido un Moisés con estatura suficiente para escuchar las palabras de la Zarza Ardiente, concertando una alianza entre el Eterno y las tribus de su predilección. No se había hecho carne ni había habitado entre nosotros. A las ceremonias celebradas en su honor faltaba la Sacralidad; faltaba la continuidad de propósitos, la inquebrantabilidad ante lo contingente e inmediato que inscribía, en una trayectoria de siglos, al Lapidado de Jerusalem con los cuarenta Legionarios de Sebastés; al Arquero Sebastián, al Pastor Ireneo, los doctores Agustín, Anselmo y Tomás, con el moderno Felipe de Jesús, mártir de Filipinas, por quien varios santuarios mexicanos se adornaban de Cristos chinos, hechos de fibra de caña de azúcar, con tales texturas de carne que la mano, al tocarlos, retrocedía ante una ilusión de pálpito aún viviente en la herida de Lanza —única Lanza de tal suerte enrojecida— que se les abría en el costado... Sin necesidad de orar, puesto que no tenía fe, Esteban se complacía en la compañía del crucificado, sintiéndose devuelto a un clima familiar. Aquel Dios le pertenecía por herencia y derecho; podía rechazarlo, pero formaba parte del patrimonio de los de su raza. «Buenos días», le dijo jovialmente, a media voz. «Buenos días», respondió, detrás de él, la voz queda de la Superiora. Esteban, sin mayores preámbulos, le expuso el objeto de su visita. «Vaya a Sinnamary como emisario nuestro —le dijo la religiosa— y busque allá al Abate Brottier, a quien puede confiar sus encomiendas. Es el único amigo seguro que tiene, en esta colonia, el Señor Billaud-Varennes...» «Decididamente —pensó Esteban—, aquí ocurren cosas muy raras.»

XXXI

La deportación, era muy cierto, había transformado Sinnamary en un rarísimo lugar, que tenía algo de irreal y de fantástico, dentro de la sórdida realidad de sus miserias y purulencias. En medio de una vegetación de los orígenes del mundo, aquello era como un Estado Antiguo, asolado por la peste, transitado por los entierros, cuyos hombres, vistos por un Hoggart, animaran una perenne caricatura de sus oficios y funciones. Ahí estaban los Sacerdotes, con sus libros prohibidos nuevamente sacados a la luz, que ahora celebraban sus misas en la Catedral de la Selva: casa colectiva de indios, cuya sala común tenía algo de nave gótica, con sus empinadas vigueterías, sosteniendo una alta techumbre de hojas de palmera. Ahí estaban los Diputados, siempre divididos, discutidores, cismáticos, invocando la Historia, citando textos clásicos, dueños del Agora que era un traspatio de fonda, bordeado por corrales cuyos cerdos asomaban la trompa entre las rejas cuando las discusiones se acaloraban demasiado. Ahí estaba el

Ejército, representado por el increíble Pichgru —Pichgru era un personaje que Esteban no acertaba a integrar en el personaje guayanés— que daba órdenes a una armada de espectros, olvidando que un Océano lo separaba de sus soldados. Y, en medio de todos, taciturno, aborrecido como un Atrida, estaba el Tirano de otros días, a quien nadie dirigía la palabra, sordo, ausente, indiferente al odio que suscitaba su presencia. Los niños se detenían al paso del ex Presidente de los Jacobinos, ex Presidente de la Convención, ex miembro del Comité de Salud Pública: del hombre que había aprobado las matanzas de Lyón, de Nantes, de Arrás, firmante de las Leyes de Pradial, consejero de Fouquier-Tinville, que no vacilara en pedir las muertes de Saint-Just, de Couthon y del mismo Robespierre, luego de empujar a Dantón hacia el cadalso —todo lo cual no era mucho para los negros de Cayena, sin embargo, al lado del matricidio que significaba, para ellos, la decapitación de una Reina que había sido, según se la imaginaban, la Reina de algo tan enorme como era la Europa. Y, hecho singular, todo aquel pasado de tragedia, vivido en el más vasto escenario del mundo, confería a Billaud-Varennes una escalofriante majestad— de poder de fascinación ejercido sobre las personas que más lo detestaban. Mientras otros, que hubiesen podido ser tenidos por sus amigos, se alejaban, ostentosamente de él, a su casa se acercaban, de pronto, con los más raros pretextos, algún andrajoso cura bretón, un antiguo girondino, un terrateniente arruinado por la liberación de esclavos, o un fino abate de espíritu enciclopédico como este Brottier, a cuya puerta tocaba Esteban ahora, luego del tedioso viaje en goleta a lo largo de una costa baja, cubierta de marismas y manglares. Quien salió a recibir al joven fue un cultivador suizo con encendida nariz de bebedor de vino blanco, llamado Sieger, que esperaba al Abate: «Está asistiendo a varios agonizantes —dijo—. Ahora que el cerdo de Jeannet se ha resuelto a mandarles medicinas, garbanzos y anís, es cuando los deportados revientan a razón de diez a doce por día. Cuando llegue Burnel, esto no será sino un vasto cementerio, como lo es ya Iracubo». Supo Esteban entonces que Billaud estaba tan confiado en la protección del nuevo Agente del Directorio que ya se disponía a ocupar un cargo importante en la colonia, redactando —en espera de ello— un programa de reformas administrativas. Ceñudo, imperturbable, paseaba aquel Orestes por los alrededores de Sinnamary, en horas del atardecer, conservando una corrección vestimentaria que contrastaba singularmente con el descuido creciente de otros deportados, cuyos meses de padecimiento hubieran podido contarse, a simple vista, por el grado de miseria y abandono de sus atuendos. Los recién llegados se acorazaban de dignidad, agigantados por el Traje, en un mundo de seres encorvados y desnudos. Rodeado de implorantes y de vencidos, alzaba la frente el Magistrado, prometiendo que pronto se le vería en París, confundiendo y castigando a sus enemigos; lucía sus paramentos el Jefe Militar en desgracia, hablando de «sus» oficiales, «sus» infantes y cañones. Sentíase Representante del Pueblo quien hubiera dejado de serlo para siempre; componía piezas satíricas y cantos vengadores el Autor olvidado, a quien sus mismos parientes tenían por muerto. Cada cual se daba a escribir Memorias, Apologías, Historias de la Revolución, incontables Teorías del Estado, cuyas cuartillas eran leídas en corro, a la sombra de un algarrobo o de un macizo de bambúes. Esta exhibición de orgullos, inquinas y despechos, en medio de la maleza tropical, se hacía una nueva Danza Macabra, donde cada cual, ostentando Grados y Dignidades, estaba ya emplazado por el hambre, la enfermedad y la muerte. Confiaba éste en la amistad de un alto personaje; el otro en la tenacidad de un abogado; el de más allá, en una inminente revisión de «su caso». Pero, vueltos a sus chozas, comenzaban a verse los pies roídos por insectos que les socavaban las uñas, y cada mañana salían los cuerpos del sueño con nuevas llagas, abscesos y sarnas. Al principio siempre sucedía lo mismo: cuando los de una nueva hornada conservaban alguna energía, se constituían en comunidades rousseaunianas, repartiéndose tareas, imponiéndose horarios y disciplinas —citando las *Geórgicas*, para infundirse valor. Se reparaba la choza dejada libre por la muerte de sus últimos moradores; se iba por leña y por agua, mientras los más se entregaban a la tarea de talar, roturar y sembrar. Con ayuda de la caza y de la pesca, se contaba alcanzar el tiempo de la primera cosecha. Y como no podía el Magistrado ensuciar su única casaca, ni el Jefe Militar deslucir su uniforme, se pasaba al traje de paño burdo, al capisayo de estameña, pronto manchados por resinas y savias vegetales de las que desafiaban cualquier lejía. Cobraban todos un aspecto de labriegos a lo Le Nain, con las barbas hirsutas y los ojos cada vez más hundidos en el rostro. La Muerte, diligente y laboriosa, actuaba ya en el cuadro de sus labranzas, ayudando a deshierbar, a remover la tierra, a aventar las semillas en el surco. Comenzaba éste a tener calenturas; el otro a vomitar bilis verdosas; el de más allá a sentirse el vientre hinchado y revuelto. Las plantas selváticas, entre tanto, invadían y volvían a invadir las zonas taladas, cuyas plantas eran roídas, al nacer, por cien especies de alimañas. Y eran ya mendigos macilentos los que aún se empeñaban en sacar algo del suelo, cuando reventaban unas lluvias tan densas y encarnizadas, que una mañana se amanecía en las viviendas con el agua a medias piernas, en medio de ríos desbordados, de pastos que ya no podían sorber más. Ese era el momento escogido por los negros para arrojar sus maleficios sobre los improvisados colonos, a quienes tenían por intrusos, arbitrariamente instalados en tierras cuya propiedad eventual reclamaban para sí mismos. A cada despertar, el Magistrado, el Jefe Militar, el Representante del Pueblo, se encontraban amenazados por extrañas cosas, tan escalofriantes como indescifrables; un cráneo de res con los cuernos pintados de rojo, plantado frente a la choza; o eran calabazas llenas de huesecillos, granos de maíz y limallas de hierro; o eran piedras, en forma de rostros, en las cuales habían encajado conchas a modo de ojos y dientes. Había guijarros envueltos en paños ensangrentados; gallinas negras colgadas de un dintel, cabeza abajo; o bien lazos de cabellos humanos, fijos en la puerta por un clavo —un clavo ignorado, donde todo clavo tenía su precio, hundido poco antes, sin que sonara un martillazo. Una atmósfera de maleficios envolvía a los deportados, bajo las nubes negras que parecían pesar sobre los techos. Recordaban algunos, para tranquilizarse, a las brujas de Bretaña o los dañosos del Poiou, aunque sin poder conciliar ya un sueño apacible, al saberse rondados, vigilados, visitados por oficiantes nocturnos que nunca dejaban huellas y se valían de signos misteriosos para afirmar su presencia. Horadados por una polilla invisible, el uniforme del Jefe Militar, la casaca del Magistrado, la última camisa del Tribuno, se quedaban en las manos, un buen día, en jirones, cuando un crótalo, oculto en la maleza, no zanjaba la situación con la rapidez de su implacable proyección de resorte lanzado por un potente empuje de la cola. En pocos meses, el soberbio Magistrado, el engreído Jefe Militar, el Tribuno de otros tiempos, el Representante del Pueblo, el Sacerdote refractario, el Acusador Público, el Policía-de-las-denuncias, el Influyente-de-antes, el Abogado-de-las-componendas, el Monárquico Renegado y el Babuvista empeñado en abolir la propiedad privada se habían transformado en lamentables cosas, envueltas en andrajos, que se arrastraban hacia una tumba de barro frío, cuya cruz y apellido serían borrados de la tierra al reventar las próximas lluvias. Y, como si todo esto fuese poco, abatíase sobre estos campos de aniquilamiento el vuelo rapaz de los ínfimos funcionarios coloniales, traficantes de la roña que, a cambio del envío de una carta, de la promesa de traer a un cirujano, de conseguir alguna pócima, tafia o alimento, se llevaban el anillo de matrimonio, un dije, un medallón de familia —alguna pertenencia defendida hasta la extenuación como último asidero para hallar una razón de vivir.

Ya caía la noche cuando Sieger, cansado de esperar, propuso a Esteban que pasaran por la casa del Aborrecido, donde era probable que estuviese el abate Brottier. Esteban no había mostrado interés, hasta ahora, en ver personalmente al demasiado famoso deportado; pero la noticia de que éste disfrutaría pronto de alguna autoridad en Cayena lo decidió a aceptar la proposición del suizo. Y, con una mezcla de curiosidad y de miedo, entró en la casa destartalada, aunque tenida en extraordinaria limpieza, donde Billaud, con ojos que reflejaban un tedio de meses, sentado en una butaca roída por el comején, leía periódicos viejos.

XXXII

Fiero Monstruo.

GOYA

Había algo de la dignidad de un rey destronado en la deferencia algo distante con que el Terrible de otros días recibió los envíos de Víctor Hugues. No pareció interesarse mayormente por saber lo que contenían los bultos ni las cajas lacradas, brindando a Esteban un puesto en su mesa y una cama —prudentemente calificada de «lacedemonia»— para pasar la noche. Preguntó luego si en la Guadalupe se tenían noticias que no hubiesen llegado a «esta sentina del mundo» que era Cayena. Y al enterarse que Víctor Hugues había sido llamado a París para rendir cuentas de su gobierno, se puso de pie, montando en repentina cólera: «¡Eso!... ¡Eso! Los cretinos aniquilarán ahora a quien impidió que la isla se volviese una colonia inglesa. Ahora perderán la Guadalupe, en espera de que la pérfida Albión les arrebate esta Guayana». («Su idioma no ha cambiado mucho», pensaba Esteban, recordando que había traducido un famoso discurso de Billaud donde invectivaba a «La pérfida Albión», que pretendía asegurarse el dominio de los mares «cubriendo el Océano con sus fortalezas flotantes»). Pero en eso llegó el Abate Brottier, muy alterado por algo que acababa de ver: para sepultar más rápidamente a los muertos del día, los soldados de la guarnición negra de Sinnamary les cavaban unas fosas escandalosamente insuficientes —saltando sobre el vientre de los cadáveres para meterlos a la fuerza en huecos donde apenas si cabría una oveja. En otros lugares no se daban siquiera el trabajo de cargar con los cuerpos, arrastrándolos por los pies hasta el lugar del sepelio. «Y todavía dejaron a cinco sin enterrar, amarrados en sus hamacas, ya hediondos, porque decían que estaban cansados de levantar tanta carroña. Esta noche los muertos y los vivos estarán juntos en las casas de Sinnamary». (Esteban no podía sino pensar en otro párrafo del mismo discurso de Billaud, pronunciado cuatro años antes: «*La muerte es una llamada a la igualdad, que un pueblo libre debe consagrar por un acto público que le recuerde sin cesar la Advertencia necesaria. Una Pompa Fúnebre es un homenaje consolador que borra hasta la huella horrorosa de la muerte: es el último adiós de la naturaleza*»). «¡Y pensar que hemos dado la libertad a esa gente!», decía Billaud, volviendo a una idea fija que lo obsesionaba desde su llegada a Cayena. «Tampoco habría que pintarnos demasiado el Decreto de Pluvioso como el noble error del humanitarismo revolucionario —observó Brottier irónicamente, con el desenfadado tono de quien se permitía la libertad de discutir con el Terrible—. Cuando Sonthonax, en Santo Domingo, penso que los españoles se iban a echar sobre la colonia, proclamó por su cuenta y riesgo la libertad de los negros. Esto ocurría un año antes de que ustedes lloraran de entusiasmo, en la Convención, declarando establecida la igualdad entre todos los habitantes de las posesiones francesas de ultramar. En Haití, lo hicieron por quitarse a los españoles de encima; en la Guadalupe, para arrojar más seguramente a los ingleses; aquí, por acogotar a los ricos propietarios y a los viejos acadienses, muy dispuestos a aliarse con los británicos y los holandeses para evitar que la guillotina de la Pointe-à-Pitre fuese traída a Cayena. ¡Mera política colonial!» «Y con pésimos resultados —dijo Sieger, que había quedado sin mano de obra a causa del Decreto de Pluvioso—. Sonthonax se ha fugado a la Habana. Ahora los negros de Haití quieren su independencia». «Como la quieren aquí», dijo Brottier, recordando que ya se habían debelado dos conspiraciones libertarias en estas Guayanas, atribuyéndose a Collot d'Herbois, aunque acaso fantasiosamente, la iniciativa de la segunda. (Esteban no pudo reprimir una risa, inexplicable para los demás, al pensar que Collot hubiese querido crear una Coblenza Negra en estas tierras). «Todavía recuerdo —decía Sieger— aquella ridícula proclama que Jeannet hizo fijar en las paredes de Cayena, cuando anunció el Gran Acontecimiento. —Y, ahuecando la voz—: «*Ya no existen amos ni esclavos... Los ciudadanos conocidos hasta la fecha con el nombre de negros cimarrones pueden regresar junto a sus hermanos, que les prestarán seguridad, protección y la alegría que provoca el disfrute de los derechos del hombre. Aquellos que eran esclavos pueden tratar de igual a igual con sus antiguos amos en los trabajos a terminar o a emprender*». Y bajando la voz—: «Todo lo que hizo la Revolución Francesa en América fue legalizar una Gran Cimarronada que no cesa desde el siglo XVI. Los negros no los esperaron a ustedes para proclamarse libres un número incalculable de veces». Y con un conocimiento de crónicas americanas, insólito para un francés (pero recordó Esteban, al punto, que era suizo), el cultivador se dio a hacer un recuento de las sublevaciones negras que, con tremebunda continuidad, se habían sucedido en el Continente... Con un trueno de tambores habíase abierto el ciclo en Venezuela, cuando el Negro Miguel, alzándose con los mineros de Buría, fundara un reino en tierras tan blancas y deslumbradoras que parecían de cristal molido. Y no sonaron tubos de órganos, sino tubos de bambú rítmicamente golpeados contra el suelo, en ceremonia de consagración, cuando un Obispo congo o yoruba, ignorado por Roma pero llevando la mitra y el báculo, hubo de ceñir regia corona en las sienes de la Negra Guiomar, esposa del primer monarca africano de América: Tanto montaba Guiomar como Miguel... Y ya están sonando los tambores de la Cañada de los Negros, en México, y a lo largo de la costa de la Veracruz, donde el Virrey Martín Enríquez, para escarmiento de cimarrones, ordena la castración de los huidos «sin más averiguación de delito ni exceso» ... Y si aquellos intentos habían sido efímeros, sesenta y cinco años habría de durar el fuerte Palenque de los Palmares, fundado en plena selva brasileña por el alto caudillo Ganga-Zumba, en cuyas blandas fortificaciones de madera y fibras se estrellaron más de veinte expediciones militares, holandesas y portuguesas, dotadas de una artillería inoperante contra estrategias que remozaban viejos ardides de guerras númidas, usándose de animales, a veces para poner el pánico en el ánimo de los blancos. Invulnerable a las balas era Zumbí, sobrino del Rey Zumba, Mariscal de Ejércitos cuyos hombres podían andar por los techos de la selva, cayendo sobre las columnas enemigas como frutas maduras ... Y la Guerra de los

Palmares duraría cuarenta años más cuando los cimarrones de Jamaica se largaban al monte, creando un estado libre que duraría casi un siglo. Tuvo la Corona Británica que acercarse a los montaraces para tratar con ellos de gobierno a gobierno, prometiendo a su cabecilla, un jorobado llamado Old Cudjoe, la manumisión de toda su gente y la cesión de mil quinientos acres de tierra... Diez años después los tambores tronaban en Haití: En la región del Cabo, el Mahometano Mackandal, manco a quien se atribuían poderes licantrópicos, emprendía una Revolución-por-el-Veneno, llenando las casas y los potreros de tósigos desconocidos que fulminaban a los hombres y a los animales domésticos. Y no bien había sido quemado el mandinga en plaza pública, cuando Holanda tenía que reunir un ejército de mercenarios europeos para combatir, en las selvas de Surinam, las tremebundas fuerzas cimarronas de tres caudillos populares, Zan-Zan, Boston y Arabay, que amenazaban con arruinar la colonia. Cuatro campañas agotadoras no pudieron acabar del todo con un mundo secreto, entendedor del lenguaje de las maderas, pieles y fibras, que se esfumó en sus poblados ocultos en intrincados arcabucos, donde volvióse a la adoración de los dioses ancestrales... Y ya parecía que el Orden-de-los-Blancos estaba restablecido en el Continente cuando, no más que siete años antes, otro negro mahometano, Bouckman, se había alzado en el Bosque Caimán de Santo Domingo, quemando las casas y asolando los campos. Y ahora no hacía tres años, los negros de Jamaica habían vuelto a levantarse para vengar la condena de dos ladrones supliciados en Trelawney-Town. Había sido preciso movilizar las tropas de Fort Royal y llevar jaurías ranchadoras cubanas a Montego-Bay para sofocar aquella sublevación reciente. Y ahora, en este momento, los pardos de Bahía hacían sonar nuevos parches; los de la «Rebelión de los Sastres» que reclamaban, en compás de macumba, privilegios de Igualdad y Fraternidad, metiendo los tambores-djuka en la misma Revolución Francesa... «Bien puede verse —concluía Sieger— que el famoso Decreto de Pluvioso no ha traído nada nuevo a este Continente, como no sea una razón más para seguir en la Gran Cimarronada de siempre». «Maravilla pensar —dijo

Brottier después de un silencio— que los negros de Haití se negaron a aceptar la guillotina. Sonthonaz sólo pudo alzarla una vez. Los negros acudieron en masa para ver cómo con ella se decapitaba a un hombre. Entendido su mecanismo se arrojaron todos sobre la máquina enfurecidos, y la hicieron pedazos». El Abate había disparado la saeta, sabiendo dónde habría de herir. «¿Hubo que mostrar una gran severidad para restablecer el orden en la Guadalupe?», preguntó Billaud, quien debía estar más que enterado de lo ocurrido allá. «Sobre todo al principio —dijo el joven—, cuando la guillotina estaba en la Plaza de la Victoria». «Dura realidad que no perdona a hombres ni mujeres», dijo Sieger con tono ambiguo. «Aunque no recuerdo que allá se haya guillotinado nunca a una mujer», dijo Esteban, dándose cuenta, al punto, de lo inoportuno de su observación. El Abate, con harta prisa por desviar la conversación, se enmarañó en consideraciones obvias. «Es que sólo los blancos someten las mujeres al rigor de sus leyes más extremas. Los negros despatarran, violan, destripan, pero serían incapaces de ejecutar a una mujer en frío. Al menos, no conozco ejemplo». «Para ellos la mujer es un vientre», dijo Esteban. «Para nosotros es una cabeza —dijo Sieger—. Llevar un vientre entre las caderas es mero destino. Llevar una cabeza sobre los hombros es una responsabilidad». Billaud se encogió de hombros para significar que la salida del suizo carecía de ingenio. «Volvamos a nuestros relojes», dijo con una leve sonrisa que apenas si le movía el rostro, tan impasible que nunca acababa de saberse si estaba sumido en sus reflexiones o atendía la conversación. El cultivador regresó a su recuento de cimarronadas: «Lo que sé es que el Bartolomé de las Casas fue uno de los mayores criminales de la Historia. Ha creado, hace casi tres siglos, un problema de tal magnitud que rebasa el mismo alcance de un acontecimiento como la Revolución. Considerarán nuestros nietos estos horrores de Sinnamary, de Kurú, de Cananama, de Iracubo, como ínfimas peripecias del padecer humano, cuando el problema del negro seguirá en pie. Ahora legalizamos su cimarronada de Santo Domingo y ya nos arroja de la isla. Luego reclamará la convivencia en pie de total igualdad con el blanco». «Eso no lo conseguirá nunca», gritó Billaud. «¿Y por qué?», preguntó Brottier. «Porque somos *distintos*. Estoy muy de vueltas de ciertos sueños filantrópicos, señor Abate. Mucho tiene que caminar un númida para llegar a ser romano. Un garamanta no es un ateniense. Este Ponto Euxino donde estamos desterrados no es el Mediterráneo»... En eso apareció Brígida, la joven sirvienta de Billaud que, en sus idas y venidas de la cocina a la desordenada estancia que servía de comedor había llamado la atención de Esteban por una finura de rasgos, inhabitual en una mujer sin traza de grifa ni de cuarterona. Tendría acaso trece años, pero su menudo cuerpo estaba formado, dibujándose en redondeces que le estiraban la burda tela del vestido. Con voz respetuosamente queda anunció que la cena —abundante olla podrida de batatas, bananos y cecina —estaba servida. Billaud fue por una botella de vino, lujo extraordinario del que disfrutaba desde hacía apenas tres días, y los cuatro se sentaron frente a frente, sin que Esteban lograra entender por qué concurso de circunstancias insólitas se había estrechado una tan rara amistad entre el Aborrecido, un Abate que acaso le debía la deportación, y un cultivador calvinista que se hallaba arruinado a causa de las ideas que el amo de la casa encarnaba. Ahora todos hablaban de política. Se decía que Hoche había muerto envenenado. Que la popularidad de Bonaparte aumentaba de día en día. Que habían aparecido, entre los papeles del Incorruptible, unas cartas reveladoras de que, cuando fuera derribado por los acontecimientos de Thermidor, se estaba disponiendo a pasar al extranjero, donde tenía bienes particulares en buen recaudo. Cansaban a Esteban, desde hacía tiempo, esos eternos comadreos en torno a los ambiciosos de hoy o los poderosos de ayer. Todas las conversaciones, en esta época, iban a parar a lo mismo. Llegaba el joven a añorar la posibilidad de un apacible coloquio en torno a la Ciudad de Dios, la vida de los castores o las maravillas de la electricidad. Sintiéndose invadido por un sueño tenaz, no eran las ocho cuando se excusó de tanto cabecear y pidió permiso para echarse en el jergón que Billaud le había ofrecido. Tomó un libro que alguien había dejado en un taburete. Era una novela de Ann Radcliff. *El Italiano o el Con-*

fesionario de los Penitentes Negros. Se sintió íntimamente aludido por una frase encontrada al azar: *Alas! I have no longer a home: a circle to smile wescome upon me. I have no longer even one friend to support, to retain me! I am a miserable wanderer on a distant shore!...*

Despertó poco después de la medianoche: en la habitación contigua, con la camisa quitada a causa del calor, Billaud-Varennes escribía a la luz de un candil. De cuando en cuando mataba con un potente manotazo algún insecto que se hubiera posado sobre sus hombros o su nuca. Cerca de él, echada sobre un camastro, la joven Brígida, desnuda, se abanicaba los pechos y los muslos con un número viejo de *La décade philosophique.*

XXXIII

Aquel mes de octubre —un octubre aciclonado, con violentas lluvias nocturnas, calores intolerables en las mañanas, súbitas borrascas de mediodía que no hacían sino espesar el bochorno con evaporaciones olientes a barro, a ladrillo, a ceniza mojada— fue de constante crisis moral para Esteban. La muerte del Abate Brottier, derribado durante una breve permanencia en Cayena, por obra de alguna peste traída de Sinnamary, lo afectó en grado sumo. El joven había puesto algunas esperanzas en las posibles influencias del activo y desenvuelto eclesiástico para hallar el modo de pasar a Surinam. Pero ahora, sin tener a quién confiarse, Esteban seguía preso con toda una ciudad, con todo un país, por cárcel. Y ese país tenía tales espesores de selva en la Tierra Firme, que sólo el mar era puerta, y esa puerta le estaba cerrada con enormes llaves de papel, que eran las peores. Asistíase en esta época a una multiplicación, a una universal proliferación de papeles, cubiertos de cuños, sellos, firmas y contrafirmas, cuyos nombres agotaban los sinónimos de «permiso», «salvoconducto», «pasaporte», y cuantos vocablos pudiesen significar una autorización para moverse de un país a otro, de una comarca a otra —a veces de una ciudad a otra. Los almojarifes, diezmeros, portagueros, alcabaleros y aduaneros de otros tiempos quedaban apenas en pintoresco anuncio de la mesnada policial y política que ahora se aplicaba, en todas partes —unos por temor a la Revolución, otros por temor a la contrarrevolución— a coartar la libertad del hombre, en cuanto se refería a su primordial, fecunda, creadora, posibilidad de moverse sobre la superficie del planeta que le hubiese tocado en suerte habitar. Esteban se exasperaba, pataleaba de furor, al pensar que el ser humano, renegando de un nomadismo ancestral, tuviese que someter su soberana voluntad de traslado a *un papel.* «Decididamente —pensaba— no he nacido para ser lo que hoy se entiende por un buen ciudadano...» Durante aquel mes, todo fue confusión, estrépito y desorden en Cayena. Jeannet, irritado por su destitución, arrojó las milicias negras contra las tropas alsacianas que reclamaban varios meses de sueldo. Pero, asustado de lo hecho, anunció un inminente bloqueo de la colonia por escuadras norteamericanas, alzando el fantasma de una posible hambruna, que puso colas de gentes alarmadas en las puertas de los comercios de víveres. «Con esto acaba de vender las mercancías que tiene almacenadas, antes de que las agarre el otro», decía Hauguard, viejo contemplador de trapacerías coloniales... Y comenzando noviembre se aplacó la tensión con la llegada de Burnel a bordo de la fragata la *Insurgente,* saludada con salvas de cañonazos en el fuerte. Apenas se vio instalado en la Casa de Gobierno, el nuevo Agente del Directorio, sin hacer caso de quienes se hacinaban en sus recámaras para «informarlo» de muchas cosas, hizo venir a Billaud-Varennes de Sinnamary, abrazándolo aparatosamente ante el susto de quienes creían que el Temible de otros días estaba más olvidado. Se supo en Cayena que los dos hombres, encerrados durante tres días en un despacho a donde les llevaban hasta el queso y el vino de sus pequeñas colaciones de entrecomidas, habían examinado una serie de problemas políticos locales. Acaso consideraran también la situación de los deportados, pues algunos de los enfermos de Kurú fueron llevados inesperadamente a Sinnamary. «Un poco tarde —rezongaba Hauguard entre dientes—. La mortandad en Kurú, Conanama e Iracubo es, en los mejores meses, de un treinta por ciento. Sé de un lote de cincuenta y ocho presos traídos por la *Bayonnaise* hace un año, del que sólo quedan dos hombres vivos. Entre los últimos muertos se encontraba un sabio, Havelange, rector de la Universidad de Lovaina». Tenía razón el posadero: la deportación había superado sus propios fines en aquellos campos de muerte, cubiertos de buitres negros, osamentas y tumbas. Cuatro grandes ríos de la Guayana habían prestado sus nombres indios a vastos cementerios de hombres blancos —muertos, muchos de ellos, por haber permanecido fieles a una religión que el hombre blanco se esforzaba por inculcar a los indios de América desde hacía casi tres siglos... El suizo Sieger, que había venido a la ciudad con el objeto de tratar discretamente de la compra de una finca para Billaud-Varennes, hizo a Esteban una sorprendente confidencia que demostraba hasta qué punto un cierto espíritu jacobino, cordelero y «enragé», volvía a imponerse en el gobierno de Cayena: Burnel, secretamente respaldado por el Directorio, tenía el propósito de despachar agentes secretos a Surinam, con el fin de promover allá una general sublevación de esclavos, al calor del Decreto de Pluvioso del año II, para anexarse luego aquella colonia —felonía tanto más incalificable si se pensaba que Holanda era, por ahora, la única leal aliada que en estas tierras tenía Francia. Aquella noche, Esteban invitó al suizo a su habitación, para hacerle beber los mejores vinos de la posada, en compañía de las fámulas Angesse y Scholastique, que poco se hicieron rogar para quitarse las blusas y las faldas cuando Hauguard, nada escandalizado por los antojos de sus huéspedes, se fue a acostar. Después de bien dormida la juerga, el joven se franqueó con Sieger, suplicándole que usara su influencia en conseguirle un pasaporte para Surinam. «Allá —afirmaba con gesto cómplice— podré ser sumamente útil como propagandista o agitador». «Hace bien en tratar de largarse —dijo el otro—. Este país sólo puede interesar ya a los especuladores, amigos del gobierno. O se es político o se es testaferro. Usted ha sido simpático a Billaud. Trataremos de conseguirle el papel que necesita»... Una semana después zarpaba la *Diomede,* ahora llamada *l'Italie Conquise,* hacia la vecina colonia para tratar de vender allá, esta vez en beneficio de Burnel, un cargamento de mercancías tomadas en corso por los capitanes de Jeannet.

Cuando Esteban, después de su angustiada espera en el depresivo y sórdido ambiente de Cayena —mundo cuya historia toda no era sino una sucesión de rapiñas, epidemias, matanzas, destierros, agonías colectivas— se encontró en las calles de Paramaribo, tuvo la impresión de haber caído en una ciudad pintada y adornada para una gran fiesta —ciudad con algo de kermese flamenca y mucho de una Jauja tropical. Una abundancia de bodegón parecía haberse derramado en las avenidas sembradas de naranjos, tamarindos y limoneros, con sus rientes casas de hermosa madera —las había de tres, de cuatro pisos..., cuyas ventanas sin cristales tenían cortinas de gasa. Los interiores se adornaban de grandes armarios, hinchados por la prosperidad, y bajo altos mosquiteros de tul se mecían anchurosas hamacas con flecos de pasamanería. Habían reaparecido, para Esteban, las girándulas y arañas, los espejos de aguas profundas, los parabrisas y cristales de su infancia. Se rodaban toneles sobre los andenes de carga; graznaban los gansos en sus traspatios; alborotábanse los pífanos de la guarnición, y, desde lo alto del Fuerte Zelandia, marcaba un guardia el paso de las horas en el reloj de sol, martillando una campana con giratorio gesto de estafermo. En las tiendas de comestibles, junto a la carnicería donde ofrecíase la carne de tortuga junto al pernil tachonado de ajos, habían reaparecido las maravillas —algo olvidadas por Esteban— de la cerveza Porter, los espesos jamones de Westfalia, las anguilas y salmonetes ahumados, las anchoas en escabeche de alcaparras y laurel, y la máscula mostaza de Durham. Por el río bogaban barcas de proa dorada y fanal en popa, con sus remeros negros de taparrabos blancos, zagualando entre toldos y doseles de sedas claras o terciopelo de Génova. A tal refinamiento se había llegado, en esta Holanda ultramarina, que los pisos de caoba eran frotados, cada día, con naranjas agrias, cuyo zumo, sorbido por la madera, despedía un delicioso perfume a especias

La iglesia católica, los templos protestantes y luteranos, la sinagoga portuguesa, la sinagoga alemana, con sus esquilas, sus órganos, sus cánticos, sus himnos y sus salmodias, resonantes en domingos y celebraciones, de Navidades a Grandes Perdones, de Pascuas Judías a Sábados de Gloria, con sus textos y liturgias, sus cirios dorados, sus iluminarias, las suntuosas lámparas del Hanukkah-Menorah, se alzaban ante los ojos de Esteban como símbolos de una tolerancia que el hombre, en ciertas partes del mundo se había empeñado en conquistar y defender, sin flaquear ante inquisiciones religiosas o políticas... Mientras la *l'Italie Conquise* procedía a la descarga y venta de sus mercancías, el joven se daba a retozar en las orillas del río Surinam, que era como el balneario público de la ciudad, enterándose de la frecuente llegada de navíos norteamericanos, entre los cuales se contaba un esbelto velero llamado el *Arrow*. Sin atreverse a esperar que su permanencia en Paramaribo coincidiera con la aparición del buque del Capitán Dexter —además, al cabo de seis años bien podía haber cambiado de mando—, Esteban se veía en la etapa final de su aventura. Ahora quedaría en Paramaribo, cuando zarpara la goleta francesa, en calidad de «agente comercial» del gobierno de Cayena, con la misión de repartir, donde mejor efecto pudiesen producir, varios centenares de copias impresas del Decreto de Pluvioso del Año II, traducido al holandés, y acompañado de llamadas a la sedición. Esteban ya había elegido el lugar donde arrojaría los papeles, bien atados a piedras grandes, para que desaparecieran por siempre en las honduras del río. Luego, esperaría a que llegara un barco yanqui, de los que, al regresar a Baltimore o a Boston, fondeaban en Santiago de Cuba o la Habana. Entre tanto trataría de holgarse con alguna de las holandesas rubias, abundosas y muelles, casi doradas en medio de los encajes con que envolvían sus carnes, de las que se asomaban a las ventanas después de la cena para respirar el aire nocturno. Unas cantaban acompañándose con un laúd; otras, como pretexto de visitas no anunciadas, llevaban, de una puerta a la de más allá sus trabajos de tapicería que ofrecían añorantes visiones de una calle de Delft, la fachada de un ayuntamiento ilustre reconstruido de memoria, o un coloreado embrollo de escudos y tulipanes. Habían advertido a Esteban que los forasteros eran particularmente distinguidos por tan amables personas, sabedoras de que sus esposos tenían queridas de tez oscura en las haciendas del campo donde demasiado a menudo se quedaban a dormir: *Nigra sum, sed formosa, filiae Ierusalem. Nolite me considerare quod fusca sum quia decoloravit me sol.* El soterrado conflicto, por lo demás, no era de aquí ni de allá. Muchos hombres blancos, vencido un escrúpulo primero, se aficionaban de tal modo al calor de la carne oscura que parecía cosa de embrujo. Corrían leyendas de maceraciones, de drogas, de aguas misteriosas, administradas subrepticiamente al amante de tez clara, para «amarrarlo», tenerlo, alienar en tal grado su voluntad que acababa por permanecer insensible ante la mujer de su raza. Grato papel era para el Amo actuar de Toro y de Cisne y de Lluvia de Oro, donde su alta simiente se acompañaba de regalos de ajorcas, pañuelos, faldas de indiana y esencias de flores traídas de París. El blanco, cuyos extravíos en tierras ancilares eran considerados con indulgencia, nada perdía de su prestigio al acercarse a la negra. Y si le salían muchos hijos cuarterones, octavones, grifos o sacatrás, la proliferación le acrecía una envidiable fama de Fecundante-Patriarca. La hembra blanca en cambio —y era rarísimo el caso que se acercara al varón de color quebrado— era vista con abominación. No podía desempeñarse peor papel, desde las comarcas de los Natchez hasta las riberas del Mar del Plata, que el de una Desdémona colonial... Con la llegada del *Amazon,* carguero de Baltimore que regresaba del Río de la Plata, terminó la estancia de Esteban en Paramaribo, luego de la partida de *l'Italie Conquise.* Había disfrutado, en el compás de espera, de los favores de una señora madura, lectora de novelas que aún tenía por muy nuevas, como la *Clarisse Harlowe* y la *Pamela* de Richardson, pero de carnes frescas, bienolientes, siempre suavizadas con polvos de arroz usados con suntuaria prodigalidad, que lo obsequiaba con vinos de Portugal, mientras el esposo dormía en la hacienda «Egmont», por motivos sobradamente conocidos... Dos horas antes de llevar sus bagajes a bordo del *Amazon,* Esteban fue al hospital de la ciudad, para cerciorarse con el cirujano jefe, Greuber, de la benignidad de cierta pequeña hinchazón que lo molestaba, bajo el brazo izquierdo. Untado un emoliente en el lugar doloroso, fue despedido por el buen doctor en una sala donde nueve negros, bajo la custodia de guardias armados, fumaban apaciblemente un acre y fermentado tabaco, con olor a vinagre, en pipas de barro con el tubo tan roído que los hornos les venían al colmillo. Y supo el joven con horror que esos esclavos, convictos de un intento de fuga y cimarronada, habían sido condenados por la Corte de Justicia de Surinam a la amputación de la pierna izquierda. Y como la sentencia había de ejecutarse limpiamente, de modo científico, sin usarse de procedimientos arcaicos, propios de épocas bárbaras, que provocaban excesivos sufrimientos o ponían en peligro la vida del culpable, los nueve esclavos eran traídos al mejor cirujano de Paramaribo para que procediera, sierra en mano, a lo dispuesto por el Tribunal. «También se amputan brazos —dijo el doctor Greuber— cuando el esclavo ha levantado la mano sobre su amo.» Y volviéndose el cirujano hacia los que esperaban: «¡Que pase el primero!» Al ver que un alto negro, de voluntariosa frente y recia musculatura, se levantaba en silencio, Esteban, a punto de desmayarse, corrió a la taberna más próxima, clamando por cualquier aguardiente para salir de su propio espanto. Y miraba hacia la fachada del hospital, sin poder desprender la vista de cierta ventana cerrada, pensando en lo que allí ocurría. «Somos las peores bestias de la creación», repetíase con furor, con encono contra sí mismo, capaz de incendiar aquel edificio si hubiese tenido los medios de hacerlo... Desde la borda del *Amazon,* que ya iniciaba su navegación, río abajo, en la corriente media del Surinam, arrojó Esteban varios bultos en medio de una canoa pesquera, donde remaban hombres negros: «Lean esto —les gritó—. Y si no saben leer, busquen a uno que se lo lea». Eran los impresos en holandés del Decreto de Pluvioso del Año II que el joven se felicitaba, ahora, de no haber tirado al agua, como pensaba hacerlo días antes.

XXXIV

...Hallábase frente a las Bocas del Dragón, en la noche inmensamente estrellada, allí donde el Gran Almirante de Fernando e Isabel viera el agua dulce trabada en pelea con el agua salada desde los días de la Creación del Mundo. «La dulce empujaba a la otra por que no entrase, y la salada por que la otra no saliese». Pero, hoy como ayer, los grandes troncos venidos de tierras adentro, arrancados por las crecientes de Agosto, golpeados por las peñas, tomaban los rumbos del mar, escapando al agua dulce para dispersarse sobre la inmensidad de la salada. Veíalos flotar Esteban, hacia Trinidad, Tobago o las Granadinas, dibujados en negro sobre estremecidas fosforescencias, como las largas, larguísimas barcas, que no hacía tantos siglos hubiesen salido por estos mismos rumbos, en busca de una Tierra Prometida. En aquella Edad de Piedra —tan reciente y tan actual para muchos, no obstante— el Imperio del Norte era la obsesión de cuantos se reunían, de noche, en torno a las hogueras. Y sin embargo, era bien poco lo que de él se sabía. Los pescadores tenían sus noticias de boca de otros pescadores, que las tenían de otros pescadores de más lejos y más arriba, que las tenían a su vez de otros más remotos. Pero los Objetos habían viajado, traídos por trueques y navegaciones sin número. Estaban ahí, enigmáticos y solemnes, con todo el misterio de su factura. Eran piedras pequeñas —¿y qué importaba el tamaño?— que hablaban por sus formas; piedras que miraban, que desafiaban, que reían o se crispaban en extrañas muecas, venidas de la tierra donde había explanadas inmensas, baños de vírgenes, edificaciones nunca vistas. Poco a poco, de tanto hablar del Imperio del Norte, los hombres fueron adquiriendo sobre él derecho de propiedad. Tantas cosas habían creado las palabras, llevadas de generación a generación, que esas *cosas* habían pasado a ser una suerte de patrimonio colectivo. Aquel mundo distante era una Tierra-en-Espera, donde por fuerza habría de instalarse un día el Pueblo Predilecto, cuando los signos celestiales señalaran la hora de marchar. En espera de ello, la masa humana engrosaba cada día aumentando el hormigueo de las gentes en la boca del Río-sin-Término, del Río-Madre, situado a centenares de jornadas más al sur de las Bocas del Dragón. Unas tribus habían bajado de sus serranías, abandonando las aldeas donde se viviera desde tiempos inmemoriales. Otras habían desertado la ribera derecha, en tanto que las de selvas adentro iban apareciendo, bajo las lunas nuevas, saliendo de las espesuras por grupos extenuados, con el deslumbramiento de quienes, durante largos meses, hubieran andado en penumbras verdes, siguiendo los caños, sorteando las tuberas... La espera, sin embargo, se prolongaba. Tan vasta iba a ser la empresa, tan largo el camino por recorrer, que no acababan los caudillos de decidirse. Crecían los hijos y los nietos, y aún estaban todos ahí, pululantes, inactivos, hablando de lo mismo, contemplando los Objetos cuyo prestigio se acrecía con la espera. Y una noche, según se recordaría siempre, una forma llameante cruzó el cielo, con un enorme silbido, señalando el rumbo que los hombres se habían fijado desde mucho antes para alcanzar el Imperio del Norte. Entonces la horda se puso en marcha, dividida en centenares de escuadrones combatientes, penetrando en las tierras ajenas. Todos los varones de otros pueblos eran exterminados, implacablemente, conservándose sus mujeres para la proliferación de la raza conquistadora. Así se crearon los idiomas: el de las hembras, lenguaje de cocina y de partos, y el de los hombres, lenguaje de guerreros, cuyo conocimiento se tenía por un privilegio soberano... Más de un siglo duró la marcha a través de selvas, llanuras, desfiladeros, hasta que los invasores se encontraron frente al Mar. Se tenían noticias de que las gentes de otros pueblos, sabedoras del terrible avance de las del Sur, habían pasado a unas islas que existían, lejos aunque no tan lejos, detrás del horizonte. Nuevos Objetos, semejantes a los conocidos, indicaban que el Rumbo de las Islas era acaso el más señalado para alcanzar el Imperio del

Norte. Y como el tiempo no contaba, sino la idea fija de llegar algún día a la Tierra-en-Espera, los hombres se detuvieron para aprender las artes de la navegación. Las canoas rotas, dejadas en las playas, sirvieron de modelos a las primeras que, con troncos ahuecados, fabricaron los invasores. Pero, como habría que afrontar largas distancias, comenzaron a hacerlas cada vez más grandes y espigadas, de mayor eslora, con altas y afiladas proas, donde cabían hasta sesenta hombres. Y un día, los tataranietos de quienes habían iniciado la migración terrestre, iniciaron la migración marítima partiendo, por grupos de barcas, a la descubierta de las islas. Tarea fácil les fue cruzar los estrechos, burlar las corrientes, saltando de tierra en tierra y matando a sus habitantes —mansos agricultores y pescadores que ignoraban las artes de la guerra. De isla en isla iban avanzando los marineros, cada vez más expertos y más audaces, habituados a guiarse ya por la posición de los astros. A medida que proseguían su ruta, crecían ante sus ojos las torres, las explanadas, los edificios, del Imperio del Norte. Se le sentía próximo, con aquellas islas que crecían, tornándose cada vez más montañosas y ricas. Dentro de tres islas, de dos islas, acaso de una —y contábase por islas— se llegaría por fin a la Tierra-en-Espera. Ya estaban las vanguardias en la mayor de todas —acaso última etapa. No se destinaban ya las maravillas próximas a los nietos de los invasores. Eran estos ojos que tengo, los que las contemplarían. Y de sólo pensarlo, se apretaba el ritmo de las salomas y los remos, por filas, se hundían en el mar, impulsados por manos impacientes.

Pero he aquí que en el horizonte empiezan a dibujarse unas formas raras, desconocidas, con alvéolos en los costados y aquellos árboles crecidos en lo alto, sosteniendo paños que se hinchaban o tremolaban, ostentando signos ignorados. Los invasores se topaban con otros invasores, insospechados, insospechables, venidos de no se sabía dónde, que llegaban a punto para aniquilar un sueño de siglos. La Gran Migración ya no tendría objeto: el Imperio del Norte pasaría a manos de los Inesperados. En su despecho, su ira visceral, los Caribes se lanzaban al asalto de esas enormes naves, asombrando con su audacia a quienes las defendían. Se trepaban a las bordas, atacando con una encarnizada desesperación, inexplicable para los recién llegados. Dos tiempos históricos inconciliables, se afrontaban en esa lucha sin tregua posible, que oponía el Hombre de los Totems al Hombre de la Teología. Porque, súbitamente, el Archipiélago en litigio se había vuelto un Archipiélago Teológico. Las islas mudaban de identidad integrándose en el Auto Sacramental del Gran Teatro del Mundo. La primera isla conocida por el invasor venido de un continente inconcebible para el ente de acá, había recibido el nombre de Cristo, al quedar plantada una primera cruz, hecha de ramas en su orilla. Con la segunda habíase remontado a la Madre, al llamarla Santa María de la Concepción. Las Antillas se transformaban en un inmenso vitral, traspasado de luces, donde los Donadores estaban ya presentes en el contorno de la Fernandina y de la Isabela, en tanto que el Apóstol Tomás, Juan Bautista, Santa Lucía, San Martín, Nuestra Señora de la Guadalupe y las supremas figuraciones de la Trinidad, se iban colocando en sus respectivos lugares, mientras nacían las villas de Navidad, de Santiago y Santo Domingo, sobre el cerúleo fondo blanquecido por el laberinto de las Once Mil Vírgenes —incontables como las estrellas del *Campus Stellae.* Dando un salto de milenios, pasaba este Mar Mediterráneo a hacerse heredero del otro Mediterráneo, recibiendo, con el trigo y el latín, el Vino y la Vulgata, la Imposición de los Signos Cristianos. No llegarían jamás los Caribes al Imperio de los Mayas, quedando en raza frustrada y herida de muerte en lo mejor de su empeño secular. Y de su Gran Migración fracasada, que acaso se iniciara en la orilla izquierda del Río de las Amazonas cuando las cronologías de *los otros* señalaban un siglo XIII que no lo era para nadie más, sólo quedaban en playas y orillas la realidad de los petroglifos caribes —jalones de una epopeya nunca escrita— con sus seres dibujados, encajados en la piedra, bajo una orgullosa emblemática solar... Hallábase Esteban en las Bocas del Dragón, en el alba aún estrellada, allí donde el Gran Almirante viera el agua dulce trabada en lucha con el agua salada desde los días de la

Creación del Mundo. «La dulce empujaba a la otra porque no entrare, y la salada porque la otra no saliese.» Pero aquel agua dulce tan caudalosa, no podía provenir sino de la Tierra Infinita o, lo que era mucho más verosímil para quienes aún creyeran en la existencia de los monstruos catalogados por Isidoro de Sevilla, del Paraíso Terrenal. Muy paseado estaba aquel Paraíso Terrenal por los cartógrafos del Asia al Africa, con su fuente nutricia de los máximos ríos. Tan paseado que al probar el agua en que bogaba su nave, el Almirante, hallándola «cada vez más dulce y más sabrosa», columbró que el río que a este mar la arrojaba había de nacer al pie del Arbol de la Vida. Este fulgurante pensamiento le hace dudar de los textos clásicos: «Yo no hallo ni jamás he hallado escriptura de latinos ni de griegos que certificadamente diga el sitio, en este mundo, del Paraíso Terrenal, ni lo he visto en ningún mapamundi». Y ya que el Venerable Beda, y San Ambrosio y Duns Escoto situaban el Paraíso en el Oriente, y a ese Oriente creían haber llegado los hombres de Europa navegando con el Sol y no contra el Sol, se afirmaba la deslumbradora evidencia de que la Isla Española, llamada de San Domingo, era Tarsis, era Caethia, era Ofir y era Ofar y era Cipango —todas las islas o tierras mentadas por los antiguos, que mal se hubiesen ubicado hasta ahora en un universo *cerrado* por España, como lo había sido la Península entera por obra de sus reconquistadores. Venidos eran los «tardos años», anunciados por Séneca, «en los cuales el Mar Océano aflojaría los atamientos de las cosas y se abriría una grande tierra; y un nuevo marinero, como aquel que fuera guía de Jasón, descubriría un nuevo mundo; y entonces no sería ya la isla de Thule la postrera de las tierras». De súbito el Descubrimiento cobraba una gigantesca dimensión teológica. Este viaje al Golfo de las Perlas de la Tierra de Gracia estaba escrito, con relumbrante subrayado, en el Libro de las Profecías de Isaías. Confirmábase el anuncio del Abad Joaquín Calabrés, afirmando que de España saldría quien hubiese de reedificar la Casa del Monte Sión. El mundo tenía forma de pecho de mujer, con un pezón en cuya punta crecía el Arbol de la Vida. Y sabíase ahora que de su inagotable manantial, suficiente para saciar la sed de todos los seres vivos, no sólo brotaban ya el Ganges, el Tigris y el Eufrates, sino también el Orinoco, ruta de los Grandes Troncos que descendían hacia el mar, en cuyas cabeceras se hubiese ubicado por fin, después de tan larga espera —ahora alcanzable, abordable, cognoscible en todo su esplendor— el Paraíso Terrenal. Y en estas Bocas del Dragón, de aguas transparentadas por el Sol naciente, podía el Almirante clamar su exultación, entendido el secular combate de las aguas dulces y las aguas saladas: «Así pues, el Rey y la Reina, los Príncipes y sus Reinos, tributen gracias y a nuestro Salvador Jesucristo que nos concedió tal victoria. Celébrense procesiones; háganse fiestas solemnes; llénense los templos de ramas y de flores; gócese Cristo en la tierra como se regocija en el cielo, al ver la próxima salvación de tantos pueblos entregados hasta ahora a la perdición». El abundante oro de estas tierras acabaría con la abyecta servidumbre en que el escaso oro de Europa tenía sometido al Hombre. Cumplidas eran las profecías de los Profetas, confirmadas estaban las adivinaciones de los antiguos y también las inspiraciones de los teólogos. El perenne Combate de las Aguas, en tal lugar del mundo, anunciaba que se había llegado por fin, después de una agónica espera de siglos, a la Tierra de Promisión... Hallábase Esteban en las Bocas del Dragón, devoradoras de tantas expediciones que abandonaron las aguas saladas por las dulces, en busca de aquella Tierra de Promisión nuevamente movediza y evanescente —tan movediza y evanescente que acabó por esconderse para siempre tras el frío espejo de los lagos de la Patagonia. Y pensaba, acodado en la borda del *Amazon,* frente a la costa quebrada y boscosa que en nada había cambiado desde que la contemplara el Gran Almirante de Isabel y Fernando, en la persistencia del mito de la Tierra de Promisión. Según el color de los siglos, cambiaba el mito de carácter, respondiendo a siempre renovadas apetencias, pero era siempre el mismo: había, debía haber, era necesario que hubiese en el tiempo presente —cualquier tiempo presente— un Mundo Mejor. Los Caribes habían imaginado ese Mundo Mejor a su manera, como lo había imaginado a su vez, en estas bullentes Bocas del Dragón, alumbrado, iluminado por el sabor del agua venida de lo remoto, el Gran Almirante de Isabel y Fernando. Habían soñado los portugueses con el reino admirable del Preste Juan, como soñarían con el Valle de Jauja, un día, los niños de la llanura castellana, después de cenarse un mendrugo de pan con aceite y ajo. Mundo Mejor habían hallado los Enciclopedistas en la sociedad de los Antiguos Incas, como Mundo Mejor hubiesen parecido los Estados Unidos, cuando de ellos recibiera Europa unos embajadores sin peluca, calzados con zapatos de hebilla, llanos y claros en el hablar, que impartían bendiciones en nombre de la Libertad. Y a un Mundo Mejor había marchado Esteban, no hacía tanto tiempo, encandilado por la gran Columna de Fuego que parecía alzarse en el Oriente. Y regresaba ahora de lo inalcanzado con un cansancio enorme, que vanamente buscaba alivio en la remembranza de alguna peripecia amable. A medida que transcurrían los días de la navegación, pintábasele lo vivido como una larga pesadilla —pesadilla de incendios, persecuciones y castigos, anunciada por el Cazotte de los camellos vomitando lebreles; por los muchos augures del Fin de los Tiempos que tanto habían proliferado en este siglo, tan prolongado que totalizaba la acción de varios siglos. Los colores, los sonidos, las palabras, que aún lo perseguían, le producían un malestar profundo, semejante al que originan, en algún lugar del pecho, allí donde las angustias se hacen palpables en latidos y asimetrías de ritmos viscerales, los resabios postreros de una enfermedad que pudo ser mortal. Lo quedado atrás, evocado en negrores y tumultos, tambores y agonías, gritos y tajos, se asociaba en su mente con ideas de terremoto, de convulsión colectiva, de furor ritual... «Vengo de vivir entre los bárbaros», dijo Esteban a Sofía, cuando para él se abrió, con solemne chirrido de bisagras, la espesa puerta de la casa familiar, siempre parada en su esquina con el singular adorno de sus altas rejas pintadas de blanco.

CAPÍTULO QUINTO

Con razón o sin ella

GOYA

«¡TU! —había exclamado Sofía al ver aparecer aquel hombre ensanchado, acrecido, de manos duras y descuidadas, ardido por el sol, que, como los marineros, cargaba sus muy escasas pertenencias en unas alforjas de lona, colgadas del hombro—. ¡Tú!» Y lo besaba a boca llena, en las mejillas mal rasuradas, en la frente, en el cuello. «¡Tú!», decía Esteban, asombrado, estupefacto ante la mujer que ahora abrazaba, tan mujer, tan firme y hecha, tan distinta de la mozuela de caderas estrechas cuya imagen había llevado en la mente —tan diferente de aquella que hubiese sido demasiado madre-joven para ser una prima, demasiado niña para ser mujer: la asexuada compañera de juegos, aliviadora de sus crisis, que fuese la Sofía de antaño. Miraba en torno suyo, ahora, redescubriéndolo todo, pero con la incontrariable sensación de ser un extraño. El, que tanto había soñado con el instante del regreso, no sentía la emoción esperada. Todo lo conocido —lo harto conocido— le era como ajeno, sin que su persona volviese a establecer un contacto con las cosas. Aquí estaba el arpa de otros días, al pie de las tapicerías de cacatúas, unicornios y galgos; ahí las grandes lunas biseladas y el espejo de Venecia, con sus flores de neblina; allá, la biblioteca, de tomos ahora muy arreglados. Seguido de Sofía, pasó al comedor de los anchos armarios y bodegones embetunados, con faisanes y liebres entre frutas. Fue hacia la habitación contigua a las cocinas que había sido la suya desde la infancia. «Espera que voy por la llave», dijo Sofía. (Esteban recordó que en estas viejas casas criollas era costumbre dejar cerradas con llave, para siempre, las habitaciones de los muertos). Cuando se abrió la puerta, el hombre se vio ante un polvoriento intríngulis de títeres y artefactos de física, enredados, revueltos en el suelo, en las butacas, en el camastro de hierro que por tanto tiempo fuera su lecho de torturas. Aún colgaba el descolorido globo Montgolfier de su cordel; aún mostraba el escenario del teatrillo su decorado de puerto mediterráneo, bueno para representar *Las trapacerías de Scapin.* Ahí estaban, yacentes en torno a la orquesta de monos, las rotas botellas de Leyden, barómetros y tubos comunicantes, de otros días. De súbito, ese reencuentro con la infancia —o con una infantil adolescencia que era lo mismo— quebró a Esteban en un sollozo. Lloró largamente, con la cabeza caída en el regazo de Sofía, como cuando, de niño, le confiaba sus congojas de enfermo malogrado para la vida. Restablecíanse algunos vínculos olvidados. Ya empezaban a hablar algunos objetos. Regresaron al salón, pasando por el vestíbulo de las pinturas. Seguían los arlequines animando sus carnavales y viajes a Citerea; siempre intemporales y hermosas lucían las naturalezas muertas de ollas, fruteros, dos manzanas, un trozo de pan, un ajo puerro, de algún imitador de Chardin, junto al cuadro de la plaza monumental y desierta, que mucho tenía por la factura «sin aire» —sin espesores de atmósfera— del estilo de Jean Antoine Caron. En su sitio permanecían los personajes fantásticos de Hoggart, conduciendo a *La Decapitación de San Dionisio,* cuyos colores parecían haber cobrado un extraordinario relumbre, en vez de apagarse en los resplandores del trópico. «Lo restauramos y barnizamos hace poco», dijo Sofía. «Ya lo veo —dijo Esteban—. Parece que la sangre estuviese fresca.» Pero más allá, donde antes habían estado colgadas unas escenas de siegas y vendimias, se veían ahora unos óleos nuevos, de frío estilo y premiosa pincelada, que representaban edificantes escenas de la Historia Antigua, tarquinadas y licurguerías, como tantas y tantas había padecido Esteban durante sus últimos años de vida en Francia. «¿Ya llegan acá estas cosas?», preguntó. «Es arte que gusta mucho ahora —dijo Sofía—. Tiene algo más que colores: contiene ideas; presenta ejemplos; hace pensar.» Esteban se detuvo de pronto, removido a lo hondo, ante la *Explosión en una catedral* del maestro napolitano anónimo. Había allí como una prefiguración de tantos acontecimientos conocidos, que se sentía aturdido por el cúmulo de interpretaciones a que se prestaba ese lienzo profético, antiplástico, ajeno a todas las temáticas pictóricas, que había llegado a esta casa por misterioso azar. Si la catedral, de acuerdo con doctrinas que en otros días le habían enseñado, era la representación —arca y tabernáculo— de su propio ser, una explosión se había producido en ella, ciertamente, aunque retardada y lenta, destruyendo altares, símbolos y objetos de veneración. Si la catedral era la Epoca, una formidable explosión, en efecto, había derribado sus muros principales, enterrando bajo un alud de escombros a los mismos que acaso construyeran la máquina infernal. Si la catedral era la Iglesia Cristiana, observaba Esteban que una hilera de fuertes columnas le quedaba intacta, frente a la que, rota a pedazos, se desplomaba en el apocalíptico cuadro, como un anuncio de resistencia, perdurabilidad y reconstrucciones, después de los tiempos de estragos y de estrellas anunciadoras de abismos. «Siempre te gustó mirar esa pintura —dijo Sofía—. ¡Y a mí que me parece absurda y desagradable!» «Desagradable y absurda es esta época», dijo Esteban. Y, de pronto, recordando que tenía un primo, preguntó por Carlos. «Salió temprano al campo, con mi marido —dijo Sofía—. Volverán más tarde.» Y quedó atónita ante la expresión de estupor, de acongojado asombro que se pintó en el rostro de Esteban. Tomando un tono ligero y despreocupado, dándose a un despilfarro de palabras inhabitual en ella, la joven empezó a contar cómo se había casado hacía un año con quien era ahora el asociado de Carlos en el negocio —y señalaba hacia la puerta comunicante, siempre hundida en la pared, con su único batiente, junto al cantero donde se alzaban los dos troncos de palmeras, tal columnas ajenas al resto de la arquitectura. Carlos, al deshacerse de Don Cosme, luego de que se apaciguara la alerta antifrancmasona que, en fin de cuentas, quedara en mera amenaza, había pensado en buscar un socio que, a cambio de una apreciable participación en los beneficios, trajese la capacidad de trabajo y los conocimientos comerciales sobre todo, de los cuales él carecía. Así había dado con el hombre capaz, muy versado en asuntos económicos, a quien conociese en la Logia. «¿Logia?», preguntó Esteban. «Estamos empezando», dijo Sofía, iniciando el panegírico de quien, a poco de estar en el negocio, lo había saneado totalmente, y, aprovechando la época de mirífica prosperidad por la que atravesaba el país, estaba triplicando, quintuplicando, los beneficios del almacén. «¡Eres rico ahora! —gritaba a Esteban, con las mejillas encendidas por el entusiasmo—. ¡Rico de verdad! Y eso lo debes —lo debemos— a Jorge. Nos casamos hace un año. Sus abuelos eran irlandeses. Está emparentado con los O'Farril». Disgustó a Esteban que Sofía hiciera hincapié en esta vinculación con una de las familias más rancias y poderosas de la isla: «¿Darán ustedes muchas fiestas ahora?», preguntó, displicente. «¡No seas cretino! Nada ha cambiado. Jorge es como nosotros. Te entenderás muy bien con él». Y se dio a hablar de su contento presente, de la dicha que se hallaba en hacer la felicidad de un hombre, de la seguridad y reposo de la mujer que se sabía acompañada. Y como si quisiera hacerse perdonar una traición: «Ustedes son varones. Ustedes fundarán sus hogares. No me mires así. Te digo que todo está igual que antes». Pero el hombre que la miraba lo hacía con enorme tristeza. Nunca se hubiese esperado escuchar, en boca de Sofía, semejante enumeración de lugares comunes para uso burgués: «hacer la felicidad de un hombre»; «la seguridad que siente la mujer al saberse acompañada en la vida». Era pavoroso pensar que un segundo cerebro, situado en la matriz, emitía ahora sus ideas por boca de Sofía —aquélla, cuyo nombre definía a la mujer que lo llevara como poseedora de «sonriente sabiduría», de gay saber. Siempre se había pintado el nombre de Sofía, en la imaginación de Esteban, como sombreado por la gran cúpula de Bizancio; algo envuelto en ramas del Arbol de la Vida y circundado de Arcontes, en el gran misterio de la Mujer Intacta. Y ahora, había bastado un contento físico, logrado, acaso con el todavía oculto júbilo de una preñez incipiente —con la advertencia de que una sangre de manantiales profundos hubiese dejado de correr desde los días de la pubertad— para que la Hermana Mayor, la Madre Joven, la limpia entelequia femenina de otros tiempos, se volviera una buena esposa, consecuente y mesurada, con la mente puesta en su Vientre Resguardado y en el futuro bienestar de sus Frutos, orgullosa de que su marido estuviese emparentado con una oligarquía que debía su riqueza a la secular explotación de enormes negradas. Si extraño —forastero— se había sentido Esteban al entrar nuevamente en *su* casa, más extraño —más forastero aún— se sentía ante la mujer harto reina y señora de esa misma casa donde todo, para su gusto, estaba demasiado bien arreglado, demasiado limpio, demasiado resguardado contra golpes y daños. «Todo huele aquí a irlandés», se dijo Esteban, pidiendo permiso (eso: «pidiendo permiso») para darse un baño, baño a donde lo acompañó Sofía, por costumbre, quedándose a charlar con él hasta que sólo le faltara quitarse el último calzón. «Tanto misterio con lo que he visto tantas veces, dijo ella, riendo, al tirarle un jabón de Castilla por encima de la mampara. Almorzaron solos, luego de que Esteban, dándose una vuelta por la cocina y despensa, hubiese abrazado a Rosaura y Remigio, alborotados y alborozados, iguales a como los dejara: ella en salerosa estampa, él en indefinida media edad de negro destinado a correr un siglo cabal de vida en los reinos de este mundo. Hablaron poco o hablaron de nimiedades, mirándose mucho, con tantas cosas por decirse que ninguna acababa de definirse. Esteban hizo vagas alusiones a los lugares donde había estado, sin detenerse en detalles. Cuando, restablecido un clima de intimidad que la larga ausencia había disipado, él comenzara a hablar, necesitaría horas, días, para hacer un recuento verbal de sus experiencias durante los años convulsos y desaforados que acababa de vivir. Le parecían cortos esos años, ahora que los había dejado atrás. Y, sin embargo, habían tenido el poder de envejecer tremendamente ciertas cosas: ciertos libros, sobre todo. Un encuentro con el Abate Raynal, en los entrepaños de la biblioteca, le dio ganas de reir. El Barón de Holbach, Marmontel, con sus incas de ópera cómica, el Voltaire de las tragedias tan actuales, tan subversivamente actuales, hacía apenas diez años, le parecían algo remoto, fuera de la época —tan rebasado como podía serlo hoy un tratado de Farmacopea del siglo XIV. Pero nada resultaba tan anacrónico, tan increíblemente resquebrajado, fisurado, menguado por los acontecimientos, como *El Contrato Social*. Abrió el ejemplar, cuyas páginas estaban llenas de admirativas interjecciones, de glosas, de notas, trazadas por su mano —su mano de antaño. «¿Te acuerdas? —dijo Sofía, reclinando la cabeza en su hombro—. Antes, yo no lo entendía. Ahora lo entiendo muy bien». Subieron los dos a las habitaciones de arriba. Esteban se detuvo ante el cuadro de la intimidad compartida con un desconocido, mirando esa ancha, demasiado estrecha, «cama de matrimonio»; esos dos veladores de cabecera, con libros de distinta pasta: esas zapatillas de cordobán, colocadas junto a las de Sofía. De nuevo volvió a sentirse forastero. Ante la oferta de acomodarle una estancia próxima «que servía de escritorio a Jorge, pero que Jorge nunca usaba», Esteban se fue a su viejo cuarto de otros días y, amontonando los aparatos de física, cajas de música y títeres en un rincón, colgó la hamaca de las dos argollas clavadas en las paredes —las mismas que antes sostuvieran la sábana, enrollada a modo de soga, en la cual descansaba la cabeza durante sus crisis asmáticas. Sofía le preguntó, de pronto, por Víctor Hugues. «No me hables de Víctor Hugues —dijo el hombre, registrando sus alforjas de marino—. Hay una carta de él para ti. Se nos ha vuelto un monstruo». Y echándose unas monedas al bolsillo, se largó a la calle. Estaba impaciente por respirar los aires de una ciudad que, al desembarcar, le había parecido muy cambiada. A poco de andar, se halló ante la Catedral, con sus sobrios entablamentos de piedra marítima —ya rica de añejas calidades al ser entregada a los talladores—, coronados por los encrespamientos de un barroco mitigado. Ese templo, rodeado de palacios con rejas y balcones, era revelador de una evolución en los gustos de quienes regían los destinos arquitectónicos de la urbe. Hasta el atardecer anduvo, errante por las calles de los Oficios, del Inquisidor, de Mercaderes, yendo de la Plaza del Cristo a la Iglesia del Espíritu Santo, de la remozada Alameda de Paula a la Plaza de Armas, bajo cuyas arcadas se concertaban ya, en crepúsculo, bullentes tertulias de transeúntes desocupados. Aglomerábanse los papanatas ante las ventanas de una casa de donde cundía el sonido nuevo de un pianoforte recién traído de Europa. Tañían guitarras los barberos, en el umbral de sus oficinas. En un patio, ofrecíase el engañoso espectáculo de una cabeza parlante. Prostituyéndose en provecho de alguna muy honorable dama —el caso era frecuente en la ciudad— dos sabrosas esclavas le hicieron ofertas al pasar. Esteban sopesó las monedas que llevaba y se metió con las dos, en las penumbras de un equívoco albergue... Era de noche cuando el hombre regresó a la casa. Carlos se precipitó a abrazarlo. Poco había cambiado. Parecía un poco más maduro, un poco más importante —acaso un poco más grueso. «Nosotros, los comerciantes, los sedentarios...», dijo, riendo. Y al punto trajo Sofía a su marido: era un hombre delgado, que podía tener unos veinticinco años, a pesar de los treinta y tres cumplidos, cuyo semblante era hermoso por la finura y nobleza de las facciones, la despejada anchura de la frente, la boca sensual aunque un tanto fría y desdeñosa. Esteban que temía vérselas con un chato aprendiz de negociante, parlero y superficial, quedó bien impresionado por el personaje, aunque observando que en su porte, actitudes y vestido, cultivaba el estilo de la condescendiente seriedad, de la deferencia distante, de la leve melancolía que, con una preferencia por las ropas oscuras, los cuellos anchos y flojos, los peinados aparentemente descuidados, constituían una característica nueva entre los jóvenes que, de pocos años a esta parte, se hubiesen educado en Alemania o —éste era el caso— en Inglaterra. «No me dirás que no es guapo», interrogaba Sofía, mirando a su esposo con tierna admiración... Gran derroche de candelabros y vajillas de plata había hecho el ama de casa, aquella noche, para la primera cena de la familia nuevamente reunida. «Veo que se ha matado el buey graso», decía Esteban al ver aparecer las aves mejor aderezadas, las salsas de más acuciosa elaboración, en un desfile de bandejas que le recordaba las cenas que, en este mismo comedor, se hubiesen ofrecido los tres adolescentes de ayer, soñando que se hallaban en el Palacio de Postdam, en los baños de

Carlsbad, o en el marco de algún palacio rococó, situado en los alrededores de alguna Viena imaginaria. Sofía explicó que tales galantinas, tales crostones, tales rellenos trufados y ajerezados, se destinaban a quien, por tanto haber vivido en Europa, debía tener el paladar tremendamente aguzado en la ponderación de lo exquisito. Pero Esteban, hurgando en sus recuerdos, tuvo que confesar —nunca se había percatado de ello— que su deslumbramiento primero ante los fuegos artificiales de una cocina ubérrima en aromas, matices, sutilezas del unto, aleaciones de yerbas y especias, remotos regustos de esencias, había durado poco. Acaso por su urgencia de acomodarse, durante meses, con los pimentones, bacalaos y pilpiles de la comida vasca, Esteban se había aficionado a los manjares agrestes y marineros, prefiriendo el sabor de las materias cabales al de lo que llamaba, con marcado menosprecio por las salsas, «comidas fangosas». Y hacía el elogio de la batata, perfumada y limpia, cocida bajo ceniza; del banano verde, dorado en aceite; del corazón de palmera, prodigioso espárrago de alturas, que contenía toda la energía de un árbol; del bucán de tortuga y del bucán de cerdo salvaje; del erizo de mar y de la ostra de mangles; del fresco gazpacho con pan de munición y del cangrejo niño cuyo carapacho frito se pulverizaba bajo la dentada, poniendo sal de mar en su carne propia. Y evocaba, sobre todo, aquellas sardinas sacadas de la red, vivas aún, puestas sobre brasas de anafe, al cabo de la pesca de medianoche, que se devoraban en cubierta con la cebolla cruda y la hogaza negra, echándose mano, entre bocado y bocado, a la bota hinchada de espeso tintazo. «Me he matado durante toda la tarde estudiando libros de cocina, para esto», dijo Sofía riendo... Se sirvió el café en el gran salón, donde Esteban echaba de menos el desorden de otros días. Era evidente que el nieto de irlandeses, por ser Consorte del Ama de Casa, había impuesto ciertas normas de estiramiento a la mansión. Sofía además, estaba demasiado atenta a sus voluntades, yendo, viniendo, trayéndole lumbre para la pipa, sentándose luego en un pequeño escabel, junto a su butaca. Y en el silencio del esposo, la sonriente expectación de Carlos, la excesiva movilidad de Sofía, que iba ahora por un cojín, se sentía que todos esperaban el momento en que Esteban, como los viajeros antiguos —para esta gente, situada a una enorme distancia de los hechos, él era como un Sir Guillermo de Mandeville de la Revolución—, iniciara el relato de sus aventuras. Pero mal le subían las palabras a la boca, al pensar que las primeras arrastrarían a tantas y tantas más que el alba lo sorprendería allí, sentado en el mismo diván, contando siempre. «Háblanos de Víctor Hugues», dijo Carlos, por fin. Comprendiendo que Ulises no se libraría, esa noche, de la obligación de narrar su Odisea, dijo Esteban a Sofía: «Tráeme una botella de vino del más corriente, y pon a refrescar otra para luego, porque el relato será largo».

XXXVI

No hay que dar voces.
GOYA

Había empezado su relato con tono risueño, recordando contradictorias peripecias de la travesía de Port-au-Prince a Francia, en aquel barco atestado de refugiados que resultaron ser masones casi todos, miembros de un Club de Filadelfos muy poderoso en Saint-Domingue. Era pintoresco, en verdad, ver a tantos filántropos, amigos del chino, del persa y del algonquino, prometiéndose los más tremebundos escarmientos para cuando, ya aplastada la sublevación de negros, les tocara proceder a ciertos ajustes de cuentas con algunos servidores ingratos que fueran los primeros en arrimar la tea a los edificios de sus haciendas. Luego narraba Esteban en tono zumbón sus «huronadas» de París, sus sueños, y esperanzas, andanzas y experiencias, citando anécdotas: la de aquel ciudadano que pretendía hacer erigir, en la frontera de Francia, un monumento colosal, dotado de un simbolismo tan terriblemente agresivo —con un gigante de bronce cuyo solo rostro debía infundir el pavor— que los Tiranos, al verlo, retrocederían con sus ejércitos amedrentados; de aquel otro que, en momentos de peligro nacional, había hecho perder tiempo a una asamblea señalando que el título de «Ciudadana», dado a las mujeres, tenía el defecto de dejar en sombras la inquietante cuestión de saber si era «señorita» o no; contaba cómo el *Misántropo* había sido dotado de un desenlace revolucionario, con el regreso de un Alcestes repentinamente reconciliado con el género humano; se mofaba del éxito enorme logrado en Francia, después de su partida, por una novela que lo había alcanzado en la Guadalupe: el *Emilito,* donde un niño del pueblo, llevado a Versalles, se enteraba con asombro de que también el Delfín hacía *tá-tá*... Quería conservar el buen humor pero, poco a poco, los hechos, los espectáculos recreados por las palabras, se iban pintando con tintas más sombrías. El rojo de las escarapelas pasaba al encarnado oscuro. Al Tiempo de los Arboles de la Libertad había sucedido el Tiempo de los Patíbulos. Hubo un momento impreciso, indeterminable, pero tremendo, en que se operó un trueque de almas; quien la víspera fuese manso, amaneció terrible; quien no había pasado de la retórica verbal empezó a firmar sentencias. Y se llegó al Gran Vértigo —vértigo tanto más incomprensible, al ser evocado, cuando se pensaba en el lugar donde se había suscitado: precisamente donde pareciera que la civilización hubiese hallado su equilibrio supremo; en el país de las serenas arquitecturas, de la naturaleza amansada, de las artesanías incomparables; donde el idioma mismo parecía hecho para ajustarse a la medida del verso clásico. Ningún pueblo podía ser más ajeno a una escenografía de cadalso que el pueblo francés. Su Inquisición había sido blanda, cuando se la comparaba con la española. Su Noche de San Bartolomé era poca cosa, al lado de la universal matanza de protestantes ordenada por el Rey Felipe. Pensando en la distancia, un Billaud-Varennes se pintaba absurdamente a Esteban sobre un fondo de majestuosas columnas, rodeado de estatuas de Houdon, en medio de jardines sin desbordamientos vegetales, con una exótica y sangrienta estampa de sacerdote azteca alzando en alto el cuchillo de obsidiana. Esta Revolución había respondido, ciertamente, a un oscuro impulso milenario, desembocando en la aventura más ambiciosa del ser humano. Pero Esteban se aterraba ante el costo de la empresa: «Demasiado pronto nos olvidamos de los muertos». Muertos de París, de Lyón, de Nantes, de Arrás (y acumulaba los nombres de ciudades que ahora revelaban la extensión de sus padecimientos, como Orange); muertos en los pontones atlánticos, en los campos de Cayena, en tantos otros lugares, sin olvidar los muertos cuyo recuento se hacía imposible —secuestrados, defenestrados, desaparecidos...— a los que había que añadir esos cadáveres vivientes que eran los hombres de vida rota, de vocación frustrada, de obras truncas, que por siempre arrastrarían una vida lamentable, cuando no hubiesen tenido la energía necesaria para suicidarse. Alababa a los desdichados babuvistas, a quienes tenía por los últimos revolucionarios puros, fieles al más limpio ideal de igualdad, trágicamente contemporáneos de quienes todavía predicaban, en las colonias, una Fraternidad y una Libertad que sólo habían quedado en artimañas políticas para conservar tierras o adquirir otras nuevas. Y concluía el narrador, amargo, vaciando su última copa de vino: «Esta vez la revolución ha fracasado. Acaso la próxima sea la buena. Pero, para agarrarme cuando estalle, tendrán que buscarme con linternas a mediodía. Cuidémonos de las palabras hermosas; de los Mundos Mejores creados por las palabras. Nuestra época sucumbe por un exceso de palabras. No hay más Tierra Prometida que la que el hombre puede encontrar en sí mismo». Y al decir esto pensaba Esteban en Ogé, que tan a menudo citaba una frase de su maestro Martínez de Pasqually: *El ser humano sólo podrá ser iluminado mediante el desarrollo de las facultades divinas dormidas en él por el predominio de la materia...* Pintáronse las luces del alba en los cristales y espejos del salón. Sonaban los primeros maitines de un domingo que los vientos nortes habían empezado a azotar de madrugada. A las voces de las campanas conocidas desde la niñez, se agregaba ahora el bronco bordón de la nueva catedral. Había pasado la noche, como en los dichosos tiempos del desorden, con singular rapidez. Y ahora, sin prisa por irse a dormir, envueltos en mantas que habían traído poco a poco para arroparse en sus butacas, permanecían los cuatro silenciosos, como sumidos en sus propias reflexiones. «Pues, *nosotros* no estamos de acuerdo», dijo Sofía, de pronto, con una vocecilla agridulce que era, en ella, anuncio de discusión. Esteban se creyó obligado a preguntarle quiénes eran los *nosotros.* «Los tres», respondió Sofía con un gesto circular, dejándolo como arrojado fuera del recinto familiar. Y, como si hablara para sí misma, se entregó a un monólogo que hallaba un visible asentimiento en los semblantes de Carlos y de Jorge. No podía vivirse sin un ideal político; la dicha de los pueblos no podía alcanzarse de primer intento; se habían cometido graves errores, ciertamente, pero esos errores servían de útil enseñanza para el futuro; ella comprendía que Esteban había pasado por ciertas experiencias dolorosas —y mucho lo compadecía por ello—, pero acaso fuese víctima de un idealismo exagerado; ella admitía que los excesos de la Revolución eran deplorables, pero las grandes conquistas humanas sólo se lograban con dolor y sacrificio. En suma: que nada grande se hacía en la Tierra sin derramamiento de sangre. «Eso lo dijo Saint-Just antes que tú», exclamó Esteban. «Porque Saint-Just era joven. Como nosotros. Lo que me maravilla, cuando pienso en Saint-Just, es lo cerca que estaba aún de los pupitres del colegio». Ella está enterada de todo lo que su primo le había contado —tocante a lo político, desde luego— y acaso *mejor que él,* que sólo había podido tener una visión parcial y limitada de los hechos, visión alterada a veces por la proximidad de nimias ridiculeces, de ingenuidades inevitables, que en nada menguaban la grandeza de un sobrehumano intento. «¿Así que haber descendido al infierno no me ha servido de nada?», gritó Esteban... Ella sólo quería decir que a distancia se podía tener una impresión más objetiva de los acontecimientos —menos apasionada. Mucho deploraba ella los bellos monasterios destruidos, las hermosas iglesias quemadas, las estatuas mutiladas, los vitrales rotos. Pero medio gótico podía desaparecer del planeta si la felicidad del hombre lo exigía. La palabra «felicidad» tuvo el poder de enfurecer a Esteban: «¡Cuidado! Son los beatos creyentes como ustedes; los ilusos, los devoradores de escritos humanitarios, los calvinistas de la Idea, quienes levantan las guillotinas». «Ojalá pudiéramos levantar una, muy pronto, en la Plaza de Armas de esta ciudad imbécil y podrida», replicó Sofía. Ella vería caer, gustosa, las cabezas de tantos funcionarios ineptos, de tantos explotadores de esclavos, de tantos ricachos engreídos, de tantos portadores de entorchados, como poblaban esta isla, tenida al margen de todo Conocimiento, relegada al fin del mundo, reducida a una alegoría para caja de tabacos, por el gobierno más lamentable e inmoral de la historia contemporánea. «Aquí hay que guillotinar a unos cuantos», asentía Carlos. «A más de unos cuantos», sentenciaba Jorge... «Me esperaba todo —dijo Esteban— menos encontrarme, aquí, con un Club de Jacobinos». No tanto, le explicaban los otros. Pero en todo caso con gente muy enterada (esta reiteración encolerizaba a Esteban), resuelta a «hacer algo». Era preciso tener conciencia de la época, tener un objeto en la vida, actuar de alguna manera en un mundo que se transformaba. Carlos se había aplicado en estos años, a crear una pequeña Logia Andrógina —Logia Andrógina porque eran demasiado pocos para poder prescindir de mujeres inteligentes e ilustradas— con la finalidad política de difundir los escritos filosóficos que había incubado la Revolución, así como algunos de sus textos fundamentales: la Declaración de los Derechos del Hombre, la Constitución Francesa, discursos importantes, catecismos cívicos, etc. Le trajeron varias hojas sueltas y opúsculos que, por el diseño desusado de los tipos, la tosquedad de la composición, pregonaban el clandestino trabajo de la imprenta neogranadina o habanera —acaso del Río de la Plata o de Puebla de los Angeles. Esteban conocía aquellas prosas. Tanto las conocía que, por la personalidad de ciertos giros, el acierto de ciertas transposiciones, la presencia de un adjetivo cuya equivalencia castellana le había costado trabajo hallar, identificaba sus propias traducciones, hechas en la Pointe-à-Pitre por indicación de Víctor Hugues para las cajas de los Loeuillet. Y ahora, en este momento, le reaparecían esos textos, multiplicados por las prensas del

Continente... «*Vous m'emmerdez!*», gritó, atropellando butacas, al salir. Cruzando el patio, vio que una llave estaba puesta en la cerradura de la puerta que conducía al almacén. Tuvo curiosidad por visitar aquel lugar que en cierto modo le pertenecía, ahora que, por ser domingo, las naves estarían vacías. El olor a salmuera, a patatas germinadas, a cecina, a cebollas, que tan desagradable le era en otros tiempos, le vino a las narices como el de un humus rico y vivificante. Era olor a cala de barcos, a alhóndigas portuarias, a bodegas bien guarnecidas. Goteaba el tintazo de sus canillas; verdecían las cortezas del queso manchego; pringaban las mantecas el barro de sus tinajas ventrudas. Y en esto reinaba un orden antaño desconocido. Todo estaba alineado, entongado, colgado, según las exigencias de su materia: arriba, pendientes de las vigas de cedro, los jamones y ristras de ajos; formando murallas, los granos; abajo, los toneles de anchoas y escabeches. Y más allá, en el patio ahora sotechado, llenando aparadores de rejas, había un muestrario de las mercancías que habían venido a ampliar el alcance del negocio: saleros, relicarios, despabiladeras, de plata mexicana; ligeras porcelanas inglesas; graciosas chinerías pasadas por Acapulco; juguetes mecánicos, relojes suizos, vinos y cordiales de las antiguas bodegas del Conde de Aranda. Esteban fue hacia la oficina donde los libros, los tinteros, los cortaplumas, salvillas, reglas y balanzas, ocupaban sus correspondientes lugares, esperando a quienes habrían de usarlos al día siguiente. Viendo que dos mesas particularmente imponentes ocupaban el mejor despacho, el joven pensó en una tercera que acaso se le destinaría, allí, junto al testero revestido de caoba, donde se ostentaba un retrato al óleo del padre, Fundador de la Casa, de ceño fruncido —como lo tenía siempre— respirando la honorabilidad, la severidad, el espíritu de empresa. Y se pensó a sí mismo, en futuras esplendorosas mañanas, encerrado ahí entre muestras de arroces y de garbanzos, yendo de la cuenta al aforo, discutiendo con algún pagador moroso, con algún detallista de provincia mientras, afuera, el sol centelleara sobre las aguas de la bahía, al paso de un clipper en camino hacia Nueva York o el Cabo de Hornos. Comprendió que nunca se interesaría suficientemente por *aquello* para consagrarle los mejores años de su vida. Estaba maleado por sus andanzas marineras, por su vivir al día, por el hábito de no poseer cosa alguna. Ahora que se veía como rescatado del infierno, no acababa de hallarse —de sentirse a sí mismo— en la realidad, en la normalidad recobrada. Fue a su habitación. Sofía, sentada en medio de los títeres y aparatos de física, lo esperaba sin resignarse a irse a dormir, con una gran tristeza reflejada en el rostro. «Te enojas con nosotros —dijo— porque tenemos fe en algo». «La fe en algo que cambia de aspecto cada día les dará grandes y terribles decepciones —dijo Esteban—. Ustedes saben lo que aborrecen. Nada más. Y por saberlo ponen su confianza, sus esperanzas, en cualquier otra cosa». Sofía lo besó, como cuando era niño, arropándolo en la hamaca: «Piense cada cual lo que quiera, y volvamos a ser los de antes», dijo, al salir. Esteban, al quedar solo, se dio cuenta de que eso era imposible. Hay épocas hechas para diezmar los rebaños, confundir las lenguas y dispersar las tribus.

XXXVII

Transcurrían los días sin que Esteban se resolviera a iniciar su trabajo en el almacén. «Mañana», decía, como para excusarse ante quienes nada le habían exigido. Y mañana se daba a vagar por la ciudad, o cruzando la bahía en algún bote, iba a la villa de Regla. Allí había melados fuertes y sangrías peleonas en los mostradores de cochinillos asados que le recordaban los bucanes de otros días. En un apartadero marino, arrimados unos a otros como mendigos en noche de invierno, verdecían los veleros inservibles, desechados por viejos y renqueantes, siempre mecidos por un manso oleaje que les calaba las bordas agujereadas, cubiertas de lapas y algas violáceas. Aún quedaban, en alguna parte, las ruinas de barracones donde estuvieran confinados, durante meses, los jesuitas expulsados de los Reinos de España, traídos por el camino de Portobello, desde sus remotos conventos andinos. Los vendedores de plegarias, de exvotos, de objetos de brujería —imanes, azabaches, hierros y corales— ejercían libremente su comercio. Allí cada iglesia cristiana tenía alguna iglesia cimarrona, consagrada a Obatalá, Ochum o Yemayá, detrás de la misma sacristía, sin que ningún párroco pudiese protestar por ello, puesto que los negros libertos reverenciaban a sus viejos dioses del Africa en la figura de las mismas imágenes que se erguían en los altares de los templos católicos. A veces, de regreso, entraba Esteban en el Teatro del Coliseo, donde una compañía española animaba, en compás de tonadilla, un mundo de majos y chisperos evocador del Madrid cuyos caminos le hubiesen sido cerrados por la guerra... En la proximidad de las Navidades, fueron invitados Sofía, Carlos y Esteban por unos parientes de Jorge a pasar las fiestas pascuales en una finca que se tenía por una de las más prósperas y florecientes de la isla. Demasiado atareados por las compra-ventas de fin de año para abandonar el almacén, Carlos y Jorge resolvieron que Sofía partiría antes, acompañada por Esteban, mientras ellos terminaran sus tratos en la ciudad, saliendo unos ocho días después. No desagradó la idea a Esteban, que siempre se sentía separado de Sofía por la presencia del esposo, en tanto que no acababa de restablecer verdaderos lazos de camaradería con Carlos, demasiado entregado a sus negocios, a menudo ausente de noche por asistir a reuniones masónicas, o harto cansado por la jornada de labor para hacer algo más que adormilarse, después de la cena, en alguna butaca del salón, fingiendo que escuchaba la charla de los demás... «Ahora es cuando vuelvo a encontrarte», dijo Esteban a Sofía, cuando se vio solo con ella, en la intimidad de la volanta que rodaba hacia Artemisa. Bajo la capota de hule alzada se hallaban ambos como en una cuna zarandeada por los malos caminos. Comían en fondas y paraderos de viajeros, divertidos en pedir lo más popular o inhabitual —un ajiaco de oscuro caldo, una parrillada de palomas torcaces— y Sofía, que no probaba el vino en las cenas familiares, se daba a descubrir botellas de buena traza, extraviadas entre los aguardientes y tintazos del menudeo. Se le encendía la cara, le sudaban las sienes, pero reía, con la risa de otros días, menos señora, menos ama de casa, como librada de una censura tolerada aunque activa. Durante el camino, Esteban se vio llamado a hablar de Víctor Hugues. Preguntó a Sofía por la carta que le había traído. «Nada —dijo ella—. Yo esperaba algo más. Tú lo conoces: chistes que pierden la gracia en lo escrito. En el fondo: tristeza. Dice que no tiene amigos». «En su soledad está su castigo —dijo Esteban—. Creyó que para ser grande tenía que renunciar a toda amistad. El mismo Robespierre no llegó a tanto». «Siempre era llevado a esperar demasiado de sí mismo —respondió la joven—. Por eso, cuando quiso alzarse por encima de su estatura mostró que no daba para tanto. Aspiraba a héroe de tragedia y se quedó en comparsa. Además, sus escenarios eran malos. Rochefort, la Guadalupe... ¡Escaleras de servicio!» «Es un hombre de talla inferior. Muchos hechos lo demuestran». Y buscaba Esteban en su memoria todo lo que podía menguar su harto orgulloso empaque: tal frase torpe, escuchada un día; tal trivialidad de expresión; tal aventura ancilar; tal muestra de debilidad —como aquella, de un día famoso, en que quedara callado, con una odiosa sonrisa, cuando Antoine Fuët lo había amenazado con darle de latigazos si se presentaba, sin ser invitado, en la Logia de los Corsarios. Además: ese culto a Robespierre, traducido en remedo... Y se daba a acumular cargos contra el amigo de ayer, por lo mismo que lo había querido y sus flaquezas le eran tanto más inadmisibles: «Me agradaría hablar bien de él, pero no puedo. Demasiadas cosas me ensucian su recuerdo». Sofía lo escuchaba, asintiendo a su manera, con pequeños gruñidos que podían tomarse como manifestaciones de sorpresa, desaprobación, asombro o escándalo ante una crueldad, un desacierto, una bajeza o un abuso de poder: «Dejemos a Víctor. Fue un mal engendro de una gran revolución». «Engendro que, en fin de cuentas, hizo dinero y se casó con mujer rica —observó Esteban—. A menos de que lo hayan encarcelado en París por sus malversaciones. O acaso por delito de rebeldía. Esto, sin pensar en lo que hayan podido disponer los magistrados del nuevo Terror». «Dejemos a Víctor». Pero al cabo de dos leguas de camino, volvían a hablar de Víctor Hugues, nuevamente activo en un intercambio de condenatorios lugares comunes: «Es vulgar...» «No sé cómo nos pudo parecer tan interesante...» «Es inculto: cita en sus discursos lo que leyó en el último libro...» «Un aventurero...» «Nunca fue sino un aventurero...» «Nos asombraba porque venía de lejos y había viajado mucho...» «Valiente, no cabe duda...» «Y audaz...» «Fanático al comienzo; pero acaso fingidamente por ambicioso...» «Una bestia política...» «Esos son los hombres que desacreditan una revolución...»

Rodeada de palmeras y cafetales, la vivienda de los parientes de Jorge era una suerte de palacio romano, cuyas altas columnas dóricas se alineaban a lo largo de galerías exteriores adornadas con platos de porcelana, vasos antiguos, mosaicos de Talavera y jardineras rebosantes de begonias. Los salones, los soportales del patio central, los comedores, hubiesen podido ser habitados holgadamente por un centenar de personas. A todas horas ardían los fuegos de las cocinas, y los días transcurrían entre desayunos, servicios de manjares inagotables, meriendas y colaciones, hallándose siempre a la mano alguna jícara de chocolate o una copa de jerez. Maravillaba contemplar, entre los granados y bungavilias de una vegetación cerrada por enredaderas, las estatuas de mármol blanco que adornaban los jardines. Pomona y Diana Cazadora custodiaban una alberca natural, tapizada de helechos y de malangas, abierta en el ensanche de un arroyo. Largas avenidas, sombreadas por almendros, algarrobos y palmas reales, se difuminaban en lejanos verdores, donde descubríase el misterio de una pérgola italiana cubierta de rosales trepadores, un pequeño templo griego erigido para albergar alguna diosa mitológica o un laberinto de bojes donde era grato perderse cuando se alargaban las sombras del crepúsculo. Los amos de la casa, siempre atentos al bienestar de sus huéspedes, no pesaban sobre ellos. Viejos principios de hospitalidad criolla dejaban libertad a todos de hacer lo que se les antojara, y mientras unos se daban a cabalgar por los caminos, otros iban de caza o de paseo en tanto que los demás se dispersaban, quien con un tablero de ajedrez, quien con un libro, en la vastedad de los parques. Una campana, colgada de alta torre, ritmaba la vida cotidiana llamando a cenas o reuniones a las que asistía quien quisiera. Después de la gran comida nocturna que terminaba en el frescor de las diez, encendíanse guirnaldas de faroles en la gran explanada que había detrás de la casa, y dábase comienzo al concierto de una orquesta de treinta músicos negros, instruidos por un maestro alemán, antiguo violín de la Orquesta de Manhein. Sonaba, bajo un cielo estrellado —tan estrellado que parecía cargar estrellas en exceso— la grave introducción de una Sinfonía de Haydn, o alborotábanse los instrumentos en el gayo impulso de un Allegro de Stamitz o de Cannabich. A veces, con el concurso de algunos invitados dotados de buenas voces, llegábase a interpretar pequeñas óperas de Telemann o *La Serva Padrona* de Pergolesi. Y así transcurría el tiempo, en aquellos días finales de un Siglo de las Luces que parecía haber durado más de trescientos años, por las tantas y tantas cosas que en él habían acontecido. «Vida maravillosa —decía Sofía—. Pero detrás de esos árboles hay *algo* inadmisible». Y señalaba hacia la fila de altos cipreses, alzados como obeliscos verdinegros sobre la vegetación circundante, que ocultaba otro mundo: el de los barracones de esclavos que a veces hacían sonar sus tambores como un granizo remoto. «Lo siento tanto como tú —replicaba Esteban—. Pero nuestras fuerzas no alcanzarán a arreglar las cosas de distinta manera. Otros, dotados de Plenos Poderes, fracasaron en la empresa»... La tarde del 24 de diciembre, mientras algunos se afanaban en acabar de arreglar un Nacimiento, invadiendo las cocinas, a ratos, para cerciorarse de que los pavos se doraban en los hornos y de que las salsas empezaban a hablar por el olor de sus esencias, Esteban y Sofía fueron hacia la entrada de la finca, de rejas monumentales, para esperar a Carlos y a Jorge, que no tardarían en llegar. Un chubasco repentino les hizo buscar el amparo de una de las pérgolas, toda encendida de Flores de Pascua recién abiertas. La lluvia levantaba los olores de la tierra, sacando postreros perfumes de las hojas caídas en los caminos. «Pasó la lluvia, mostráronse las flores y el tiempo de la canción es venido», murmuró Esteban, citando un texto bíblico que le recordaba lecturas de adolescente. Entonces se produjo el deslumbramiento. Se sintió como rescatado, devuelto a sí mismo, por una jubilosa revelación: Todo lo entiendes ahora. Sabes lo que maduraba en ti desde hace años. Miras el rostro y entiendes lo único que debiste entender, tú que tanto te afanaste en perseguir verdades que rebasaban tu entendimiento. Fue ella, la primera mujer conocida, madre estrechada por ti en vez de la que nunca llegaste a conocer. Es ella la que te reveló las esplendorosas ternuras de la hembra en el insomnio velado, la compasión de tus padecimientos y la apaciguadora caricia dada en el alba. Es ella la hermana que conoció las sucesivas formas de tu cuerpo como sólo una amante inimaginable, crecida contigo, hubiera podido conocerlas. Reclinó Esteban la cabeza en un hombro que era como hecho de su misma carne y prorrumpió en sollozos tan hondos, tan desgarrados, que Sofía, estupefacta, lo tomó en sus brazos, besándolo en la frente, en las mejillas, atrayéndolo a sí. Pero era una boca ansiosa, sedienta, demasiado ávida, la que ahora buscaba la suya. Apartándole la cara con las manos, se zafó bruscamente y quedó de pie, frente a él, atenta a sus reacciones como quien observa los ademanes de un enemigo. Esteban la miraba, adolorido, inerte, pero con tal ardor en los ojos que la mujer, sintiéndose mirada como mujer dio un paso atrás. Ahora el otro le hablaba; le hablaba de lo que acababa de entender, de lo que acababa de descubrir en sí mismo. Una voz que no era la de antes pronunciaba palabras jamás esperadas, inadmisibles, que, lejos de conmoverla, cobraban, para ella, la hueca renonancia de los lugares comunes. No sabía ella qué hacer, qué decir, casi avergonzada de tener que padecer aquel monólogo lleno de enojosas confesiones que se referían a triviales desengaños de alcoba, a anhelos nunca colmados, a la oscura espera de algo que hubiese devuelto el visitador de tierras áridas a su punto de partida. «¡Basta ya!», gritó Sofía, con la cólera pintada en el semblante. Acaso otra escuchara aquello mismo con interés. Pero, para su inaquiescencia, todo sonaba a falsa moneda verbal. Y a medida que el otro apretaba el ritmo de sus palabras, apretaba ella el de los «¡Basta ya!», subiendo el diapasón hasta un registro conclusivo, terminante, irrebasable. Hubo un silencio colmado de angustia. Ambos eran golpeados por latidos internos como si juntos hubiesen llevado a cabo un enorme esfuerzo. «Lo has roto todo; lo has destrozado todo», dijo ella. Y era Sofía, ahora, quien se quebraba en llanto, echando a correr bajo la lluvia... Cayó la noche sobre un yacente. Ya nada sería como antes. Lo que había estallado en crisis crearía ya, para siempre, una barrera de desconfianza, de silencios reticentes, de miradas duras, que le sería intolerable. Pensaba que lo mejor sería marcharse, abandonar el recinto familiar, aunque sabiendo que le faltarían energías para ello. Los tiempos se habían vuelto tan azarosos que el viajero salía al camino esperándose lo peor, como en los días de la Edad Media. Y conocía Esteban cuánto de tedioso podía encerrar la palabra *aventura*... Había dejado de llover. Las malezas se llenaron de luces y de disfraces. Llegaron pastores, molineros de caras enharinadas, negros que no eran negros, ancianas de doce años, gente barbuda y gente con coronas de cartón que sacudían marugas, cencerros, panderos y sonajas. Y eran voces niñas las que cantaban en coro:

Ya viene la vieja
Con el aguinaldo.
Le parece mucho.
Nos parece poco.

Pampanitos verdes.
Limones en flor.
Bendita la madre
De Nuestro Señor.

Tras de los macizos de buganvilias, la casa resplandecía por todos sus candelabros, quinqués y arañas venecianas. Ahora habría que esperar la medianoche, en medio de bandejas de ponche. Doce campanadas caerían de la torre, y cada cual tendría que atragantarse con las doce uvas de ritual. Luego, sería la cena interminable, prolongada en sobremesa de avellanas y almendras rotas por los cascanueces. Y la orquesta de negros que, esta noche, estrenaría valses nuevos, cuyos papeles habían llegado la víspera y se ensayaban desde la mañana. Esteban no sabía qué hacer para huir de aquella fiesta, de los niños que lo acosaban, de los servidores que lo llamaban por su nombre, para que tomara parte en un juego o probara las copas que ya empezaban a alzar el tono de las risas en los portales iluminados. En eso se oyó un picado trotar de caballos. Remigio, en el pescante del coche muy enlodado, había aparecido al cabo de la avenida. Pero nadie venía en el coche. Parando en seco al ver a Esteban, le hizo saber que, tras de haber sufrido un síncope, Jorge estaba en cama, derribado por una epidemia nueva que azotaba la ciudad —epidemia que se atribuía a las grandes mortandades habidas en los campos de batalla de Europa, y cuyos miasmas mefíticos habían traído unas naves rusas, recién llegadas, que cambiaban mercaderías nunca vistas por frutas tropicales, muy gustadas por los ricos señores de San Petersburgo.

XXXVIII

La casa olía a enfermedad. Desde su entrada advertían las gargantas una presencia de mostazas y linazas en la lejanía de las cocinas. Era, de corredores a escaleras, un ir y venir de tisanas y sinapismos, pócimas y aceites alcanforados, en tanto que en baldes se subían las aguas de malvavisco y cebollas de lirio destinadas a refrescar la piel de quien no lograba soltar una fiebre tenaz, alzada a veces hasta las divagaciones del delirio. Después de un viaje triste y apresurado en lo posible, durante el cual apenas si se hablaron, Sofía y Esteban habían hallado a Jorge en estado de suma gravedad. Y no se trataba de un caso aislado. Media ciudad estaba postrada por una epidemia nueva que, con harta frecuencia, se manifestaba en dimensión mortal. Al ver aparecer a su esposa, el enfermo la miró con ojos extenuados, agarrándose de sus manos como si en ellas encontrara un asidero salvador. Como las puertas de la habitación estaban cerradas para evitar corrientes de aire, reinaba en ella una atmósfera sofocante y densa, oliente a vahos de farmacia, alcohol de fricción y cera de bujías, siempre encendidas porque Jorge tenía la opresiva sensación de que si se dormía en la oscuridad no despertaría más. Sofía lo arropó, lo arrulló, le puso una compresa de vinagre en la frente ardida, y fue al almacén para que Carlos pormenorizara el tratamiento aconsejado por médicos que poco sabían, en verdad, cómo luchar contra un mal hasta ahora desconocido... Y se entró en el Siglo Nuevo, en medio de insomnios y de vigilias, días de esperanza y días de desaliento —en los cuales, como llamadas por voces misteriosas, aparecían sotanas entre los azulejos del zaguán, ofrecidas a traer imágenes y reliquias milagreras. En todos los muebles del piso alto se encontraban récipes y pomos de medicina, con las mechas a medio quemar que habían servido para fijar ventosas. Adolorida aunque serena, Sofía no abandonaba la cabecera de su marido, a pesar de que mucho le repitieran que la enfermedad era sumamente contagiosa. Sin más cuidado que el de frotarse con lociones aromáticas y de llevar siempre algún clavo de clavero en la boca, la esposa asistía al doliente con una solicitud y una ternura que evocaban para Esteban, los años de su propia adolescencia asmática. Ahora el cariño de Sofía —acaso inconsciente anticipo de sentimiento maternal— se había fijado en otro hombre, y la evidencia de ello se hacía tanto más dolorosa para quien tuviera mayores motivos que nunca para añorar los tiempos de un Paraíso Perdido —tan perdido como inadvertido le fuera, cuando de él hubiese dependido medir el alcance de una dicha que, por cotidiana y habitual, aceptara como algo que le correspondía por derecho. Noche tras noche permanecía Sofía despierta, en su butaca de enfermera, para adormilarse tan levemente que bastaba con un suspiro de Jorge para despertarla. A veces salía de la habitación con una gran congoja en el rostro: «Delira», decía, rompiendo a llorar. Pero recobraba el valor al ver que, vuelto en sí, el otro se aferraba a la vida con inesperada energía, poniendo una increíble voluntad en protestar ante las punzadas que le horadaban los costados, gritando que no sería vencido por la muerte. Durante sus momentos de pasajera mejoría, hacía proyectos para el futuro: No; no se podía despilfarrar una juventud entre las paredes de un comercio. El ser humano no había nacido para eso. Apenas transcurrieran los días de la convalecencia, marcharían ambos al extranjero; realizarían los viajes siempre pospuestos. Irían a España; irían a Italia; acabaría él de recobrar la salud en el suave clima de Sicilia. Se irían para siempre de esta isla malsana, donde las gentes estaban siempre expuestas a padecer epidemias semejantes a las que habían azotado Europa en otras épocas. Esteban se enteraba de esos proyectos, sintiendo una lacerante angustia ante la idea de que fuesen realizables, y de que, acaso, se viese privado de una presencia que era la única justificación de su existencia actual, vacía de ambiciones, de ideales o de apetencias. Y medía el desengaño que le habían dejado sus experiencias personales cuando le tocaba recibir a quienes visitaban la casa, a cualquier hora, para interesarse por el enfermo. Nadie le resultaba interesante. Permanecía ajeno a las conversaciones. Y más cuando los visitantes eran filántropos retardados, de los que concurrían a la pequeña Logia Andrógina que los suyos habían fundado y a la que se había negado obstinadamente a concurrir desde su regreso a la Habana. Las *ideas* que había dejado atrás lo alcanzaban, ahora, en este medio donde todo parecía organizado para neutralizarlas. Se apiadaban sobre el destino de los esclavos quienes, ayer mismo, habían comprado nuevos negros para trabajar en sus haciendas. Hablaban de la corrupción del gobierno colonial quienes medraban a la sombra de esa misma corrupción, propiciadora de beneficios. Comenzaban a hablar de una independencia posible quienes mucho se hubieran complacido en recibir algún título nobiliario otorgado por la Mano Real. Generalizábase aquí, entre las clases pudientes, el mismo estado de espíritu que había llevado a tantos aristócratas, en Europa, a erigir sus propios cadalsos. Con cuarenta años de retraso leíanse libros propiciadores de una Revolución que esa misma Revolución, lanzada por rumbos imprevistos, había desactualizado... Al cabo de tres semanas. se recobró alguna esperanza, en cuanto al estado del enfermo. No porque hubiese mejorado. Pero parecía estacionarse dentro de la gravedad, al cabo de un padecimiento que para otros hubiese abreviado la muerte en menos tiempo. Los médicos, algo instruidos por la observación de numerosos casos, habían optado por aplicar a sus enfermos un tratamiento muy semejante al usado para combatir la neumonía. En esa expectativa se estaba cuando, una tarde, se oyeron aldabonazos en la puerta principal. Asomáronse Esteban y Sofía al barandal del patio para ver quién tan ruidosamente llamaba, cuando vieron aparecer al capitán Caleb Dexter, de levita azul y guantes de ceremonia. Ignorante de que había un enfermo en la casa, venía sin avisar, como lo hacía otras veces, cuando el *Arrow* fondeaba en el puerto de la Habana. Esteban abrazó con alegría a quien, con su presencia, hacía revivir un grato pasado. Al enterarse de lo que ahora ocurría, el norteamericano, después de mucho lamentar el caso, se empeñó en traer de su barco unos fomentos marineros, de una eficiencia probada —aunque Sofía tratara de disuadirlo, ya que la epidermis de Jorge estaba tan ardida por los revulsivos que apenas si toleraba los menos quemantes. Pero Caleb Dexter, convencido del valor de su remedio, fue a buscarlo, y regresó, a la hora de encenderse las lámparas, con unos ungüentos y pomadas que olían a ácidos corrosivos. Se puso un cubierto más en la mesa, y la aparición de una gran sopera inglesa, de linajuda taza, inició la primera cena esperanzada que bajo este techo se hubiese tenido en varias semanas. Jorge estaba dormido, entregado al cuidado de una monja clarisa que Sofía había mandado a llamar. «Se salvará —decía Carlos—. Me da el corazón que está fuera de peligro». «Dios te oiga», decía Sofía, usando de una expresión que no le era habitual y que en su boca cobraba un valor de ensalmo propiciatorio, sin que Esteban acertara a saber si el dios invocado era el

Jeovah de la Biblia, el Dios de Voltaire o el Gran Arquitecto de los masones, ya que tal era la Confusión de Dioses contemplada en el recién clausurado Siglo de las Luces. Inevitable fue, para Esteban, contar sus andanzas por el Caribe: pero esta vez lo hizo con gusto y hasta con buen humor, puesto que el marino conocía el escenario de su gran aventura. «Por cierto que el estado de guerra entre Francia y los Estados Unidos no durará mucho más —dijo Caleb Dexter—. Ya se están entablando negociaciones de paz». En cuanto a la Guadalupe, reinaba allá un perpetuo desorden desde que Víctor Hugues, negado a entregar su gobierno a Pelardy y Desfourneaux, había sido finalmente embarcado a la fuerza. Allá el cuartelazo era suceso cotidiano, en tanto que los Grandes Blancos de antaño, renacidos de sus aparentes cenizas, libraban una guerra abierta a los Nuevos Grandes Blancos, recuperando sus fueros de otros tiempos. Por lo demás, había en las colonias francesas una tendencia general de regreso a las prácticas del Antiguo Régimen, y más ahora que Víctor Hugues acababa de tomar posesión de su flamante cargo de Agente del Directorio en Cayena. «¿No lo sabían?», dijo el marinero, al observar la estupefacción de los demás, para quienes era Víctor Hugues un hombre vencido, de carrera rota, acaso preso, acaso condenado a muerte. Y ahora se enteraban que, después de ganar su batalla en París, el personaje había regresado a América con empaque de vencedor, dueño de nuevos bicornios e investido de nuevos poderes. Al conocerse la noticia —contaba el yanqui— un viento de terror sopló en el ámbito de la Guayana. Las gentes se arrojaron a las calles, clamando que ahora se conocerían las mayores desgracias. Los deportados de Sinnamary, Kurú, Iracubu y Conanama, perdida la esperanza de sobrevivir a las plagas, rezaban, gritaban elevando preces al Altísimo pidiendo que se les librara de nuevos sufrimientos. Hubo un pánico colectivo, semejante al que pudiera suscitar la venida de un anticristo. Fue necesario pegar carteles en distintos lugares de Cayena, para hacer saber al pueblo que los tiempos habían cambiado, que aquí no se repetirían los hechos de la Guadalupe, y que el nuevo Agente, animado por un espíritu generoso y justiciero, haría cuanto le fuese posible por asegurar la felicidad de la colonia. («*Sic*», dijo Esteban, reconociendo viejas retóricas). Y lo tragicómico del caso era que para demostrar sus buenas disposiciones, Víctor Hugues había llegado a Cayena con una banda de música ostensiblemente instalada en la proa de su barco —allí mismo donde, antaño, se había erguido la guillotina llevada a la Guadalupe, en tremebunda advertencia para su población. Ahora habían sonado alborotosas marchas de Gossec, canciones de moda en París, rústicas contradanzas de pífano y clarinete, en el lugar donde, seis años antes, se había oído tantas veces el siniestro ruido de la cuchilla caída de sus montantes, cuando era probada por Monsieur Anse. Víctor Hugues había venido solo, dejando a su mujer en Francia —o acaso no hubiese llegado a casarse: eso no lo sabía Caleb Dexter a ciencia cierta, puesto que traía noticias de Paramaribo, donde mucho preocupaba, en estos momentos, la proximidad del temido Agente de Francia. Y, para asombro de todos, ese Agente se había mostrado magnánimo, visitando a los deportados, mejorando un tanto su miserable vida, prometiendo que muchos regresarían pronto a la patria. «El lobo se nos disfraza de cordero», dijo Esteban. «Un mero instrumento político que se ajusta a los mandatos del día», dijo Carlos. «Un personaje extraordinario, a pesar de todo», dijo Sofía. Caleb Dexter se retiró temprano, pues su buque debía zarpar poco antes del amanecer: hablarían más largo dentro de un mes, cuando le tocara hacer una nueva escala en la Habana, camino de los rumbos del sur. Festejarían entonces —y con muy buenas botellas— el restablecimiento del enfermo. Esteban lo acompañó hasta los muelles, guiando el coche... Al regresar, encontró a Carlos en la entrada de la casa: «Ve corriendo a buscar al médico —dijo— Jorge se ahoga. Temo que no pase la noche».

XXXIX

El enfermo seguía luchando. Era imposible pensar que aquel hombre pálido y frágil, con trazas de cabo de raza, tuviese tales reservas de vitalidad. Tenido ya en casi perpetua asfixia, devorado por la fiebre, le quedaban fuerzas aún para clamar, en sus delirios, que rehusaba la muerte Varias veces, Esteban había visto morir a un indio, a un negro: para ellos las cosas ocurrían de muy distinta manera. Se postraban sin protestas, como bestias malheridas cada vez más ajenos a cuanto les rodeaba, cada vez más deseosos de que los dejaran tranquilos, como resignados de antemano a la derrota final. Jorge, en cambio, se crispaba, alegaba, gemía, incapaz de aceptar lo que ya se había tornado evidencia para los demás. Tal parecía que la civilización hubiese despojado al hombre de toda entereza ante la muerte, a pesar de cuantos argumentos hubiera forjado a través de los siglos, para explicársela lúcidamente y admitirla con serenidad. Y ahora que la muerte se acercaba inexorablemente, con el latir de los relojes, había que convencerse aún de que la muerte no era un fin sino un tránsito y que, tras de ella, esperaba otra vida y que debía entrarse en esa vida con ciertas garantías otorgadas de este lado de la barrera. Fue el propio Jorge quien solicitó la presencia de un sacerdote, que aceptó como confesión postrera lo que sólo era un balbuceo de frases deshilvanadas. Rosaura, sabedora de que los médicos se daban por vencidos, convenció a Sofía de que la dejase traer un anciano negro brujo a la casa. «¡Qué más da! —dijo la joven—. Ogé no despreciaba a los brujos...» El hechicero procedió a una «limpieza» de la habitación con aguas aromatizadas, arrojó caracoles al piso observando si caían con la boca hacia arriba o hacia abajo, y acabó trayendo plantas compradas a un herbolario que tenía su tienda en las inmediaciones del mercado. Fuese lo que fuese, debió reconocerse que sus conocimientos aliviaron los ahogos del enfermo, reanimando un corazón que se mostraba, por momentos, de una agónica debilidad... Pero no había que esperar mucho más. Los mecanismos físicos del enfermo fallaban, uno tras otro. Los bebedizos del negro eran tan sólo de un alivio pasajero. Los hombres del Tendido y del Sepelio, llevados por su seguro instinto, rondaban la morada a todas horas. No se sorprendió Esteban cuando vio aparecer al sastre de Carlos con unas ropas de luto. Sofía las había encargado a su modista, tan numerosas que llenaban varias banastas colocadas de cualquier modo, en una habitación del fondo donde la joven se vestía y desvestía desde que había empezado la enfermedad de su marido. Acaso por cumplir con una íntima superstición, no se resolvía a abrirlas. Esteban la entendía: con haberse mandado hacer esos vestidos negros se había cumplido con un rito conjuratorio. Sacarlas de antemano era aceptar lo que no quería aceptarse. Cada cual debía fingirse a sí mismo que creía que el paño negro no habría de reaparecer una vez más bajo el techo de la casa. Pero, tres días después, luego de un irrebasable fallo cardíaco, el paño negro hizo su entrada por la puerta principal, poco después de las cuatro de la tarde; negro de los hábitos monjiles, negro de sotanas, negro de amigos, clientes del almacén, hermanos masones, conocidos y empleados; negro de Pompas Fúnebres, con sus túmulos y accesorios; negro de los negros de verdad, remotamente relacionados con la familia, desde hacía cuatro generaciones, por vínculos ancilares, y que surgían, cual sombras olvidadas, de sus barrios lejanos, para armar plañideros coros bajo las arcadas del patio. En aquella sociedad implacablemente compartimentada, el Velorio era la única ceremonia que echaba abajo las barreras de condiciones y razas, admitiéndose que el barbero que alguna vez hubiese rasurado las mejillas del difunto viniese a codearse, junto a su ataúd, con el Capitán General de la Colonia, el Rector del Protomedicato, el Conde de Pozos Dulces, o el rico hacendado, recién dotado de un título de Marqués de la Real Proclamación. Aturdida por la presencia de centenares de caras desconocidas —todo el comercio de la Habana se había volcado aquella noche en la casa de altos puntales—, Sofía, adelgazada por sus vigilias, endurecida por el entrañable dolor que se exime de plantos y de lágrimas de buen ver, desempeñaba su función de viuda con una dignidad y un señorío que admiraba al propio Esteban. Pálida, ceñuda, mareada acaso por el perfume de flores tan diversas, que sus olores mezclados se transformaban en un hedor ceroso, añadido al hedor de los blandones y de los cirios, al de los vahos medicinales que aún demoraban entre las paredes con sus identidades de mostaza y de alcanfor, la joven conservaba, en medio de sus desairados lutos, una hermosura ajena a sus propias imperfecciones. Su frente era tal vez demasiado voluntariosa; sus cejas, harto pobladas; sus ojos, demasiado remisos a la entrega; sus brazos le quedaban largos; sus piernas eran acaso endebles para sostener la arquitectura de las caderas. Pero de ella se desprendía, aun en el penoso menester presente, una luz de femineidad integral, venida de lo hondo, que ahora vislumbraba Esteban, entendiendo los resortes secretos de su poderoso estilo humano. Salió al patio para huir del abejeo de los rezos que llenaba el salón donde quedaba tendido el cadáver. Fue a su cuarto, donde los títeres, en aquel momento, cobraban un contrastante valor de esperpento a lo Callot. Se dejó caer en su hamaca, sin poder librar su espíritu de una idea tenaz: mañana habría un hombre menos en la casa. Quedaban en palabras los proyectos de viaje que tanto lo habían angustiado días antes. Ahora se correría el año de tedioso luto, con las misas dichas a la memoria del difunto y las obligadas visitas al cementerio. Tenía un año por delante para convencer a los demás de la necesidad de un cambio de vida. Fácil sería regresar a un tema que alimentaba sus conversaciones de los días de la adolescencia. Carlos, demasiado pendiente del almacén, los acompañaría tal vez por dos o tres meses. El se las arreglaría luego para quedarse con Sofía en algún lugar de Europa, y pensaba en España, país menos amenazado que antes por las guerras francesas que, saltando por encima del Mediterráneo, habían ido a dar absurdamente al Egipto. Todo estaba en no apresurarse; en no dejarse llevar por impulsos momentáneos. Valerse de los inagotables recursos de la hipocresía. Mentir cuando fuese útil. Desempeñar, conscientemente, el papel de Tartufo... Regresó a las negruras del velorio, estrechando las manos y recibiendo los abrazos condolidos de gentes que seguían entrando por la puerta principal, llenando las galerías. Miró hacia el ataúd. Quien yacía allí era un intruso. Un intruso a quien se llevarían manana, en hombros, sin que él hubiera cometido siquiera, el íntimo delito de desear su eliminación física —como llamaban pedantemente los filósofos del Siglo Rebasado la ejecución de un ente nefasto. El luto, cerrando la casa, reduciendo nuevamente el círculo familiar a sus exactas proporciones, volvería a crear la atmósfera de otros días. Se regresaría, acaso, al desorden de antaño, como si el tiempo se hubiera revertido. Tras de la larga noche del velorio; tras del entierro, con sus responsos, crucero, ofrendas, vestuario, blandones, bayetas y flores, obituario y réquiem —y se comentaría que había venido éste de gran uniforme, y que había dicho aquél, y que había llorado el otro, gimiendo que no éramos nada...—; tras de la despedida del duelo, con el deber de estrechar cien manos sudorosas bajo un sol que torturaba los ojos con la reverberación de las lápidas de mármol, volvería a establecerse un vínculo natural con lo que atrás había quedado... Y habiendo cumplido con sus agobiantes obligaciones funerarias, volvieron a encontrarse en torno a la gran mesa del comedor, Carlos, Esteban y Sofía, como antaño —era un domingo— ante una cena encargada al hotel cercano. Remigio, que no había podido ir al mercado por estar en el cementerio, traía bandejas cubiertas de paños, bajo los cuales aparecieron pargos almendrados, mazapanes, pichones a la crapaudine, cosas trufadas y confitadas, que Esteban había ordenado personalmente —recomendando que se consiguiera a cualquier precio lo que podía faltar. «¡Qué casualidad! —dijo Sofía—. Me parece recordar que comimos casi lo mismo después de que murió...» (y dejó la voz en suspenso, pues del padre nunca se hablaba en la casa). «Lo mismo —dijo Esteban—. En los hoteles la comida varía poco». Y observó que su prima estaba mal acodada en la mesa, como si de ella hubiesen resurgido los modales desgarbados de antaño. Probaba de todo un poco, sin orden, mirando al mantel, jugando maquinalmente con las copas. Se retiró temprano, agotada por sus noches de vela. Pero ahora hubiese sido inútil exponerse a un contagio póstumo. Hizo armar su estrecha cama de soltera, sacada de una habitación que servía de desván, en el cuarto donde todavía esperaban, sin ser abiertas, algunas de las banastas que contenían ropas de luto. «¡Pobre Sofía! —dijo Carlos, cuando los dos hombres quedaron solos—. ¡Quedar viuda a su edad!» «Pronto volverá a casarse», dijo Esteban, palpando una semilla gris, rodeada por un hilo de oro, que en sus días de marino fuera su personal talismán para alejar tormentas y prevenir desgracias... En los días siguientes, para hacerse útil en algo, fue regularmente al almacén, ocupando el despacho de Jorge —fingiendo que, de pronto, los negocios le interesaban en alto grado. Allí, el cotidiano contacto con negociantes de la plaza y gentes venidas de provincia lo enteró de sucesos sorprendentes. Una sorda efervescencia se manifestaba a todo lo largo de la isla. Los ricos hacendados vivían en un continuo sobresalto, creyendo en la posibilidad de una conjura de negros, alentados a hacer aquí lo que habían hecho los negros de Saint-Domingue. Corrían leyendas acerca de la existencia de un cabecilla mulato, siempre invisible, de nombre desconocido, que recorría los campos para soliviantar las dotaciones de los ingenios de azúcar. La literatura de los «malditos franceses» se ocultaba en demasiados bolsillos. Y aparecían, pegados durante la noche por manos misteriosas en las paredes de la ciudad, unos pasquines amenazadores, que, en nombre de «la libertad de conciencia», daban vivas a la Revolución y anunciaban la pronta erección de la Guillotina en las plazas públicas. A cualquier gesto de violencia cometido por un negro —así se tratara de un loco o de un borracho— se atribuía un sentido subversivo. Por otra parte, los navíos traían noticias de agitaciones políticas en Venezuela y la Nueva Granada. En todas partes soplaban vientos de conspiración. Se decía que las guarniciones estaban sobre alerta y que de España habían llegado cañones nuevos para reforzar las baterías del Castillo del Príncipe...

misterioso episodio de los fantasmas golpeadores que conturbaban la paz de una mansión madrileña desprendiendo los cuadros de las paredes, cuando advirtió que un aguacero de prima noche se iba apretando en lluvia recia, empujada por un viento racheado. Volvió a sumirse en la lectura, sin hacer caso de una ventana que arriba sonaba como si hubiese quedado abierta. Esteban pensaba que había una graciosa coincidencia en el hecho de que un postigo de la casa se pusiera a golpear cuando él, precisamente, alcanzaba las páginas donde se hablaba de espantos y aparecidos. Pero como el ruido seguía haciéndose harto molesto, Esteban subió al piso alto. Era una puerta-ventana de la habitación donde ahora dormía Sofía la que estaba abierta. Y había sido una tonta negligencia no haber acudido a cerrarla antes, pues la lluvia, pegando de frente, se había derramado como a baldazos en el piso, empapando la alfombra de la cama. Junto al armario, un desnivel del enlosado se estaba transformando en charca. Y en esa charca se encontraban las banastas de ropas de luto, aún sin abrir, cuyo mimbre seco había sorbido el agua con avidez. Esteban las puso sobre una mesa. Pero las halló tan mojadas que le pareció urgente sacar las prendas que contenían. Abrió la primera y cuando esperaba meter las manos en tinieblas de paños negros, le salió al encuentro una fiesta de telas claras, rasos, sedas y adornos, como nunca la hubiera visto, con tales ansias de lucimiento, en los armarios de Sofía. Levantó la tapa de la siguiente: lo que había allí era un dispendioso alarde de olanes, encajes de Valenciennes, finísimos tejidos, conjugados en camisas y prendas íntimas de una delicadeza extrema. Estupefacto, sintiéndose como culpable de haber violado un secreto, Esteban volvió a cerrar las banastas, dejándolas donde las había puesto. Bajó por unas frazadas para secar el piso. Y mientras en ello trabajaba, no podía desprender la vista de aquellas arcas de mimbre, llegadas a la casa con su contenido durante los días en que Jorge, en la estancia contigua, sudaba sus últimas fiebres. En el velorio, su prima había estrenado ropas de luto, ciertamente. Pero esas ropas no pasaban de ser tres vestidos, que se turnaban en el uso, resultando hasta raro que Sofía los hubiese escogido tan pobres y tan deslucidos —acaso guiada por un sentimiento que Esteban había interpretado como una voluntad de mortificación. Y ahora no hallaba cómo conciliar esa voluntad con la otra voluntad, ahora revelada, de hacerse un ropaje tan costoso, inadecuado e inútil como el que acababa de descubrir. Allí había vestidos dignos de llamar la atención en bailes y teatros; medias por docenas; sandalias recamadas; suntuosas galas, tan destinadas a la ostentación mundana como a la más intencionada intimidad. Levantó la tapa de la banasta que aún no había abierto. Lo que encerraba era más corriente, más cotidiano: trajes de calle, de diario, de presumir con poca ceremonia, acompañados de batas de interior que pregonaban las finuras del raso —todo claro y riente siempre— y los rebuscados detalles de la hechura. Aquí el enigma era el mismo: en todo lo visto había una total ausencia de negro, y de cuanto pudiese corresponder al luto o a la manifestación del duelo. Sofía estaba enterada de la rapidez con que, en estos tiempos sobre todo, cambiaban las modas femeninas. En la ciudad, que pasaba por una nueva etapa de bonanza económica, sabían las mujeres lo que se usaba en Europa. Era inexplicable, pues, que la joven hubiese comprado tan recientemente aquel ajuar suntuario sabiendo que, al cabo del año del luto ineludiblemente llevado —y cuando aún pesarían sobre ella las férulas vestimentarias del medio luto— sus prendas estarían fuera de los estilos observados... No acababa Esteban de mortificarse a preguntas, lanzándose por el disparadero de las suposiciones más lacerantes —llegando a pensar que su prima llevaba una doble vida, insospechada por su mismo hermano— cuando oyó el ruido de la volanta entrando por la puerta cochera. Sofía apareció en el umbral de la habitación, donde se detuvo, sorprendida. Esteban, torciendo una frazada sobre un balde, le explicó lo ocurrido. «Esas ropas están mojadas seguramente», dijo, señalando hacia las banastas. «Las sacaré yo misma. Déjame sola», dijo ella, llevándolo hacia la puerta. Después de darle las buenas noches, se encerró con llave.

Al día siguiente, hallábase Esteban en el almacén, sin acertar a poner la mente en el trabajo, cuando se produjo un tumulto en la calle. Cerrábanse las ventanas al grito de que los negros se habían levantado, siguiendo el ejemplo de los de Haití. Cargaban los buhoneros con sus armarios, regresando a sus casas en desaforada huida, quien con carretillas llenas de juguetes, quien con sacos repletos de menudencias de altar. De quicio en quicio, hablaban las comadres de muertes y violaciones en medio de un vocerío subido de tono por el estrépito de un coche volcado al doblar una esquina con harta prisa. En corros, formados aquí, allá, se recibían las noticias más contradictorias: que dos regimientos eran mandados a las murallas para rechazar el avance de una columna de esclavos; que los pardos habían tratado de volar los polvorines; que unos agitadores franceses, traídos en barcos de Baltimore, estaban actuando en la ciudad; que había incendios en el barrio del Arsenal. Pronto se supo que todo aquel alboroto se debía a una riña entre gentes del bronce y unos marinos americanos que, después de aprovecharse de cuanto se brindaba en hembras, licores y naipes, en el famoso antro de La Lola, habían tratado de largarse sin pagar, apaleando al coime, pateando a la dueña, rompiendo consolas y espejos. La cosa había terminado en batalla, al entrometerse un cabildo de negros congos que iba a la Iglesia de Paula con las farolas en alto, para rendir sus devociones a algún santo patrón. Varios heridos quedaban en el suelo, al cabo de una tremolina de machetes y de garrotes, agrandada por la embestida de los celadores. Una hora después, estaba restablecido el orden en la siempre revuelta barriada. Pero el Gobernador, aprovechando la oportunidad para poner coto a ciertos hechos que ya empezaban a desasosegarlo, hizo saber, en público pregón, que se tomarían medidas severas contra todas las personas sospechosas de difundir ideas subversivas, pegar pasquines en las paredes —cosa que ocurría sumamente a menudo—, abogar por la abolición de la esclavitud, o hacer comentarios injuriosos para la Corona de España... «Sigan jugando a la Revolución», dijo Esteban, aquella tarde, al regresar a la casa. «Más vale jugar a algo que no jugar a nada», replicó Sofía, ásperamente. «Al menos, yo no tengo secretos que ocultar», dijo Esteban, mirándola de frente. Ella se encogió de hombros, volviéndole las espaldas. Su expresión se tornaba dura y voluntariosa. Durante la cena permaneció en silencio, esquivando las miradas de quien la interrogaba demasiado con los ojos. Pero no lo hacía con la confusión de quien se siente descubierto en un intento censurable, sino con el altanero ademán de la mujer resuelta a no dar razones. Aquella noche, mientras Esteban y Carlos se entretenían en llevar al jaque una desvaída partida de ajedrez, Sofía ocultó el rostro tras de un enorme tomo de mapas celestiales. «El *Arrow* llegó esta tarde —dijo Carlos, de pronto, enfilando un alfil negro hacia el último caballo que quedaba a Esteban—. Mañana tendremos el yanqui a comer». «Me alegro de que te hayas acordado —dijo Sofía, desde la lejanía de sus constelaciones—. Pondremos un cubierto más en la mesa».

Y era la hora de cenar, al día siguiente, cuando Esteban llegó a la casa, esperando encontrarla con todas las luces encendidas. Pero, al entrar en el salón, advirtió que algo raro ocurría. Dexter, nervioso, se paseaba de una pared a la otra, dando extrañas explicaciones a un Carlos desplomado, lloroso, cuya incipiente obesidad se hacía caricatural en los escorzos de la congoja: «Yo no puedo hacer nada —clamaba el norteamericano, abriendo los brazos—. Ella es viuda y mayor de edad. Debo considerarla como una pasajera más. Le he hablado. No entiende razones. Aunque fuese hija mía no podría hacer nada». Y se extendía en pormenores: ella había comprado su pasaje a Miralla y Cía., pagándolo en buen dinero. Sus papeles, conseguidos por un hermano masón, ostentaban los cuños exigibles. Iría hasta la Barbados. Allí dejaría el *Arrow* para embarcar en alguna de las naves holandesas que iban a Cayena. «A Cayena —decía Carlos, como atontado—. ¡A Cayena, dígame usted! ¡En vez de irse a Madrid, a Londres, a Nápoles!» Y, advirtiendo la presencia de Esteban, le hablaba como si estuviese enterado de algo:

«Está como loca. Dice que está cansada de la casa: cansada de la ciudad. Y se ha ido a viajar así, sin avisar, sin despedirse. Hace dos horas que está a bordo del buque, con equipaje y todo». El había ido allá para tratar de disuadirla: «Igual que hablar con una pared. No puedo traerla arrastrada. Quiere irse». Y ahora se volvía hacia Dexter: «Usted, como capitán, tiene el derecho de rechazar a un pasajero. No me diga que no». El otro, irritado por una insistencia que ponía en duda su probidad, alzó el tono: «No hay razón legal ni moral que me lo permita. Déjenla que haga su voluntad. Nadie impedirá que se largue a Cayena. Si no se embarca esta vez, lo hará la próxima. Y si le cierran las puertas, se irá por la ventana». «¿Por qué?», le ladraban los otros, acosándolo. Dexter los apartó con firmes manazas: «Acaben de entender, de una vez, que ella sabe muy bien por qué quiere irse a Cayena —precisamente a Cayena». Y con el índice de predicador en reto, citó un proverbio bíblico: «Blandas parecen las palabras del indiscreto: mas ellas entran hasta los secretos del vientre». Aquella prosa, tan rebajada de tono por la palabra que la cerraba, actuó sobre Esteban como un revulsivo. Tomando al marino por las solapas de su levita, le pidió explicaciones claras, duras, sin ambages. Dexter largó una frase brutal que lo puso todo en claro: «Mientras Ogé y usted se iban a buscar putas a los muelles de Santiago, ella se quedaba a bordo con el *otro*. Mis marineros me lo contaron todo. Era un escándalo. Tan disgustado me tenía *eso* que apresuré la partida»... Ya nada más tendría que preguntar Esteban. Todo se enlazaba. Explicábase aquel encargo de ropas lujosas, a poco de saber que Alguien era todopoderoso, nuevamente, en una cercana tierra de América; entendía la intención oculta de mil interrogatorios pasados en que ella, a cambio de unos cuantos adjetivos denigrantes para el *otro*, lograba saber cuanto le interesaba saber acerca de su vida, sus logros, sus errores. Admitía hipócritamente que era un monstruo, un ser abominable, una bestia política, para saber más y más, a retazos, a tirones, a trancos, acerca de los gestos, apetencias y acciones del Investido de Poderes caído y rehabilitado. Y tenazmente había seguido trabajando la voluntad reprimida, silenciada, hasta desatarse en apetencias que ni siquiera hubiesen sido refrenadas por la presencia de un moribundo. Había en todo ello una asquerosa promiscuidad de flores mortuorias, de ceras funerarias, con el pensamiento turbio, demasiado manifiesto en la compra de galas íntimas, hechas para ajustar a contorno de la desnudez. Sofía se revelaba a Esteban, de pronto, en una dimensión larvaria, innoble, impensable, de hembra entregada, aquiescente, gozosa bajo el peso de un hombre que había conocido las resistencias de su carne intacta. Recordando el asco sentido por ella cierta noche, ante un mundo de rameras que no eran sino las ancilares protagonistas —las más *desinteresadas,* acaso— del acoplamiento humano, no lograba Esteban conciliar las dos personalidades que habitaban una misma figura: la de aquélla, sonrojada de indignación y de ira ante un acto que su educación religiosa vestía de suciedad, y la otra que, muy poco tiempo después, hubiese podido sucumbir al deseo, entregándose a los juegos del disimulo y la complicidad. «La culpa la tienes tú, por haberla casado con un cretino», gritaba Esteban, ahora, buscando sobre quién echar la culpa de lo que tenía por una defección monstruosa. «Eso nunca fue un buen matrimonio», decía Dexter, alisando, ante un espejo, las solapas que le habían arrugado. «Cuando el marido y la mujer se entienden en la cama, se les conoce hasta cuando pelean. Todo aquí era comedia. Faltaba *algo.* No había más que ver las manos de él: eran manos de monja católica, con dedos blandos que no sabían agarrar las cosas». Y evocaba Esteban el excesivo cuidado que mostraba Sofía en desempeñar —aun al borde de un sepulcro— el papel de buena esposa, actuando en todo con una sumisión, una solicitud, una oportunidad, que eran impropias de sus gustos independientes y desordenados. Y casi se alegraba de que no hubiese llegado virgen a aquel casorio que consideraba como la más inadmisible claudicación ante los hábitos de una sociedad despreciada. Pero eso mismo lo devolvió a la visión de la Poderosa Presencia que, de tan lejos, seguía pesando sobre la casa. Ante la inercia de Carlos, que permanecía anonadado y lloroso, se levantó:

«La traeré como sea», dijo. «Nada sacará usted con un escándalo —dijo Dexter—. Ella tiene el derecho de marcharse». «Ve —dijo Carlos—. Haz un último esfuerzo»... El hombre dio un portazo y se encaminó hacia los muelles. Al llegar al espigón donde estaba atracado el *Arrow*, se sintió ahogado por el olor de la pesca recién traída: andaba entre cestas de pargos, de cabrillas, de sardinas, cuyas escamas relumbraban a la luz de hachones. A veces, un pescadero hundía la mano debajo de una tela de yute y sacaba un puñado de calamares y los arrojaba a las balanzas. Sofía se erguía en lo alto de la proa arrimada a tierra, aún vestida de sus ropas de luto, oscura, alargada, como insensible al olor de escamaduras, tintas y sangres que hacia ella se alzaba. Había, en ella, algo de la impasibilidad de una heroína de mitos, contemplando las ofrendas traídas a su morada por algún Pueblo del Mar. La violencia de Esteban se aplacó al ver aquella mujer inmóvil, que lo veía acercarse sin hacer un gesto, mirándolo con ojos de una desarmante fijeza. Y, de pronto, tuvo miedo. Se sintió inerme ante la posibilidad de escuchar ciertas palabras que, en boca de ella, cobrarían una ensordecedora elocuencia. No se atrevió a ascender hasta donde estaba. La contempló en silencio. «Ven», dijo, por fin. Ella se volvió hacia el puerto, adosándose a la borda. En la otra orilla brillaban las luces de barrios nunca conocidos; detrás, confundíanse las luces del vasto lampadario barroco que era la ciudad, con sus cristalerías rojas, verdes, anaranjadas, encendidas entre las arcadas. Y había, a la izquierda, el oscuro paso que conducía al mar en tinieblas: el mar de las aventuras, de las navegaciones azarosas, de las guerras y contiendas que, desde siempre, habían ensangrentado este Mediterráneo de mil islas. Iba hacia quien le había dado una conciencia de sí misma y que, en carta traída por aquel gimiente que abajo quedaba, le hubiese hablado de su soledad en medio de los triunfos. Allá, donde él estaba, había mucho que hacer; no podía un hombre de su temple sino estar madurando grandes empresas; proyectos, en los cuales pudiese cada cual hallar su cabal medida. «Ven —repetía la voz, abajo—. Te crees demasiado fuerte». Regresar sería dudar de esa fuerza; consumar una segunda derrota. Demasiado había conocido las noches de la carne aterida; del fingimiento de júbilos ausentes. «Ven». Atrás la mansión de siempre, adherida al cuerpo como una valva; allá el a ba, luces de inmensidad, fuera de pregones y esquilas. Aquí, la parroquia, el cepo, los tediosos tránsitos del vivir en lo de siempre; allá, un mundo épico, habitado por titanes. «Ven», repetía la voz. Sofía se apartó de la borda, ocultándose en las sombras de la cubierta. El otro le seguía hablando, alzando el tono. Pero el alboroto de los pescadores apagaba aquel monólogo que hacia ella ascendía, en ráfagas de pa'abras que la hablaban de una casa construida por todos y que ahora quedaría en ruinas. «Como si las casas verdaderas pudiesen construirse entre buenos hermanos», pensaba ella. Esteban, abrazado a la quilla del buque, seguía hablando sin ser escuchado. Aquel enorme cuerpo de madera, oliente a sal, a algas, a vegetaciones marinas, le era suave, casi femenino, por la mullida entrega de sus flancos húmedos. Arriba, un mascarón de proa, con semb'ante de mujer, blanco, yesoso, cuyos ojos eran circundados por un espeso trazo azul, se había substituido al de quien partiría en el amanecer, cargada de prodigiosas riquezas, devuelta al desear, librada de las negruras que menguaban su hermosura y atajaban sus alegrías. Saldría del recinto fami'iar para profanar sus secretos, para contarlos a otro, que acaso estaba ya en espera. Sentíase miserable el hombre, desnudo —desnudo de una desnudez que demasiado había conocido ella para verla en valores de desnudez—, al pensar que sus voluntades de violencia hubiesen quedado en imploración. Arriba estaba quien esperaba que las velas crecieran y de viento se hincharan. Iba hacia la simiente extraña con el surco que la hendía; copa y arca sería, como la mujer del Génesis que, al allegarse con el varón tuviese el sino de abandonar el hogar de sus padres... Las gentes empezaban a mirarlo, a ahuecar la oreja para enterarse, riendo, de lo que creían entender. Se alejó de la nave, topándose, entre las cestas de pescado, con el Capitán Dexter. «¿Está todo claro?», preguntó el marino. «Muy claro —respondió Esteban—. Buen viaje a todos».

XLI

Ahora permanecía en una esquina próxima al muelle, indeciso, avergonzado de su derrota. Mascullaba las frases que hubiese debido decir y que no habían salido de sus labios. El buque estaba ahí, muy cerca, rodeado de hachones, con algo maléfico en su nocturnal estampa. La sirena de la proa, con su doble cola pegada a las bordas, salía de las sombras, a veces, cuando algún farol iluminaba su rostro de máscara funeraria, como sacada de un sepulcro. Esteban se sintió lleno de palabras impronunciadas, que volvían a ordenarse en discursos, reconvenciones, advertencias, reproches, violencias que llegaban al insulto y en el insulto se detenían, tras de ciertos vocablos supremamente infamantes, más allá de los cuales quedaba el idioma agotado. Si ella soportaba la andanada verbal a pie firme —y en su carácter estaba hacerlo— quedaría el hombre tan inerme como antes. Ahora los malos propósitos iban apareciendo. Eran las ocho. El buque del Capitán Dexter zarparía a las cinco de la madrugada. Quedaban nueve horas durante las cuales habría, acaso, tiempo suficiente para hacer algo. Sobre el resquemor de su despecho, Esteban edificaba la teoría de un deber: Tenía la *obligación* de impedir que Sofía llegara a Cayena. No había que vacilar en recurrir a los medios más extremos para impedir un suicidio moral. Aquella aventura equivaldría a un descenso en los infiernos. Sofía era mayor de edad. Pero Carlos tenía, legalmente, el derecho de impedir su fuga, planteando el caso de enajenación mental. Se había tenido un ejemplo de ello, meses antes, cuando una joven viuda, de ilustre apellido, había tratado de largarse a España con un cómico de los que venían a cantar tonadillas en el Coliseo. Era fácil contar con la ayuda de las autoridades cuando se trataba de casos que en algo afectaren al honor de las familias honorables. Los arranques pasionales eran mal vistos por la sociedad colonial, siempre dispuesta a valerse del alguacil cuando un lío de amantes o de hembras desaforadas venía a turbar su calma. También la Iglesia se mostraba activa en esos casos, atravesándose en el camino de los culpables... Esteban, resuelto a recurrir a cualquier medio para impedir lo intolerable, llegó a la casa sofocado, sudoroso de tanto haber corrido, y vino a caer sin resuello en el insospechable trabajo de unos hombres, de hosca catadura policial, que estaban metidos en todas partes, abriendo los armarios, registrando los escritorios y vargueños, yendo de las caballerizas al piso alto. Por la escalera descendía uno, llevando un paquete de impresos sobre la cabeza. Los requisadores se pasaron las hojas de mano en mano, comprobando que eran textos de la *Declaración de los Derechos del Hombre y del Ciudadano* y de la *Constitución Francesa*, guardados por Sofía debajo de su cama. «Váyase —dijo Rosaura, acercándose a Esteban—. El caballero Carlos huyó por la azotea». El joven retrocedió hacia el zaguán, a pasos contados, sin alborotar, para irse a la calle. Pero dos hombres estaban ya apostados ante la puerta principal: «Dése preso», le dijeron, poniéndolo bajo custodia en un ángulo del salón.

Durante varias horas lo tuvieron en espera, sin preguntar. Pasaban y volvían a pasar delante de él, como sin percatarse de su presencia, mirando si había algo detrás de los cuadros, o debajo de la alfombra. Hundieron varillas de hierro en la tierra blanda de los canteros buscando la resistencia de alguna caja metida bajo la grama. Otro sacaba tomos de la biblioteca, examinando las pastas y palpando su espesor, acabando por arrojar al suelo a modo de selección, algún escrito de Voltaire, Rousseau, Buffon, y, en general, de cuanto estuviese impreso en prosa francesa —que el verso era cosa de menos cuidado. Por fin, a las tres de la madrugada, se dio por terminada la requisa. Había pruebas, más que suficientes, para demostrar que aquella casa era un nido de conspiradores francmasones, difundidores de escritos revolucionarios, enemigos de la Corona, que pretendían implantar la anarquía y la impiedad en los dominios de Ultramar. «¿Dónde está la señora?», preguntaban todos ahora, instruidos por confidentes de que era ella uno de los conspiradores más peligrosos. Rosaura y Remigio respondieron que nada sabían. Que había salido temprano. Que por costumbre se quedaba en casa, pero que esta vez, por casualidad, no se hallaba aquí en hora tan tardía. Habló uno, entonces, de la oportunidad de visitar todos los barcos surtos en el puerto, para evitar un intento de fuga. «Sería tiempo perdido —dijo Esteban, alzando la voz desde un rincón—. Mi prima Sofía nunca ha tenido nada que ver con todo esto. Han sido ustedes mal informados. Esos papeles los puse yo en su cuarto, esta misma tarde, sin que ella lo supiera». «¿Y su prima duerme fuera de la casa?» «Esa es cuestión que incumbe a su vida privada». Los hombres de la requisa cambiaron una mirada irónica: «El muerto al hoyo; los vivos al gozo», dijo uno, riendo groseramente. Pero hablábase nuevamente de ir a los barcos... En eso pidieron a Esteban que escribiera algunas líneas en un papel. Sorprendido por la exigencia, el arrestado garabateó unos versos de San Juan de la Cruz que tenía muy presentes por haberlos leído en esos días: «*¡Oh, quién se viese presto — De este amoroso amor arrebatado*»... «Es la misma letra», dijo uno de los interrogadores, blandiendo un ejemplar del *Contrato Social* en cuyas márgenes había apuntado Esteban, años atrás, algunas ideas injuriosas para la monarquía. Y ahora la atención de todos se centraba en él: «Sabemos que usted regresó recientemente de un largo viaje». «Es cierto». «¿Y dónde estuvo usted?» «En Madrid». «Es mentira —dijo uno—. En el escritorio de su prima encontramos dos cartas, fechadas en París, en las que expresaba, por cierto, un gran entusiasmo revolucionario». «Es posible —dijo Esteban—. Pero luego fui a Madrid». «Déjenme a mí —dijo uno, abriéndose paso—. Que yo no soy gallego ni catalán». Y empezó a preguntar por calles, ferias, iglesias y lugares, que Esteban desconocía. «Usted nunca ha estado en Madrid», concluyó el otro. «Es posible», dijo Esteban. Y se adelantó uno nuevo. «¿De qué vivía usted en París, puesto que España entró en guerra con Francia, y no podía recibir dinero enviado por sus familiares?» «Me pagaban por hacer traducciones». «¿Traducciones de qué?» «De distintas cosas». Eran las cuatro. De nuevo hablábase de la inexplicable ausencia de Sofía y de la necesidad de ir a los barcos... «Todo eso es estúpido», gritó Esteban, de pronto, pegando un puñetazo en la mesa: «¡Ustedes creen que con allanar una casa en la Habana van a terminar con la idea de Libertad en el mundo! ¡Ya es demasiado tarde! ¡Nadie podrá detener lo que está en marcha!» Y se le hinchaban las venas del cuello en la reiteración ruidosa de lo dicho antes, con añadidos de Fraternidad e Igualdad que hacían correr más pronto la pluma de un escribano. «Muy interesante. Muy interesante. Ya empezamos a entendernos», dijeron los del interrogatorio. Y el más importante de ellos, apretando el ritmo de sus preguntas, comenzó a acorralar a Esteban: «¿Es usted masón?» «Lo soy». «¿Reniega usted de Jesucristo y de nuestra Santa Religión?» «Mi Dios es el Dios de los filósofos». «¿Comparte usted y difunde las ideas de la Revolución Francesa?» «Con toda conciencia». «¿Dónde se imprimieron las proclamas que encontramos arriba?» «No soy un delator». «¿Quién las tradujo al castellano?» «Yo». «¿Y también estas Carmañolas Americanas?» «Acaso». «¿Cuándo?» En eso apareció un requisidor, que había permanecido en los altos, obstinadamente empeñado en encontrar algo más: «Vayan los abanicos que se gastaba la señora —dijo, abriendo uno, en cuya cara podía verse una escena de la Toma de la Bastilla—. Y eso no es todo: tiene una colección de cajas y alfilereros, cuyos colores son de lo más sospechoso». Esteban, al ver aquellas baratijas tricolores, se sintió enternecido ante los adolescentes entusiasmos que hubiesen podido llevar un ser tan fuerte como Sofía a reunir las muestras de una quincalla que, desde hacía años, corría por el mundo. «A la pájara esa hay que echarle mano de cualquier modo», dijo el Importante. Y, de nuevo, se habló de ir a los muelles... Esteban, entonces, lo largó todo de un solo y pormenorizado tirón: Se remontó a la llegada de Víctor Hugues a la Habana, para hacer más lento y detallado el relato que el escribano iba pasando al papel con desacompasada caligrafía. Habló de sus contactos personales con Brissot y Dalbarade; de sus trabajos de propaganda, realizados en el País Vasco; de su amistad con los abominables personajes que habían sido los traidores Marchena y Martínez de Ballesteros. Luego, la ida a Guadalupe; la imprenta de los Loeuillet; el episodio de Cayena, durante el cual tuviera grandes tratos con Billaud-Varennes, el encarnizado enemigo de la Reina de Francia. «Apunte, escribano; apunte», decía el Importante, colmado por tales revelaciones. «¿"Biyó" es con "y griega"?», preguntaba el escribano. «Con "elle"», decía Esteban, largándose al disparadero de un curso sobre Gramática Francesa. «Con "elle", porque...» «No vamos a pelear por una "elle" más o menos —gritó el Importante, aspándose de mangas—. ¿Cómo regresó usted a la Habana?» «Todo resulta fácil a los francmasones», respondió Esteban, prosiguiendo un relato que lo alzaba hacia una imponente estatura conspirativa. Pero, a medida que las saetas del reloj se aproximaban a la cifra de las cinco, sus palabras cobraban un viso caricatural. Empezaban a no entender sus interrogadores cómo un hombre, en vez de defenderse, se entregaba a una confesión tan completa de delitos que bien podrían significar, para él, la muerte en garrote vil. Ahora, no teniendo más que contar, Esteban se desataba en chistes vulgares, hablando de Mesalinas borbónicas, de los cuernos pegados a Su Majestad por el Príncipe de la Paz y de los cohetes que no tardarían en estallar en el culo del Rey Carlos. «Es un fanático», decían todos. «Un fanático o un trastornado. América está llena de esta clase de Robespierres. Como nos descuidemos, habrá pronto en estas tierras una degollina general». Y Esteban seguía hablando, acusándose ya de acciones que no había realizado, jactándose de haber pasado sus literaturas revolucionarias, personalmente, a Venezuela y a la Nueva Granada. «Apunte, escribano; apunte. No se le vaya a quedar nada en el tintero», decía el Importante, sin tener ya nada que preguntar... Eran las cinco y media. Esteban pidió que alguien lo acompañara a la azotea donde, en el interior de un vaso antiguo que adornaba la balaustrada superior, había dejado un objeto de uso personal. Engolosinados por lo que podía constituir una nueva prueba, algunos requisidores lo siguieron. Dentro del vaso sólo había un nido de avispas que trataron de picar a más de uno. Sin escuchar a quienes lo insultaban, Esteban miró hacia el puerto: El *Arrow* había zarpado ya, quedando claro el lugar donde el buque hubiese estado amarrado a las bitas del muelle... Volvió al salón: «Apunte, señor escribano —dijo—. Declaro ante Dios, en quien creo, que todo lo que dije es mentira. Jamás podrán ustedes encontrar la menor prueba de que hice cuanto dije, salvo de que estuve en París. No hay testigos ni documentos a los cuales puedan ustedes recurrir. Dije cuanto dije para favorecer una fuga. Hice lo que me importó hacer». «Acaso te salves del garrote —dijo el Importante—. Pero nadie te librará del presidio de Ceuta. Por menos hemos mandado gente a las canteras de Africa». «¡Para lo que me importa ya cuál haya de ser mi destino!», dijo Esteban. Se detuvo ante el cuadro de la Explosión en la Catedral, donde grandes trozos de fustes, levantados por la deflagración, seguían suspendidos en una atmósfera de pesadilla: «Hasta las piedras que iré a romper ahora estaban ya presentes en esta pintura». Y agarrando un taburete, lo arrojó contra el óleo, abriendo un boquete a la tela, que cayó al suelo con estruendo. «Llévenme de una vez», dijo Esteban, tan agotado, tan necesitado de sueño, que sólo pensaba ya en dormir aunque fuese en la cárcel.

CAPÍTULO SEXTO

preciosos libros de estampas como aquel, de mapas celestes, que había quedado en la biblioteca familiar, en cuyas planchas parecían librar tremebundos combates los centauros con los escorpiones, las águilas con los dragones. Por el nombre de las constelaciones remontábase el hombre al lenguaje de sus primeros mitos, permaneciéndole tan fiel que cuando aparecieron las gentes de Cristo, no hallaron cabida en un cielo totalmente habitado por gentes paganas. Las estrellas habían sido dadas a Andrómeda y Perseo, a Hércules y Casiopea. Había títulos de propiedad, suscritos a tenor de abolengo, que eran intransferibles a simples pescadores del Lago Tiberiades —pescadores que no necesitaban de astros, además, para llevar sus barcos a donde Alguien, próximo a verter su sangre, forjaría una religión ignorante de los astros... Cuando palidecieron las Pléyades y se hizo la luz, millares de yelmos jaspeados avanzaban hacia la nave, sombreando largos festones rojos que bajo el agua dibujaban las siluetas de guerreros extrañamente medievales, por su ineludible estampa de infantes lombardos vestidos de cotas agujereadas —que a tejido de cotas se asemejaban las hebras marinas encontradas por el camino y que traían atravesados, de hombro a cadera, de cuello a rodilla, de oreja a muslos, aquellos personajes, cruzados por astillas de luz, que el capitán Dexter llamaba *men-of-war*. El ejército sumergido se abría al paso del velero, cerrando sus filas después, en una marcha silenciosa, venida de lo ignoto, que proseguía durante días y días, hasta que las cabezas les reventaran bajo el sol y los festones se consumieran en su propia corrosión... A media mañana entróse en un nuevo país: el de las Gorgonas, abiertas como alas de ave, al filo del agua blanqueada por su migración. Y aparecieron luego, en pardos enjambres, los dedalillos abiertos o cerrados por hambrientas contracciones, seguidos por un bando de caracoles viajeros, colgados de una almadía de burbujas endurecidas... Pero un repentino chubasco transfiguró el mar, en instantes, tornándolo glauco y sin transparencias. Un alzado olor salino subió del agua percutida por la lluvia, cuyas gotas eran sorbidas por las maderas de la cubierta. La lona de las velas sonaba a pizarra bajo granizo, en tanto que los cabos se entesaban, crujiendo por todas sus fibras. El trueno viajaba de oeste a este, pasaba sobre el buque retumbando largo, y se marchaba con sus nubes, dejando el mar, a media tarde, en una rara claridad de amanecer que lo volvía tan liso, tan irisado, como laguna de altiplano. La proa del *Arrow* se tornaba arado, roturando la mansedumbre de lo quieto con los espumosos arabescos que creaban la estela, dejando constancia, por varias horas, de que por allí había pasado un barco. Al crepúsculo, las estelas se pintaban en claro sobre los fondos ya repletos de noche, trazando un mapa de caminos y encrucijadas sobre el agua nuevamente desierta —tan desierta que quienes la contemplaban tenían la impresión de ser los únicos navegantes de la época. Y se entraría, hasta la madrugada próxima, en el País de las Fosforescencias, con sus luces venidas de lo hondo, abiertas en aventadas, en regueros de fulgores, dibujando formas que recordaban el áncora y el racimo, la anémona o la cabellera —o también puñados de monedas, luminarias de altar, o vitrales muy remotos, de catedrales sumergidas, caladas por los fríos rayos de soles abisales... En este viaje no estaba Sofía conturbada, como la otra vez —cuando se acodara en la misma borda, cuando subiera la brisa desde el vértice de esta misma proa— por angustias de adolescente. Muy madurada por su decisión, iba hacia algo que no podía ser sino como ella se lo imaginaba. Después de dos jornadas durante las cuales lo dejado atrás hubiera seguido pesando sobre su ánimo, se había despertado, en este tercer día, con una exaltante sensación de libertad. Rotas estaban las amarras. Se había salido de lo cotidiano para penetrar en un presente intemporal Pronto empezaría el gran quehacer, esperado durante años, de realizarse en dimensión escogida. Conocía nuevamente el gozo de hallarse en el punto de partida; en los umbrales de sí misma, como cuando se hubiese iniciado, en esta nave, una nueva etapa de su existencia. Volvía a hallar el recio olor a brea, a salmuera, a harina y afrechos, conocido en otros días cuya presencia bastaba para abolir el tiempo transcurrido. Cerraba los ojos, en la mesa del Capitán Dexter, al encontrar nuevamente el sabor de las ostras ahumadas, de las sidras inglesas, de las tortas de ruibarbo y de los nísperos de Pensacola, que la devolvía a las sensaciones de su primer viaje marítimo. No se seguía el mismo rumbo, sin embargo. Aunque Toussaint Louverture se afanara en establecer relaciones comerciales con los Estados Unidos, desconfiaban los negociantes norteamericanos de la solvencia del caudillo negro, dejando aquel mercado azaroso a quienes vendían armas y municiones —únicas mercancías que siempre eran pagadas de contado, aun cuando no hubiese harina para amasar el pan de cada día. Habiéndose dejado de largo la costa de Jamaica, navegábase, desde hacía varios días en lo más despejado del Mar de las Antillas —con rumbo al puerto de La Guaira—, donde los últimos corsarios guadalupenses sólo aparecían de tarde en tarde, en veleros que ya se llamaban el *Napoleón, Campo-Formio* o *La Conquista del Egipto.* Una mañana creyóse que habría un enojoso encuentro, al advertirse la presencia de una nave pequeña que bogaba hacia el *Arrow* con sospechosa celeridad. Pero la inquietud de un momento volvióse alborozo al ver que se trataba de la casi fabulosa *Balandra del Fraile,* mandada por un misionero franciscano de bragas muy bien colgadas que, desde hacía años, se entregaba al contrabando en el ámbito del Caribe. Por lo demás, sólo se encontraban goletas tasajeras, de continuo tránsito entre la Habana y la Nueva Barcelona, que dejaban, al pasar, un enorme olor a carnes ahumadas. Sofía, para aquietar su contenida impaciencia por *llegar,* trataba de darse a la lectura de algunos libros ingleses que figuraban en la biblioteca de Dexter, junto a la Acacia, las Columnas y el Tabernáculo de su mandil masónico, guardado en la vitrina de otros días. Pero el clima de *Las Noches* era tan ajeno a su estado de ánimo, en estos momentos, como la atmósfera opresiva de *El Castillo de Otranto.* Al cabo de pocas páginas cerraba el tomo, sin saber muy bien qué había leido, entregada sin más reflexiones a todo lo que le entrara por los poros, solicitando sus sentidos más que su imaginación... Una mañana comenzó a divisarse una mole violácea sobre los imprecisos verdores que aneblaban el horizonte: «La Silla de Caracas —dijo Dexter—. Estamos a unas treinta millas de la Tierra Firme». Y observábase en la marinería el tráfago anunciador de próxima escala: quienes estaban libres de trabajo inmediato se entregaban a la tarea de asearse, rasurarse, cortarse los cabellos, limpiarse las uñas, desmancharse las manos. A cubierta sacaban navajas, peines, jabones, recados de zurcir, derramándose fuertes esencias en las cabezas. Remendaba éste una camisa agujereada; pegaba el otro un parche al zapato maltrecho; mirábase, el de más allá, la tostada jeta en un espejillo de damas. Y eran todos movidos por un desasosiego que no era debido al mero contento de haber llegado al cabo de una travesía feliz: al pie de aquella montaña que iba afirmando el contorno sobre la alta cordillera parada a la orilla del agua estaba la Mujer —la Mujer desconocida, casi abstracta, aún sin rostro, pero ya definida por el Puerto. Hacia esa figura erguida por encima de los techos, ofrecida en su abra, se hinchaban las velas del buque, a lo largo de los mástiles enhiestos, como aviso de que llegaban hombres. Y esas velas, ya visibles desde la costa, promovían, en las casas portuarias, un ir y venir de baldes sacados de los pozos, un hembruno zafarrancho de afeites, perfumes, enaguas y atuendos. Sin necesitarse de palabras, estaba entablado el diálogo sobre un mar que ya se poblaba de botes pesqueros. Virando se puso el *Arrow* en navegación paralela a las montañas que descendían de las nubes al agua, en pendiente tan recia que no se divisaban cultivos en sus flancos. A veces se hundía la enorme pared, revelando el secreto de una playa umbrosa tendida entre dos murallas, ennegrecidas por una vegetación tan tupida y oscura que aún parecía guardar jirones de noche en su regazo. Un fabuloso olor a humedades de Continente aún mal despierto se desprendía de esos remansos donde iban a encallar las simientes marinas, arrojadas por un último embate de la ola. Pero ahora retrocedían las montañas, sin revelar lo que atrás ocultaban, dejando una estrecha franja de suelo, en la que se pintaron caminos y viviendas, entre bosques de cocoteros hirsutos, uveros y almendros. Doblóse un promontorio que parecía tallado en un bloque de cuarzo, y apareció el puerto de La Guaira, abierto sobre el océano como un anfiteatro colosal en cuyas gradas se escalonaron los tejados... Sofía hubiese querido subir hasta Caracas, pero el camino era largo y fatigoso. La escala del *Arrow* habría de ser breve. Dejó desembarcar a los marineros francos de servicio, impacientes por llegar a donde se sabían esperados, y bajó a una chalupa, en compañía de Dexter, urgido de cumplir algunas formalidades rutinarias. «No se crea obligado a cuidar de mí», dijo la joven, advirtiendo que el jefe no era ajeno a la impaciencia de sus hombres. Y echó a andar hacia las calles empinadas que bordeaban un torrente seco, admirándose de encontrar lindas plazoletas adornadas por estatuas, entre casas de rejas de madera y romanillas que le recordaban las de Santiago de Cuba. Sentada en un banco de piedra veía pasar las recuas hacia los caminos de la montaña sombreados por cujíes, que se dispersaban en las nieblas de las cimas, más arriba de un castillo coronado de atalayas, semejante a los muchos que defendían los puertos españoles del Nuevo Mundo —tan semejantes, unos a otros, que parecían obras de un mismo arquitecto. «Allí estuvieron presos, hasta hace poco, algunos masones traídos de Madrid. Eran unos, llamados "de la Asonada de San Blas", que habían tratado de llevar la Revolución a España —le dijo un buhonero canario, empeñado en venderle cintas de raso—. Y usted no lo va a creer: seguían conspirando en el mismo calabozo...» Así, el Acontecimiento estaba en marcha. No se había equivocado ella al percibir su inminencia. Ahora estaba más impaciente que antes de alcanzar el término de su viaje, con el temor de llegar demasiado tarde: cuando el hombre del Gran Quehacer estuviese ya en acción, apartando los verdores de las selvas, como los hebreos las aguas del Mar Rojo. Confirmábase lo que tantas veces le hubiese dicho Esteban: que Víctor, ante la reacción termidoriana, estaba penetrando, con sus Constituciones traducidas al español, con sus Carmañolas Americanas, en esta Tierra Firme de América, llevando a ella, como antes, las luces que en el Viejo Mundo se apagaban. Para entenderlo bastaba mirar la Rosa de los Vientos: de la Guadalupe, la turbonada había soplado a las Guayanas, corriendo de allí a esta Venezuela que era la ruta normal para pasar a la otra banda del Continente, donde se alzaban los barrocos palacios del Reino del Perú. Allá, precisamente, por boca de jesuitas, se habían alzado las primeras voces —y Sofía conocía los escritos de un Vizcardo Guzmán— que reclamaban, para este mundo, una independencia que sólo era pensable en términos de Revolución. Todo resultaba claro: la presencia de Víctor en Cayena era el comienzo de algo que se expresaría en vastas cargas de jinetes llaneros, navegaciones por ríos fabulosos, tramontes de cordilleras enormes. Nacía una épica que cumpliría en estas tierras, lo que en la caduca Europa se había malogrado. Ya sabrían quienes acaso la estuviesen desollando en la casa familiar que sus anhelos no se medían por el patrón de costureros y pañales impuestos al común de las hembras. Hablarían de escándalo, sin sospechar que el escándalo sería mucho más vasto de lo que ellos pensaban. Esta vez se jugaría al *desbocaire,* disparando sobre generales, obispos, magistrados y virreyes.

El *Arrow* zarpó dos días después, navegando a lo largo de la Isla de Margarita, para pasar entre la Granada y Tobago, al amparo de posesiones inglesas, tomando el rumbo de la Barbados. Y al cabo de un tranquilo viaje, se vio Sofía en Bridgtown, descubriendo un mundo distinto del que hasta ahora hubiese conocido en el Caribe. Distinta era la atmósfera que se respiraba en aquella ciudad holandesa, de una arquitectura diferente de la española, con sus anchas balandras madereras venidas de Scaraborough, de San Jorge o de Puerto España. Circulaban allí divertidas monedas, llamadas «Pineapple Penny» y «Neptune Penny», de una acuñación muy reciente. Se creía llevada a una urbe del Viejo Continente, al advertir que existía una «Calle Masónica» y una «Calle de la Sinagoga». Alojóse en limpio albergue, tenido por una mulata sudorosa que le fue recomendado por el Capitán Dexter. Al cabo de un almuerzo de despedida en el que Sofía probó de todo —tal era su alegría— sin desdeñar la botellas de porter, el madeira y los vinos franceses que le sirvieron, dieron ambos un paseo en coche por las afueras. Durante horas rodaron por los caminos de una Antilla domada, cuyas tierras deslindadas por suaves ondulaciones —aquí nada era grande, nada aplastante, nada amenazador— eran cultivadas hasta las mismas orillas del mar. Aquí la caña de azúcar parecía trigo verde, las yerbas tenían mansedumbre y urbanidad de césped, las mismas palmeras dejaban de parecer árboles tropicales. Había silenciosas mansiones, ocultas en las espesuras, que alzaban columnas de templo griego hacia frontones borrados por la yerba, cuyas ventanas se abrían sobre el fausto de salones habitados por retratos cuyos barnices relumbraban en el exceso de luz; había casas cubiertas de tejuelas, tan pequeñas que cuando un niño se asomaba a una ventana, ocultaba, con su presencia, el cuadro de vastas familias reunidas para cenar donde hubiese sido enorme el estorbo de un tablero de ajedrez; había ruinas apelambradas por las enredaderas, donde los aparecidos —toda la isla, decía el cochero, era lugar de aparecidos— se reunían para gemir en las noches ventosas; y había sobre todo, junto al mar, casi confundidos con las playas, unos cementerios siempre desiertos, sombreados por cipreses, cuyas tumbas de piedra gris —tan pudorosas si se pensaba en los ornamentados mausoleos de las necrópolis españolas— hablaban de un Eudolphus y una Elvira, muertos en un naufragio, que sólo habían podido ser los héroes de un romántico idilio. Sofía recordaba *La Nueva Heloísa.* El Capitán pensaba más bien en *Las Noches.* Y a pesar de que les quedara lejos, cansados estaban los caballos y sólo se regresaría tarde en la noche, por la necesidad de buscar un relevo del tiro, Sofía, usando de mimos que casi parecieron excesivos al norteamericano, consiguió que llegaran hasta el pequeño bastión rocoso de St. John, detrás de cuya iglesia halló una lápida cuyo epitafio se refería a la inesperada muerte, en la isla, de un personaje cuyo nombre cargaba con una aplastante presencia de siglos: AQUI YACEN LOS RESTOS DE — FERNANDO PALEOLOGO — DESCENDIENTE DEL LINAJE IMPERIAL — DE LOS ULTIMOS EMPERADORES DE GRECIA — CAPELLAN DE ESTA PARROQUIA — 1655 A 1656... Caleb Dexter, algo emocionado por el vino de una botella vaciada durante el camino, se descubrió respetuosamente.

Sofía, en el atardecer cuyas luces enrojecían las olas rotas en espumas enormes sobre los monolitos rocallosos de Bathsheba, floreció la tumba con unas buganvilias cortadas en el jardín del presbiterio. Víctor Hugues, durante su primera visita a la casa de la Habana, había hablado largamente de esa tumba del ignorado nieto de quien cayera, en la suprema resistencia de Bizancio, muerto antes que profanado como lo fuese por los otomanos vencedores el Patriarca Ecuménico. Ahora la encontraba ella, en el lugar designado. Por sobre la piedra gris, marcada con el signo de la Cruz de Constantino, una mano seguía ahora el lejano itinerario de otra mano, que también hubiese hecho el gesto de buscar el hueco de las letras con las yemas de los dedos... Por romper con un ceremonial inesperado, que ya parecía prolongarse demasiado, Caleb Dexter observó: «Y pensar que haya venido a parar a esta isla el último propietario legítimo de la Basílica de Santa Sofía...» «Se hace tarde», dijo el cochero. «Sí; regresemos», dijo ella. Estaba admirada de que su nombre hubiese podido surgir así, de pronto, en la tonta reflexión del otro. Era una casualidad demasiado extraordinaria para no tomarse como un anuncio, un aviso, una premonición. La esperaba un prodigioso destino. El futuro se venía gestando secretamente desde que una Voluntad atronara, cierta noche, las aldabas de la casa. Había palabras que no brotaban al azar. Un misterioso poder las modelaba en las bocas de los oráculos. *Sophia.*

XLIII

Advertida de que la roca del Gran Condestable sería visible poco después del amanecer, al alba estaba Sofía en la cubierta de *La República Batava* —viejo carguero holandés rebautizado con flamante nombre que, durante todo el año, iba del Continente de las Selvas a la Barbados desforestada, llevando maderas de caoba para los ebanistas de Bridgetown y tablas de construcción para embellecer las casas de Oistin, famosas por sus pisos volados a la manera normanda. Durante varias semanas había esperado la joven, en su albergue portuario, la hora de embarcarse, atormentada por la impaciencia, hastiada de andar por las calles de la pequeña ciudad, enterándose con despecho de una paz firmada entre Francia y los Estados Unidos cuya noticia, de haberle llegado más pronto, hubiese podido simplificar su itinerario, dándole la oportunidad de viajar desde la Habana en uno de los buques norteamericanos que ya habían reanudado el tráfico con Cayena. Pero todo quedaba olvidado frente a los peñones e isletas anunciadores de la Tierra Firme, alegrados en la mañana por el revuelo de los alcatraces y las gaviotas. Y ya se estaba frente a la Madre y las Hijas, que alguna vez le hubiera descrito Esteban, en tanto que la costa se iba definiendo en valores de vegetación y actividad humana. Todo parecía suntuoso, fascinante, extraordinario, a Sofía, en este momento de llegar. Los verdores del mundo parecían haberse integrado en un solo paisaje para darle acogida. Las autoridades militares, venidas a bordo, mostraron alguna extrañeza al saber que una mujer sola, llegada de una ciudad tan relumbrante como la Habana, deseaba quedarse en Cayena. Pero bastó que Sofía mencionara el nombre de Víctor Hugues para que la suspicacia se transformara en deferencia. Era de noche ya cuando la joven entró en la ciudad de calles dormidas, yendo a dar a la posada de Hauguard, donde tuvo el buen cuidado de silenciar su parentesco con Esteban, al tener presente que su ida a Paramaribo había tenido el carácter de una fuga... A la mañana siguiente mandó recado a quien, de Agente del Directorio, había pasado a ser Agente del Consulado, anunciando su llegada. Poco después del anochecer le entregaron un breve mensaje, garabateado en papel de oficio: *Bienvenida. Mañana irá un coche a buscarla. V.* Cuando Sofía se esperaba a recibir una impaciente llamada, le venían esas frías palabras que la sumieron en una noche de perplejidades. Ladraba un perro en un corral cercano, enrabecido por el paso de un borracho que rascaba sus sarnas a lo largo de la calle, clamando terribles profecías sobre la dispersión de los justos, el castigo de los regicidas y la comparecencia de todos ante el Trono del Señor, en un Juicio Final que habría de tenerse —¿por qué?— en un valle de la Nueva Escocia. Cuando la voz se extravió en la distancia y volvió el guardero a su sueño, percibióse la actividad de insectos invisibles en todos los tabiques de la casa, taladrando, rascando, royendo la madera. Un árbol alargaba semillas con pesadez de plomo sobre varias bateas volcadas. Frente a la posada discutían dos indios con voces de gente salida de un relato de exploraciones. Nada era propicio al descanso de quien se enervaba en lucubrantes conjeturas. Por tanto, cuando el coche llegó a la mañana siguiente, sentíase Sofía entumecida y trasnochada. Y cuando creyó que sería conducida a la Casa de Gobierno, con sus baúles y valijas, los caballos enfilaron hacia un atracadero donde esperaba una chalupa de espigadas bordas, guarnecida de cojines, toldos y parabrisas de lona. Supo que habría de trasladarse a una hacienda situada a unas pocas horas de navegación. Aunque nada de esto respondía a sus previsiones, Sofía se sintió casi halagada al observar la cortesía de que era objeto por parte de los tripulantes. Mandaba la embarcación un joven oficial, llamado De Sainte-Affrique, que, durante la navegación, enumeró los progresos realizados por la colonia desde que Víctor Hugues había llegado a ella. Se había dado un nuevo impulso a la agricultura; repletos estaban los almacenes y en todas partes respirábanse aires de paz y de bonanza. Casi todos los deportados habían sido devueltos a Francia, quedando en Iracubo, para recuerdo de sus padecimientos, un vasto cementerio cuyas tumbas ostentaban los nombres de revolucionarios famosos... A media tarde penetró la chalupa en un río de cenagosas orillas, donde flotaban las hojas de algo como nenúfares cuyas flores moradas salían al filo del agua. A poco se llegó a un embarcadero desde el cual divisábase una casona de traza alsaciana, alzada en una loma, entre limoneros y naranjos. Atendida por un enjambre de negras solícitas, Sofía fue a instalarse en un apartamento del primer piso, cuyas paredes estaban adornadas por estampas viejas, de delicada factura, que evocaban sucesos ocurridos durante el Antiguo Régimen: el Asedio de Namur, la Coronación del Busto de Voltaire, la desdichada Familia Calás, entreverados con lindas vistas marinas de Tolón, Rochefort, la Isla de Aix y Saint-Malo. Mientras las fámulas piadoras metían sus cosas en los armarios, Sofía se asomó a las ventanas que daban sobre los campos, por aquella banda: un jardín donde abundaban los rosales, se transformaba, a breve distancia, en huertas y sembrados de caña de azúcar, circundados por una adusta muralla de vegetación selvática. Algunos caobos, de altos y plateados troncos, sombreaban caminos en cuyas orillas crecían arbustos de Bálsamo del Perú, nuez moscada y pimiento amarillo.

Transcurrieron las horas de una espera ansiosa cuando, al fin, una chalupa maniobrada a remo se arrimó al embarcadero. En las sombras del anochecer que ya invadían la avenida, se fue dibujando, con relumbre de galones y paramentos, un traje de aspecto algo militar, acrecido en su estatura por un sombrero empenachado de plumas. Sofía salió al atrio de la vivienda sin advertir, en su precipitación, que una piara de cerdos negros se entregaba, frente a la entrada, a la regodeada tarea de asolar los canteros de flores, desenterrando los tulipanes y revolcándose, con jubilosos gruñidos, en una tierra recién regada. Al ver la puerta abierta, los animales se metieron en la casa, en tropeles, pasando sus cuerpos enlodados por las faldas de quien trataba de detenerlos con gestos y gritos. Echando a correr, Víctor llegó a la casa, enfurecido: «¿Cómo los dejan sueltos? ¡Esto es el colmo!» Y, entrando en el salón, la emprendió a planazos de sable con los cerdos que trataban de colarse en las habitaciones y subir las escaleras, mientras los sirvientes y algunos negros acudían de los trasfondos de la vivienda para ayudarle. Al fin las bestias fueron sacadas una por una, arrastradas por las orejas, por las colas, levantadas en alto, corridas a patadas, con tremebundos aullidos. Quedaron cerradas las puertas que conducían a las cocinas y dependencias. «¿Te has visto? —dijo Víctor a Sofía, cuando en algo se hubiese aplacado la porcina barahúnda, señalando el vestido manchado de lodo—. Cámbiate, mientras mando limpiar aquí...» Al mirarse en el espejo de su habitación, Sofía se sintió tan miserable que se echó a llorar, pensando en lo que se había vuelto, de pronto, el Gran Encuentro soñado durante los días de la travesía. El traje que se había mandado a hacer para la ocasión se desprendía de su cuerpo, enlodado, desgarrado, hediondo a corral. Tirando los zapatos al rincón más oscuro, se arrancó las medias con furor. El cuerpo entero le olía a piara, a fango, a inmundicias. Tuvo que mandar subir baldes de agua para bañarse, pensando en lo grotesco que resultaba este trasiego en tales momentos. Había algo ridículo en este aseo forzoso, con los chapaleos en tina que debían oirse abajo. Al fin, echándose cualquier cosa encima, bajó al salón con paso renqueante, sin cuidar de la postura, con el despecho del actor que ha fallado una buena entrada en escena. Víctor estrechó sus manos, haciéndola sentar a su lado. Había trocado su rutilante traje por las holgadas del cultivador acomodado: calzón blanco, camisa de ancho cuello abierto y chaqueta de indiana: «Me perdonarás —dijo—. Pero aquí siempre ando así. Hay que descansar alguna vez de las bandas y escarapelas». Preguntó por Esteban. Sabía que el joven se había largado de Paramaribo: por lo tanto, estaría en la Habana. Y como queriendo mostrar el cuadro de su vida, desde el término de su gobierno en la Guadalupe, narró las peripecias de su rebelión contra Desfourneaux y Pelardy, al cabo de la cual quedara desarmado y preso, embarcándosele por la fuerza. En París, con una defensa enérgica había pulverizado las acusaciones del mismo Pelardy. Finalmente había sido escogido por el Cónsul Bonaparte para hacerse cargo del gobierno de Cayena... Hablaba, hablaba enormemente, con su facundia de otros días, como para librarse de un exceso de palabras demasiado contenidas. Cuando abordaba ciertos pormenores de su vida reciente, anunciaba la confidencia con una fórmula harto reiterada: «Esto te lo digo a ti: a ti sola. Porque no puedo confiarme en nadie». Y enumeraba las servidumbres del Poder, los muchos desengaños recibidos, la imposibilidad de tener amigos cuando se pretendía ejercer un mando verdadero. «Te habrán dicho que tuve la mano dura, durísima, en la Guadalupe; también en Rochefort. No podía ser de otro modo. Una revolución no se razona: *se hace*». Mientras el otro hablaba sin tregua, sin más descanso que los necesarios para solicitar su aprobación con un «¿no?», «¿no te parece?», «¿no lo ves así?», «¿lo sabías?», «¿te dijeron?», «¿allá estaban enterados?», Sofía detallaba los cambios que podían advertirse en su persona. Había engordado bastante, aunque su recia armazón tolerara alguna grasa, disfrazándola de músculo. La expresión se le había endurecido, a pesar de las blanduras nuevas que empastaban el modelado de la cara. Tras de su cutis algo terroso, se afirmaban la decisión y la salud de otros tiempos... Se abrieron las puertas del comedor: dos fámulas acababan de poner candelabros sobre la mesa de una cena fría, servida en vajilla de plata tan espesa que sólo podía provenir de una flota donde hubiese viajado algún Virrey de México o del Perú. «Hasta mañana», dijo Víctor a las sirvientas. Y, poniendo alguna intimidad en su tono: «Ahora háblame de ti». Pero ninguna imagen válida, ningún suceso interesante acudía a la mente de Sofía en cuanto se refería a su propia vida. Ante el estrépito y las furias que habían llenado la existencia del otro, trabándolo en acción con personajes cuyos nombres llenaban la época, lo suyo era de una entristecedora pobreza. Tenía un hermano tendero, un primo negado a la valentía cuyas abjuraciones le parecían tan vanas, ahora que vislumbraba la grandeza, que las hubiera encubierto con piedad: la misma historia de su matrimonio era lamentable. Había oficiado de ama de casa. Había esperado. Nada más. Los años habían transcurrido, sin marcar, sin remover, entre Epifanías sin Reyes y Navidades sin sentido para quienes no podían acostar al Gran Arquitecto en un pesebre. «¿Y bien? —decía el otro, para animarla a empezar—. ¿Y bien?» Pero un empecinamiento extraño, invencible, la tenía en silencio. Se esforzaba por sonreír; miraba la llama de las velas; rasgaba el mantel con la uña: alargaba la mano hacia alguna copa, sin acabar de levantarla. «¿Y bien?» De pronto Víctor fue hacia ella. Cambiaron las luces de lugar; hubo sombras donde se sintió asida, ceñida, colmada por una avidez que la devolvió a

de gracia ante el sol que ardía, el río que se desbordaba sobre la tierra roturada, la simiente recibida por el surco, la espiga enhiesta como huso de hilandera. El verbo nacía del tacto, elemental y puro, como la actividad que lo engendraba. Acoplábanse de tal modo los ritmos físicos a los ritmos de la Creación, que bastaba una lluvia repentina, un florecer de plantas en la noche, un cambio en los rumbos de la brisa, que brotara el deseo en amanecer o en crepúsculo, para que los cuerpos tuviesen la impresión de encontrarse en un clima nuevo, donde el abrazo remozaba las iluminaciones del primer encuentro. Todo era igual, presentes estaban las formas y todo era siempre diferente. Esta noche —ésta, que ahora empezaba, aún indecisa y amorosa— tendría sus propios fastos y exultaciones —noche que no era la de ayer, ni sería la de mañana. Situados fuera del tiempo, acortando o dilatando las horas, los yacentes percibían en valores de permanencia, de eternidad, un *ahora* exteriormente manifiesto en lo que de modo remoto y casual lograban percibir sus sentidos entregados al vasto quehacer de un entendimiento total de sí mismos; era el peso de una tormenta, el persistente graznido de un ave, un olor a selvas, súbitamente traído por el terral de madrugada. Acaso no había sido sino una ráfaga, un ruido fugaz, un hálito; pero su presencia, entre la ascensión al paroxismo y el descenso hacia el medio sueño —sosiego gozoso— del estado de gracia, parecía haber durado toda la noche. Tenían los amantes el recuerdo de un abrazo de horas al ritmo de una tempestad que había apretado el abrazo, y se enteraban, al despertar, que el viento sólo podía haberse sentido durante unos minutos —y eso, por la agitación de los árboles próximos a su ventana... Devuelta a la luz de lo cotidiano, Sofía se sentía supremamente dueña de sí misma. Hubiese querido que todos participaran de su gran dicha interior, de su contento, de su soberana calma. Colmada la carne volvía hacia las gentes, los libros, las cosas, con la mente quieta, admirada de cuán *inteligente* era el amor físico. Había oído decir que ciertas sectas orientales consideraban el contento de la carne como un paso necesario para la elevación hacia la Trascendencia, y llegaba a creerlo al observar que en ella se iba afianzando una insospechada capacidad de Entendimiento. Después de los años de confinamiento voluntario entre paredes, objetos y seres que le eran harto habituales, su espíritu se volcaba hacia fuera, hallando en todo un motivo de reflexión. Releyendo ciertos textos clásicos, que hasta ahora sólo le hubiesen hablado por la voz de sus fábulas, descubría la esencia original de los mitos. Desechando los escritos harto retóricos de la época, las novelas lacrimosas tan gustadas por sus contemporáneos, remontábase a los textos que habían fijado, en rasgos perdurables o de un simbolismo válido, los modos de convivencia profunda del Hombre con la Mujer, en un universo erizado de contingencias hostiles. Suyos eran los arcanos de la Lanza y del Cáliz que había visto, hasta ahora, como oscuros símbolos. Le parecía que su ser se había tornado *útil;* que su vida, por fin, tenía un rumbo y un sentido. Era cierto que dejaba transcurrir los días, las semanas, en función del presente, enteramente feliz, sin pensar en el mañana. Pero no por ello dejaba de soñar con realizar grandes cosas, un día, junto al hombre a quien se había atado. Un ser de tal fuerza —pensaba ella— no pasaría mucho tiempo sin lanzarse en alguna empresa magnífica. Pero sus actos dependían, en mucho, de lo que en Europa pudiese ocurrir. Y, por ahora, las noticias que de París llegaban no ofrecían asidero. Los acontecimientos, allá, se sucedían con tal rapidez que cuando los periódicos llegaban a Cayena sólo resultaban de una información atrasadísima —acaso desajustada con lo que estaba pasando en el momento de leerlos. No parecía, por lo demás, que Bonaparte se preocupara mucho por proseguir una acción revolucionaria en América; su atención estaba centrada en problemas más inmediatos. Por lo mismo, Víctor Hugues consagraba lo mejor de su tiempo a tareas de orden administrativo, ordenando obras de regadío, abriendo caminos, activando los tratos comerciales con Surinam, desarrollando la agricultura en la colonia. Su gobierno era calificado de paternal y sensato. Los antiguos cultivadores estaban satisfechos. Soplaban vientos de prosperidad. Como hacía tiempo que en Cayena no se observaba ya el mismo sistema de las décadas, habiéndose vuelto a las viejas prácticas del calendario gregoriano, el Mandatario se marchaba el lunes a la ciudad, regresando el jueves o el viernes a la hacienda. Entre tanto Sofía consagraba algunas horas, cada mañana, a llevar el tren de la casa; impartía órdenes, encargaba alguna obra de carpintería, cuidaba del embellecimiento de los jardines, haciéndose mandar por intermedio de un suizo, Sieger, activo agente de negocios, bulbos de tulipanes conseguidos en Paramaribo. El resto del tiempo lo pasaba en la biblioteca, donde no faltaban obras excelentes, en medio de una enojosa variedad de Tratados de Fortificaciones, Artes de Navegar y textos de Física y Astronomía. Así transcurrieron varios meses sin que Víctor, al volver cada semana, trajese noticias que en algo pudiesen conturbar la vida apacible y floreciente de la colonia

Un día de septiembre, Sofía fue a Cayena, rompiendo excepcionalmente con su discreto retiro campestre, para hacer algunas compras. Allí ocurría algo raro. Desde el amanecer repicaban las agudas esquilas de la capilla de las religiosas de Saint-Paul-de-Chartres. Y a esas campanas se habían unido las voces de otras campanas, ignoradas, acaso ocultas hasta ahora en desvanes y almacenes, que eran golpeadas con martillos, con tizones, con herraduras —por no estar colgadas todavía— en distintos lugares de la ciudad. De una nave recién llegada desembarcaban frailes y monjas. El más insólito ejército de la Fe parecía volcarse sobre la población, con esos hábitos, con esas tejas, con esos paños negros, carmelitas, grises, que desfilaban por el medio de las calles, aplaudidos por los transeúntes, trayendo el olvidado adorno de rosarios, medallas pías, escapularios y misales. Algunos religiosos, al pasar, impartían bendiciones a los curiosos asomados a las ventanas. Otros trataban de dominar el barullo con las estrofas de un cántico, cuyas voces no acababan de concertarse. Asombrada por aquel espectáculo, Sofía fue a la Casa de Gobierno, donde debía reunirse con Víctor Hugues. Pero en su despacho sólo encontró a Sieger, hundido en una butaca, con una botella de tafia al alcance de la mano. El agente de negocios la acogió con risueños aspavientos, abrochándose la casaca: «¡Hermosa capuchinada en verdad, señora mía! ¡Curas para todas las parroquias! ¡Monjas para todos los hospitales! ¡Volvieron los tiempos de las procesiones! ¡Tenemos Concordato! ¡París y Roma se abrazan! Los franceses vuelven a ser católicos. Hay gran misa de acción de gracias en la capilla de las Religiosas Grises. Allá podrá usted ver a todos los señores del gobierno con sus mejores uniformes, agachando la cabeza bajo los latines eclesiásticos: *Preces nostrae, quaesumus, Dómine, propitiatus admitte.* ¡Y pensar que más de un millón de hombres ha muerto por destruir lo que hoy se nos restituye!»... Sofía volvió a la calle. De la Nave de los Frailes todavía bajaban viajeros, abriendo grandes paraguas rojos y verdes, en tanto que los cargadores negros se apilaban hatos y valijas sobre las cabezas. Frente a la hospedería de Hauguard, algunos curas reunían sus equipajes dispersos, secándose el sudor con anchos pañuelos a cuadros. De pronto sucedió algo raro: dos sulpicianos, que habían desembarcado de último, fueron acogidos por sus colegas con un vocerío airado: «Juramentados —les gritaban los otros—. ¡Judas! ¡Judas!» Y sobre los recién llegados comenzaron a caer cáscaras de piña sacadas del arroyo, piedras e inmundicias. «¡Fuera de aquí! ¡A dormir a la selva! ¡Juramentados! ¡Juramentados!» Y como los sulpicianos, nada cobardes, trataban de entrar en la posada, dando manotazos y puntapiés, armóse en torno a ellos una amenazadora tremolina de hábitos negros. Ahora, los sacerdotes que habían prestado juramento a la Constitución Revolucionaria estaban adosados a una pared, respondiendo confusamente a los cargos que contra ellos clamaban los «insometidos», los «curas verdaderos», a quienes el Concordato había conferido, de pronto, un prestigio de Soldados de Cristo, resistentes en medio de las persecuciones, celebrantes de oficios clandestinos, dignos descendientes de los Diáconos de las Catacumbas. Llegaron guardias, dispersando las gentes eclesiásticas a culatazos. Pareció que se hubiera restablecido el orden, cuando un cura joven, salido de una carnicería cercana, arrojó un cubo de sangre fresca —de res acabada de degollar— sobre los dos sulpicianos, aureolados ahora por una gran mancha roja que, después de haberse roto en sus cuerpos, quedaba pintada sobre la blanca fachada del mesón en coágulos y salpicaduras hediondas. Volvió a sonar un vasto repique de campanas. Escuchada la misa de acción de gracias, Víctor Hugues, seguido de los funcionarios de su gobierno, salía, luciendo gran uniforme, de la capilla de las Religiosas Grises... «¿Te has enterado?», preguntó a Sofía al encontrarla en la Casa de Gobierno. «Todo esto es bastante grotesco», respondió la joven, narrándole el sucedido de los sulpicianos. «Mandaré que los embarquen de nuevo: aquí les harán la vida imposible». «Me parece que tu deber estaría en protegerlos —dijo Sofía—. Tienen que serte más gratos que los demás». Víctor se encogió de hombros: «En la misma Francia, nadie quiere saber ya de curas juramentados». «Hueles a incienso», dijo ella... Regresaron a la hacienda, sin hablar mucho durante el viaje. Al llegar a la casa, encontraron a «Los Billaud» —como los llamaban— instalados allí desde el mediodía, con su fiel perro Paciencia. Era corriente que viniesen a visitarlos, por varios días, sin previo aviso: «Una vez más, Filemón y Baucis abusan de vuestra hospitalidad», dijo el Terrible de otros días, usando de una imagen que le era grata, desde que vivía maritalmente con su sirvienta Brígida. Sofía había podido observar, durante los últimos meses, que la autoridad de Baucis se hacía sentir cada día más, en el hogar de Filemón. Muy avispada, la negra rodeaba a Billaud-Varennes de una solicitud que se traducía en ostentosas exclamaciones de admiración y de asombro ante sus palabras y hechos. Odiado por los vecinos de su cortijo de Orvilliers, situado cerca de la costa, el ex presidente de la Convención Nacional era sujeto, desde hacía algún tiempo, a repentinas crisis de depresión moral. Muchos, en la colonia, le enviaban anónimamente los periódicos de París donde aún, de tarde en tarde, su nombre era evocado con horror. Cuando esto ocurría, Billaud-Varennes se desesperaba, clamando que era víctima de espantosas calumnias, que nadie acababa de entender el papel histórico que había desempeñado; que nadie se compadecía de sus sufrimientos. Brígida, al verlo desamparado y lloroso, tenía una frase lista, poderosa como ninguna para reconfortarlo: «¿Cómo, señor, después de haber dominado tantos peligros, te dejas impresionar así por lo que escriben esas alimañas?» Una sonrisa volvía entonces al rostro de Billaud. Y, a cambio de esa sonrisa, Brígida hacía y deshacía en el cortijo de Orvilliers, altanera con la servidumbre, autoritaria con los peones, vigilante y activa, cuidando de todo, hecha Señora de un feudo cuyos rendimientos manejaba son sorprendente habilidad... Sofía la encontró en la cocina mandando como en casa propia, para activar los preparativos de la cena. Llevaba un vestido de lo mejor que hubiese podido conseguir en Cayena, luciendo pulseras de oro y ajorcas de filigrana: «¡Oh, querida! —exclamó la negra, soltando el cucharón de madera en el cual acababa de probar el punto de una salsa—. ¡Estás hecha un sol de bella! ¿Cómo no va a estar él cada día más enamorado de ti?» Sofía respondió con un mohín evasivo. No le agradaban ciertas familiaridades de Brígida, que demasiado la situaban en la posición de querida de un hombre poderoso. «¿Qué tenemos de comer?», preguntó, sin poder disimular, aunque mucho estimaba a «la petite Bíllaud», un tono de ama de casa que se dirige a su cocinera... En el salón, Billaud-Varennes acababa de enterarse del Concordato y de cuanto había ocurrido, aquella mañana, en Cayena: «No faltaba más que eso —gritaba, descargando sus puños, al ritmo de la palabra, en una mesa de marquetería inglesa—. Nos estamos hundiendo en la mierda».

XLV

Como un largo y tremebundo trueno de verano, anunciador de los ciclones que ennegrecen el cielo y derriban ciudades, sonó la bárbara noticia en todo el ámbito del Caribe, levantando clamores y encendiendo teas: promulgada era la Ley del 30 Floreal del Año X, por la cual se restablecía la esclavitud en las colonias francesas de América, quedando sin efecto el Decreto de 16 Pluvioso del Año II. Hubo un inmenso regocijo de propietarios, hacendados, terratenientes, prestamente enterados de lo que les interesaba —tan prestamente que los mensajes habían volado por sobre los barcos—, al saberse, además, que se regresaría al sistema colonial anterior a 1789, con lo cual se acababa de una vez con las lucubraciones humanitarias de la cochina Revolución. En la Guadalupe, en la Dominica, en la María Galante, la noticia fue dada con salvas e iluminaciones, en tanto que millares de «*ci-devant* ciudadanos libres» eran conducidos nuevamente a sus antiguos barracones, bajo una tempestad de palos y trallazos. Los Grandes Blancos de antaño se echaron a los campos, seguidos de jaurías, en busca de sus antiguos siervos, devueltos a los caporales con cadenas al cuello. Tal fue el miedo de una posible confusión ante esa caza desaforada, que muchos manumisos de la época monárquica, poseedores de comercios y pequeñas tierras, reunieron sus pertenencias con el ánimo de irse a París. Pero a tiempo les atajó el intento un nuevo Decreto, del 5 Messidor, que prohibía la entrada en Francia de todo individuo de color. Bonaparte estimaba que ya sobraban negros en la Metrópoli, temiendo que su gran número comunicara a la sangre europea «el matiz que se había extendido en España, desde la invasión de los moros»... Víctor Hugues recibió la noticia una mañana, en el despacho de la Casa de Gobierno, en compañía de Sieger: «Gran cimarronada vamos a tener», dijo el agente de negocios. «No les dejaremos tiempo», replicó Víctor. Y al punto mandó recados urgentes a los dueños de haciendas cercanas y jefes de milicias, para una reunión secreta que tendría lugar al día siguiente. Se trataba de actuar primero, publicándose la Ley de Floreal después de que la esclavitud, de hecho, quedara restablecida... Trazado el plan de acción, en medio de una alegría que estuvo a punto de desbordarse en excesos inmediatos, se esperó la hora del crepúsculo. Las puertas de la ciudad fueron cerradas; las fincas próximas, ocupadas por la tropa, y al estampido de un cañonazo disparado a las ocho de la noche, todos los negros que habían sido liberados por obra del Decreto del 16 Pluvioso, se vieron rodeados por amos y soldados, que los condujeron, presos, a una pequeña llanura situada a orillas del Mahury. A medianoche se hacinaban, allí, varios centenares de negros temblorosos, atónitos, incapaces de explicarse el objeto de aquella concentración forzosa. Quien trataba de desprenderse de la masa humana sudorosa y amedrentada, era empujado a patadas y culatazos. Al fin apareció Víctor Hugues. Parándose en un barril, a la luz de hachones, para ser visto por todos, desenrolló lentamente el papel en que aparecía transcrito el texto de la Ley, dándole lectura con tono solemne y pausado. Pronto traducidas en jerga por quienes mejor las habían escuchado, las palabras corrieron, de boca en boca, hasta los confines del campo. Se hizo saber luego, a los presentes, que quienes se negaran a someterse a su antigua servidumbre, serían castigados con la más extremada severidad. Al día siguiente, sus propietarios vendrían a posesionarse nuevamente de ellos, conduciéndolos a sus respectivas fincas, haciendas y habitaciones. Los que no fuesen reclamados, serían puestos en venta pública. Un vasto llanto, convulsivo, exasperado —lloro colectivo, semejante a un vasto ulular de bestias acosadas— partió de la negrada, en tanto que las Autoridades se retiraban, escoltadas por una ensordecedora batería de redoblantes... Pero ya, en todas partes, unas sombras se hundían en la noche, buscando el amparo de la maleza y de las selvas. Quienes no habían caído en la primera redada, se iban al monte, robaban piraguas y botes para remontar los ríos, casi desnudos, sin armas, resueltos a regresar a la vida de sus ancestros, donde los blancos no pudiesen alcanzarlos. A su paso por las haciendas distantes, daban la noticia a los suyos, y eran diez, veinte hombres más, los que abandonaban sus tareas, desertaban los plantíos de índigo y de giroflé, para engrosar los grupos cimarrones. Y eran cien, doscientos, seguidos de sus mujeres cargadas de niños, quienes se internaban en junglas y arcabucos, en busca del lugar donde podrían fundar palenques. En su fuga, arrojaban semillas de barbasco en los arroyos y riachuelos, para que los peces, envenenados, infectaran las aguas con los miasmas de su putrefacción. Más allá de aquel torrente, de aquella montaña vestida de cascadas, empezaría el Africa nuevamente; se regresaría a los idiomas olvidados, a los ritos de circuncisión, a la adoración de los Dioses Primeros, anteriores a los Dioses recientes del Cristianismo. Cerrábase la maleza sobre hombres que remontaban el curso de la Historia, para alcanzar los tiempos en que la Creación fuese regida por la Venus Fecunda, de grandes ubres y ancho vientre, adorada en cavernas profundas donde la Mano balbuceara, en trazos, su primera figuración de los quehaceres de la caza y de las fiestas dadas a los astros... En Cayena, en Sinnamary, en Kurú, en las riberas del Oyapec y del Maroní, se vivía en el horror. Los negros insometidos o levantiscos eran azotados hasta morir, descuartizados, decapitados, sometidos a torturas atroces. Muchos fueron colgados por las costillas en los ganchos de los mataderos públicos. Una vasta caza al hombre se había desatado en todas partes, para regocijo de los buenos tiradores, en medio del incendio de chozas y pajonales. Donde tantas cruces quedaban, marcando las tumbas dejadas por la Deportación, se dibujaban ahora, sobre ponientes enrojecidos por las llamas que de las casas habían pasado a los campos, las formas siniestras de las horcas o —lo que era peor aún— de los árboles frondosos, de cuyas ramas pendían racimos de cadáveres con los hombros cubiertos de buitres. Cayena, una vez más, cumplía su destino de tierra abominable.

Sofía, enterada un viernes de lo perpetrado el martes anterior, recibió la noticia con horror. Todo lo que había esperado hallar aquí, en este avanzado reducto de las ideas nuevas, se traducía en decepciones intolerables. Había soñado con hacerse útil entre hombres arrojados, justos y duros, olvidados de los dioses porque ya no necesitaban de Alianzas para saberse capaces de regir el mundo que les pertenecía; había creído asomarse a un trabajo de titanes, sin miedo a la sangre que en los grandes empeños podía ser derramada, y sólo asistía al restablecimiento gradual de cuanto parecía abolido —de cuanto le habían enseñado los libros máximos de la época que debía ser abolido. Después de la Reconstrucción de los Templos volvíase al Encierro de los Encadenados. Y quienes tenían el poder de impedirlo, en un continente donde aún podía salvarse lo que del otro lado del Océano se perdía, nada hacían por ser consecuentes con sus propios destinos. El hombre que había vencido a Inglaterra en la Guadalupe; el Mandatario que no había retrocedido ante el peligro de desencadenar una guerra entre Francia y los Estados Unidos, se detenía ante el abyecto Decreto del 30 Floreal. Había mostrado una energía tenaz, casi sobrehumana, para abolir la esclavitud ocho años antes, y ahora mostraba la misma energía en restablecerla. Asombrábase la mujer ante las distintas enterezas de un hombre capaz de hacer el Bien o el Mal con la misma frialdad de ánimo. Podía ser Ormuz como podía ser Arimán; reinar sobre las tinieblas como reinar sobre la luz. Según se orientaran los tiempos podía volverse, de pronto, la contrapartida de sí mismo. «Tal parece que yo fuese el autor del Decreto», decía Víctor, al escuchar por vez primera, en boca de ella, una andanada de duros reproches, recordando a la vez, con algún remordimiento a cuestas, cuánto debía su encumbramiento a la noble Ley de Pluvioso del Año II. «Más bien parece que todos ustedes hubiesen renunciado a proseguir la Revolución —decía Sofía—. En una época pretendían traerla a estas tierras de América». «Acaso estaba influido aún por las ideas de Brissot, que quería llevar la Revolución a todas partes. Pero si él, con los medios de que disponía, no pudo convencer siquiera a los españoles, no seré yo quien pretenda llevar la Revolución a Lima o a la Nueva Granada. Ya lo dijo uno que ahora tiene el derecho de hablar por todos (y señalaba un retrato de Bonaparte que había venido a colocarse recientemente sobre su despacho): *Hemos terminado la novela de la Revolución; nos toca ahora empezar su Historia y considerar tan sólo lo que resulta real y posible en la aplicación de sus principios*». «Es muy triste empezar esa historia con el restablecimiento de la esclavitud», dijo Sofía. «Lo siento. Pero yo soy un político. Y si restablecer la esclavitud es una necesidad política, debo inclinarme ante esa necesidad»... Seguía la disputa con un regreso a las mismas ideas, irritaciones, impaciencias, despechos de la mujer ante claudicaciones que rebajaban estaturas, cuando el domingo apareció Sieger interrumpiendo un envenenado coloquio: «Increíble, pero cierto», gritó desde la puerta, con arrabalero tono de vendedor de gacetas. Y se quitaba un viejo gabán de invierno, pelliza muy sudada, con cuello de pieles comido por la polilla, que usaba en días de lluvia —y llovía, en efecto, a ráfagas descendidas de las Altas Tierras, acaso de las lejanías ignotas de donde descendían los Grandes Ríos, allá donde había monolitos rocosos perdidos entre nubes a los que jamás hubiese ascendido el hombre. «Increíble pero cierto —repitió, cerrando un enorme paraguas verde que parecía hecho con hojas de lechuga—. Billaud-Varennes está comprando esclavos. Ya es amo de Catón, Tranche-Montagne, Hipólito, Nicolás, José, Lindoro, a más de tres hembras destinadas a las faenas domésticas. Vamos progresando, señores, vamos progresando. Claro está que para todo se tienen razones cuando se ha sido Presidente de la Convención: *Harto me he dado cuenta* (e imitaba el engolado acento del personaje) *que los negros, nacidos con muchos vicios, carecen a la vez de razón y de sentimiento, sin entender más normas que las que se imponen con el miedo*». Y se reía el suizo al creer que había remedado con gracia el modo de hablar del Terrible de otros días. «Dejemos eso», dijo Víctor, de mal talante, reclamando unos planos que Sieger traía en una cartera de piel de cerdo... Y pronto, acaso en seguimiento de esos mismos planos, empezaron los Grandes Trabajos. Centenares de negros traídos a la hacienda, hostigados por la tralla, se dieron a arar, cavar, revolver, ahuecar, rellenar, las tierras robadas a la selva en dilatadas extensiones. En los siempre retrocedidos linderos del humus caían troncos centenarios, copas tan habitadas por pájaros, monos, insectos y reptiles, como los árboles simbólicos de la Alquimia. Humeaban los gigantes derribados, ardidos por fuegos que les llegaban a las entrañas, sin acabar de calar las cortezas; iban los bueyes de los hormigueantes campos al aserradero recién instalado, arrastrando largos cuerpos de madera, aún repletos de savias, de zumos, de retoños crecidos sobre sus heridas; rodando raíces enormes, abrazadas a la tierra, que se desmembraban bajo el hacha, arrojando brazos que aún querían prenderse de algo. Se asistía a una confusión de llamas, de embates, de salomas, de imprecaciones en torno a los trenes de halar, cuyos caballos, al cabo del harto esfuerzo necesitado por el descendimiento de un quebracho, salían de la barahúnda, sudorosos, alisados por la espuma, con las colleras ladeadas y los ollares pegados a los camellones que sus cascos embestían. Y cuando hubo madera suficiente, se alzaron los andamiajes: sobre palos desbastados a machete, sumáronse pasarelas y terrazas, anunciando construcciones que no acababan de definirse. Nacía una mañana aquella extraña galería circular, aún tenida en el esqueleto, que esbozaba una rotonda futura. Ascendía la torre destinada a un menester desconocido, apenas definida por un contorno de vigas entrecruzadas. Allá, metidos entre los nenúfares del río, trabajaban los negros en empedrar las bases de un embarcadero, aullando de dolor cuando los clavaba el estoque de una raya, los arrojaba al aire la descarga de un torpedo, o de las verijas se les prendía el colmillo de las morenas grises, cerrando como candado. Aquí eran terraplenes, escalinatas, acueductos, arcadas nacidas de un cercano yacer de piedras talladas que mal atacaban, ensangrentando las manos de los peones, unos cinceles siempre devueltos a las forjas porque se mellaban al cabo de diez martillazos. Asistíase, en todas partes, a una proliferación de tirantes y vigas, de tornapuntas y ménsulas, de levantamientos y enclavaciones. Se vivía en el polvo, el yeso, el serrín, la arena y el granzón, sin que Sofía acertara a explicarse lo que se proponía Víctor, con esas obras múltiples, que siempre modificaba sobre la marcha, rompiendo con los lineamientos de planos cuyos papeles enrollados le salían por todos los bolsillos del traje. «Venceré la naturaleza de esta tierra —decía—. Levantaré estatuas y columnatas, trazaré caminos, abriré estanques de truchas, hasta donde alcanza la vista». Sofía deploraba que Víctor gastara tantas energías en el vano intento de crear, en esta selva entera, ininterrumpida hasta las fuentes del Amazonas, acaso hasta las costas del Pacífico, un ambicioso remedo

cubrimientos y naufragios, cuyo éxito respondía acaso a un hastío de las gentes ante tantos textos polémicos, moralizantes, admonitorios; ante tantas autodefensas, memorias, panegíricos, verídicas historias de esto o de aquello, como se habían publicado en los últimos años. Nada atraída por las columnas truncas, los puentes arqueados sobre arroyos artificiales, los templetes a lo Ledoux, que empezaban a perfilarse sobre las tierras circundantes sin acabar de inscribirse en una vegetación demasiado hostil y rebelde para amaridarse con estilos arquitectónicos sometidos a proporciones y lineamientos, Sofía se desatendía de la realidad para viajar, imaginariamente, a bordo de las naves del Capitán Cook, de La Perouse, cuando no seguía a Lord Macartney en sus andanzas por los desiertos de la Tartaria. Pasó la estación de las lluvias, propicia al encierro entre libros, y volvióse a la época de los suntuosos crepúsculos abiertos sobre el misterio de selvas remotas. Pero ahora los crepúsculos pesaban demasiado. Con sus luces postreras marcaban el término de días sin rumbos ni propósitos. Decía de Sainte-Affrique que maravillosas montañas cubiertas de aguas se erguían en los trasfondos de estas tierras arduas. Pero sabía ella que no había caminos para alcanzarlas y las malezas estaban demasiado llenas de gentes hostiles, vueltas a sus estados primeros, que asaeteaban con certera mano. Sus pasos, llevados por un anhelo de acción, de vida útil y plena, la habían conducido a una reclusión entre árboles, en el más vano e ignorado lugar del planeta. Sólo oía hablar de negocios. La Epoca había llegado triunfalmente, estrepitosamente, cruelmente, a una América aún semejante, ayer, a su estampa de virreinatos y capitanías generales, arrojándola adelante, y ahora, quienes habían traído la Epoca en hombros, dándola, imponiéndola, sin retroceder ante los Recursos de Sangre necesarios a su afirmación, se escondían en folios de contabilidad para olvidar su advenimiento. Entre escarapelas perdidas y dignidades manchadas andaba el juego, llevado por quienes parecían olvidados de su tormentoso y fuerte pasado. De excesos —decían algunos— había sido ese pasado. Pero, por esos excesos serían recordados ciertos hombres que, en el presente, llevaban apellidos harto relumbrantes para ajustarse ya a sus estampas canijas. Cuando se decía que la colonia podía ser atacada, cualquier día, por Holanda o Inglaterra, Sofía llegaba a desear que ocurriera pronto para que un acontecimieno, por duro que fuese, sacara a los adormecidos, a los harto-ahítos de sus tratos, cosechas y beneficios. En otras partes, la vida seguía, cambiaba, lastimaba o enaltecía, modificando los estilos, los gustos, las costumbres, los ritmos de la existencia. Pero acá se había regresado a los modos de vivir de medio siglo atrás. Parecía que nada hubiese sucedido en el mundo. Hasta las ropas usadas por los colonos acomodados eran, por el paño y el corte, las mismas que se habían llevado cien años antes. Sofía estaba en el aborrecible tiempo detenido —bien lo había conocido una vez— del hoy igual a ayer, igual a mañana.

Transcurría el verano, renqueante, moroso, alargando sus calores hacia un otoño que sería semejante a cualquier otro otoño cuando, un martes, al toque de campana dado para llamar las negradas al trabajo, respondió un silencio tan prolongado que los centinelas fueron a los barracones con las trallas en alto. Pero encontraron los barracones desiertos. Los perros guarderos y ranchadores yacían, envenenados, entre las espumas de sus últimos vómitos. Sacadas de los establos, las vacas se desplomaban al cabo de un corto andar de bestias ebrias. Metiendo las cabezas debajo de los pesebres, los caballos, de vientres hinchados, largaban sangre por los ollares. Pronto llegaron gentes de las haciendas cercanas: en todas partes había ocurrido lo mismo. Usando de galerías cavadas durante las noches, desclavando tabiques con tales mañas que nadie hubiese oído ruido alguno, distrayendo la atención de sus guardianes con pequeños incendios provocados aquí y allá, los esclavos se habían largado a la selva. Sofía recordó entonces que, durante la noche anterior, habían sonado muchos tambores en la lejanía de los arcabucos. Pero nadie había prestado atención a lo que podía ser cosa de indios entregados a algún bárbaro ritual. Como Víctor Hugues se hallaba en Cayena, un mensajero le fue despachado a toda prisa. Y se extrañaban los colonos en su creciente miedo a las tinieblas cada vez más cargadas de angustias y amenazas de que transcurriera una semana sin que el Agente regresase, cuando, una tarde, apareció en el río una nunca vista escuadra de chalupas, embarcaciones de poca quilla y gabarras ligeras, cargadas de tropas, bastimento y armas. Yendo rectamente a la casa, Víctor Hugues reunió a cuantos podían narrarle los sucesos recientes, tomando notas y consultando los pocos mapas de que podía disponerse. Luego, rodeado de oficiales, en conferencia de Estado Mayor, fijó las ordenanzas y disciplinas de una implacable expedición punitiva contra los palenques cimarrones que se estaban multiplicando demasiado en la selva. Desde una puerta, Sofía miraba al hombre que había recobrado su autoridad de antaño, preciso en sus exposiciones, certero en sus propósitos, vuelto a ser el Jefe Militar de otros días. Pero ese Jefe Militar ponía su voluntad, su remozado arrojo, al servicio de una empresa despreciable y cruel. La mujer tuvo un gesto de despecho y salió a los jardines, donde los soldados, negados a alojarse en los barracones demasiado olientes a negro, armaban sus campamentos y vivaques al aire libre. Aquellos soldados eran distintos de los mansos y bovinos alsacianos que Sofía había visto hasta ahora. Tostados, fanfarrones, luciendo cicatrices en las caras, hablando alto, calando la hembra con los ojos que la dejaban en cueros, parecían responder a un nuevo estilo militar que, a pesar de su insolencia, le hizo gracia porque se afirmaba en términos de virilidad y aplomo. Por el joven oficial de Sainte-Affrique que, alarmado de verla entre aquellas gentes, había acudido a escoltarla, supo que estaba en presencia de los supervivientes de las pestes de Jaffa, mandados a la colonia después de la Campaña de Egipto, aunque algo quebrantados aún, por creérseles particularmente aptos a adaptarse al clima de la Guayana, donde los alsacianos sucumbían en harto crecido número. Ahora contemplaba con asombro aquellos soldados brotados de lo legendario, que habían dormido en sepulcros cubiertos de jeroglíficos, fornicado con prostitutas coptas y maronitas, y se jactaban de conocer el Alcorán y de haberse reído de los dioses con caras de chacal y caras de pájaros cuyas estatuas se erguían aún en templos de enormes columnas.

Un soplo de Gran Aventura venía con ellos, por sobre el Mediterráneo, desde Abukir, desde el Monte Tabor, desde Saint-Jean d'Acre. No se cansaba Sofía de preguntar a éste, a aquél lo que había visto, lo que había pensado, durante la insólita empresa que llevara un ejército francés hasta el pie de las Pirámides. Tenía ganas de sentarse junto a las cantinas, de compartir la sopa que ahora se vertía en las escudillas a grandes cucharazos, de tirar los dados sobre el tambor donde los huesos repicaban como granizos, de beber el aguardiente que todos traían en cantimploras marcadas con caracteres arábigos. «No debe permanecer aquí señora —decía de Sainte-Affrique que, desde hacía algún tiempo desplegaba un celoso cuidado de chichisbeo en torno a Sofía—. Es gente alborotosa y vulgar». Pero la mujer seguía atada a algún relato, a alguna heroica jactancia, secretamente halagada —y no se avergonzaba de ello— al sentirse codiciada, desnudada, palpada en ánimo, por aquellos varones, rescatados del mal bíblico, que al embellecer sus propias hazañas, trataban de hacerle recordar sus fuertes jetas... «¿Te has metido a cantinera?», preguntó Víctor, ásperamente, cuando la vio regresar. «Al menos las cantineras hacen algo», dijo ella. «¡Hacer algo! ¡Hacer algo! Siempre estás con la misma monserga. ¡Como si el hombre pudiese hacer algo más de lo que puede hacer!...» Víctor iba, venía, impartía órdenes, fijaba objetivos, dictaba instrucciones tocantes al pertrechamiento de las tropas por la vía fluvial. Casi iba Sofía a admirarse de su energía, cuando recordó lo que bajo este techo se estaba organizando: una vasta matanza de negros. Se encerró en su cuarto para ocultar un repentino acceso de cólera, pronto roto en llanto. Fuera, los soldados de la Campaña de Egipto prendían fuego a pequeñas pirámides de cocos secos, para ahuyentar los mosquitos. Y después de una noche demasiado llena de ruidos, de risas, de ajetreos, sonaron las dianas del amanecer. La escuadra de chalupas, barcas y gabarras, empezó a moverse río arriba, sorteando remolinos y raudale

Pasaron seis semanas. Y, una noche, en el pesante rumor de una lluvia que caía desde tres días, regresaron varias embarcaciones. De ellas descendían hombres agotados, febriles, con los brazos en cabestrillo, fangosos, malolientes, enredados en vendas color de lodo. Muchos de ellos asaeteados por los indios, mondados por los machetes de los negros, eran traídos en parihuelas. Víctor llegó de último, tembloroso, arrastrando las piernas, con los brazos echados sobre los hombros de dos oficiales. Se dejó caer en una butaca, pidiendo mantas y más mantas para envolverse. Pero aun envuelto, arrebujado, metido en frazadas de lana, en ponchos de vicuña, seguía temblando. Sofía observó que tenía los ojos enrojecidos y purulentos. Tragaba saliva con dificultad, como si tuviese la garganta hinchada. «Esto no es guerra —dijo al fin, con voz bronca—. Se puede pelear con los hombres. No se puede pelear con los árboles». De Sainte-Affrique, cuya barba sin rasurar le azulaba un mal cutis verdoso, habló a solas con Sofía, después de despacharse una botella de vino a ansiosos lamparazos: «Un desastre. Los palenques estaban desiertos. Pero, cada hora, caíamos en una emboscada de pocos hombres que desaparecían después de matarnos varios soldados. Cuando volvíamos al río, nos flechaban desde las orillas. Tuvimos que andar en pantanos con el agua por el pecho. Y luego, para colmo, el Mal Egipcio». Y explicó que los soldados triunfantes de las pestes de Jaffa traían consigo un mal misterioso, con el cual habían contaminado ya a media Francia, donde la epidemia hacía estragos. Era como una fiebre maligna, con dolores articulares, que se trepaba al cuerpo, estallando por los ojos. Se inflamaban las pupilas; llenábanse los párpados de humores. Mañana llegarían más enfermos, más heridos; más hombres derrotados por los árboles de la selva y por armas que, con sus trazas prehistóricas, sus dardos de hueso de mono, sus flechas de caña, sus picas y machetes campesinos, habían desafiado la artillería moderna: «Dispara usted un cañonazo en la selva, y todo lo que ocurre es que le cae encima un alud de hojas podridas». En deliberación de tullidos y macheteados, se acordó que Víctor sería llevado a Cayena, al día siguiente, con los heridos de mayor cuidado. Sofía, gozosa por el fracaso de la expedición, recogió sus ropas y las guardó en banastas tejidas, olientes a vetiver, con ayuda del joven oficial de Sainte-Affrique. Tenía el presentimiento de que no regresaría ya a aquella casa.

XLVII

El Mal Egipcio se había declarado en Cayena. El Hospital de Saint-Paul-de-Chartres no tenía cabida ya para tantos enfermos. Se hacían rogativas a San Roque, a San Prudente, a San Carlos Borromeo, siempre recordados en épocas de pestes. Maldecían las gentes a los soldados que habían traído aquella plaga nueva, sacada de sabía Dios qué subterráneo de momias; sabía Dios de qué mundo de esfinges y embalsamadores. La Muerte estaba en la ciudad. Saltaba de casa en casa, acreciendo, con la desconcertante brusquedad de sus apariciones, una pavorosa proliferación de rumores y de consejas. Se decía que los soldados de la Campaña de Egipto, furiosos por verse sacados de Francia, habían querido exterminar la población de la colonia para apoderarse de ella; que elaboraban untos, líquidos, grasas maceradas con materias inmundas, con los cuales marcaban las fachadas de las casas a donde querían llevar la contaminación. Todas las manchas se hicieron sospechosas. Quien, de día, pusiera la mano en una pared, dejando en ella la huella de un sudor, era apedreado por los transeúntes. Por llevar los dedos demasiado negros y pringosos, un indio fue matado a palos, una madrugada, por gentes que velaban un cadáver. Aunque los médicos afirmaran que el daño no era semejante al de la peste, dieron todos por llamarlo «el azote de Jaffa». Y en espera de él —tarde o temprano llegaría—, la lujuria se hizo una con el miedo. Las alcobas se ofrecían a quien las deseara. Buscábanse los cuerpos en la proximidad de las agonías. Se daban bailes y festines en medio de la plaga. Gastaba aquél, en una noche, lo amasado durante años de prevaricaciones. Quien había escondido luises de oro, presumiendo de jacobino, los asomaba al tapete del naipe. Regalaba Hauguard sus vinos a las señoras de la colonia que, en los cuartos de la posada, esperaban amantes. Mientras las campanas de la ciudad tocaban a funerales, sonaban, hasta el alba, las orquestas de bailes y festines, apartándose los bancos y mesas sacados a la calle para dejar pasar ataúdes que, en carretas, en carromatos, en carrozas viejas, aparecían con las luces del día, sudando la brea con que habían embadurnado sus tablas. Dos religiosas grises, poseídas por el Demonio, se prostituyeron en los muelles, mientras el anciano acadiense, más metido en Isaías y Jeremías cuanto más se le esmirriaban las carnes sobre el esqueleto, clamaba, en las plazas, en las esquinas, que bien llegado era el tiempo de comparecer ante el Tribunal de Dios.

Víctor Hugues, con los ojos cerrados por espesas vendas empapadas en agua de altea, andaba como ciego por su habitación de la Casa de Gobierno, agarrándose del espaldar de las sillas, tropezando, gimiendo, buscando objetos al tacto. Mirábalo Sofía y lo hallaba débil, lloroso, asustado por los ruidos de la ciudad. A pesar de la fiebre que lo ardía, se negaba a permanecer en cama, temiendo sumirse para siempre en tinieblas que se espesaran sobre las que ya debía a sus vendas húmedas. Tocaba, palpaba, sopesaba cuanto encontraran sus manos, para sentirse vivir. El Mal Egipcio estaba instalado en su organismo potente con una fuerza únicamente combatida por la del ser que le resistía. «Ni mejor ni peor», decía el médico, cada mañana, luego de probar la acción de algún nuevo medicamento. La Casa de Gobierno estaba guardada por un cordón de tropas que impedía su aceso a personas extrañas. Habían sido alejados los servidores, los guardias, los funcionarios. Y Sofía permanecía sola con el Mandatario —quejoso de que se le entumecían los huesos, de que era mucho el dolor padecido, insoportable la ardentía de los ojos—... en el edificio cuyas paredes estaban cubiertas de edictos y proclamas, asistiendo, por las ventanas, al paso de los entierros. (*«Ils ne mouraient pas tous, mais tous étaient frap-*

pés» —recitábase, recordando a un La Fontaine que le era leído por Víctor Hugues, en la casa habanera, para ejercitarla en la pronunciación francesa). Sabía que su presencia, allí, era una inútil temeridad. Pero arrostraba el peligro para ofrecerse, a sí misma, el espectáculo de una lealtad de la cual no estaba ya muy segura. Frente al miedo del otro, su propia persona se acrecía. Al cabo de una semana, se dio por convencida de que el mal no pasaría a su carne. Se sintió orgullosa, predestinada, al pensar que la Muerte, dueña del país, le otorgaba un tratamiento de favor. Ahora invocábase a San Sebastián, en la ciudad, para añadir un intercesor más a la trilogía de Roque, Prudente y Carlos. *Dies Irae, Dies Illae.* Un medieval sentimiento de culpa se había adentrado en las mentes de quienes recordaban demasiado su propia indiferencia ante los horrores de Iracubo, Conanama y Sinnamary —y por demasiado recordarlo, el anciano acadiense era corrido a estacazos de calle en calle. Víctor, cada vez más hundido en su butaca, buscando objetos en la noche de la ceguera, hablaba ya el lenguaje de los moribundos: «Quiero que me entierren —decía— con mi traje de Comisario de la Convención». Y lo sacaba del armario, a tientas, mostrándolo a Sofía, antes de echarse la casaca sobre los hombros y de colocarse el sombrero empenachado encima de las vendas de su frente: «En menos de diez años, creyendo maniobrar mi destino, fui llevado por los demás, por *ésos* que siempre nos hacen y nos deshacen, aunque no los conozcamos siquiera, a mostrarme en tantos escenarios que ya no sé en cuál me toca trabajar. He vestido tantos trajes que ya no sé cuál me corresponde». Haciendo un esfuerzo, abombaba el tórax lleno de silbidos: «Pero hay uno que prefiero a todos los demás: éste. Me lo dio el único hombre a quien alguna vez, puse por encima de mí. Cuando lo derribaron, dejé de entenderme a mí mismo. Desde entonces no trato de explicarme nada. Soy semejante a esos autómatas que juegan al ajedrez, andan, tocan el pífano, repican el tambor, cuando les dan cuerda. Me faltaba representar un papel: el de ciego. En él estoy ahora». Y añadía a media voz, contando sobre los dedos: «Panadero, negociante, masón, antimasón, jacobino, héroe militar, rebelde, preso, absuelto por quienes me mataron a quien me hizo, Agente del Directorio, Agente del Consulado...» Y su enumeración, que rebasaba la suma de los dedos, quedaza en un murmullo ininteligible. A pesar de la enfermedad y de las vendas, Víctor, medio vestido de Comisario de la Convención, recobraba algo de la juventud, la fuerza, la dureza de quien, una noche, atronara cierta casa habanera con un estrépito de aldabas. Volvíase un hombre anterior al hombre actual —al gobernante rapaz y escéptico que ahora, destemplado por hálitos de sepulcro, renegaba de sus riquezas inútiles, de la vanidad de los honores, usando expresiones de predicador en oficio de difuntos. «Hermoso era este traje», decía Sofía, alisándole las plumas del sombrero. «Está pasado de moda —respondía Víctor—. Ya sólo puede servir de mortaja». Un día, el médico usó de un nuevo remedio que, en París, había operado maravillas en la cura de los ojos aquejados por el Mal Egipcio: la aplicación de lascas de carne de ternera, fresca y sangrante. «Pareces un parricida de tragedia antigua», dijo Sofía, viendo aquel personaje nuevo que, salido de la alcoba donde acababan de curarlo, le hizo pensar en Edipo. Habían terminado, para ella, los tiempos de la piedad.

Y amaneció Víctor sin fiebre, pidiendo una copa de cordial.. Cayeron sus vendas de carne sangrante, dejándolo con el semblante despejado y limpio. Estaba atónito, como deslumbrado ante la belleza del mundo. Caminaba, corría, saltaba, por las estancias de la Casa de Gobierno, después de su descenso en la noche de la ceguera. Miraba los árboles, las enredaderas, los gatos, las cosas, como si acabaran de ser creados y tuviese, como Adán, que ponerles nombres. El Mal Egipcio se llevaba sus últimas víctimas, presurosamente cargadas hacia el camposanto sin esquilas ni funerales, en entierros jocosos, de pronto terminar. Se dieron vistosas misas en acción de gracias a Roque, Prudente, Carlos y Sebastián, aunque algunos impíos, olvidados de sus plegarias y rogativas, empezaban a insinuar que más se había conseguido con llevar una ristra de ajos colgada del cuello que orando a los santos. Dos buques entraron en el puerto, saludados por las salvas de la batería.

«Fuiste sublime», dijo Víctor a Sofía, ordenando que se preparara el viaje de regreso a la hacienda. Pero la mujer, soslayando la mirada, tomó un libro de viajes a la Arabia que había leído durante los últimos días, mostrándole un párrafo sacado de un texto coránico: «La peste hacía estragos en Devardán, ciudad de Judea. La mayor parte de los habitantes se dio a la fuga. Dios les dijo: «Morid». Y murieron. Años después los resucitó a ruegos de Ezequiel. *Pero todos conservaron en los rostros las huellas de la muerte*». Marcó una pausa: «Estoy cansada de vivir entre muertos. Poco importa que la peste haya salido de la ciudad. Desde antes llevaban ustedes las huellas de la muerte en las caras». Y hablaba, hablaba largamente, de espaldas a él —inscribiendo la silueta oscura en el rectángulo luminoso de una ventana— de su voluntad de marcharse. «¿Quieres volver a tu casa?», preguntó Victor atónito. «Jamás volveré a una casa de donde me haya ido, en busca de otra mejor». «¿Dónde está la casa mejor que ahora buscas?» «No sé. Donde los hombres vivan de otra manera. Aquí todo huele a cadáver. Quiero volver al mundo de los vivos; de los que creen en algo. Nada espero de quienes nada esperan». La Casa de Gobierno era invadida por servidores, guardias, funcionarios, que volvían a sus tareas de ordenar, asear, servir. La luz, entrando nuevamente por las cristalerías liberadas de cortinas, alzaba minúsculos cosmos de polvo, que ascendían hacia las ventanas en columnas inclinadas. «Ahora —decía ella— emprenderás otra expedición militar a la selva. No puede ser de otro modo. Tu cargo lo exige. Te debes a tu autoridad. Pero yo no contemplaré semejante espectáculo». «La Revolución ha trastornado a más de uno», dijo Víctor. «Es esto, acaso, lo magnífico que hizo la Revolución: trastornar a más de uno —dijo Sofía, empezando a descolgar sus ropas—. Ahora sé lo que debe rechazarse y lo que debe aceptarse». Un nuevo buque —tercero en aquella mañana— era saludado por las baterías. «Tal parece que yo los hubiese llamado», dijo Sofía. Víctor pegó un puñetazo en la pared: «¡Acaba de recoger tus porquerías y lárgate a donde quieras!», gritó. «Gracias —dijo Sofía—. Prefiero verte así». Agarrándola por los brazos, el hombre la zarandeó a lo largo de la habitación, lastimándola, empujándola, hasta arrojarla en la cama de un empellón. Cayendo sobre ella, la abrazó fuertemente sin hallar resistencia: lo que se le ofrecía era un cuerpo frío, inerte, distante, que se prestaba a todo con tal de acabar pronto. La miró como otras veces la miraba en tales momentos, tan cerca los ojos que se confundían sus luces. Ella desvió la cara. «Sí; es mejor que te vayas», dijo Víctor echándose a un lado, jadeante aún, insatisfecho, invadido por una tristeza enorme. «No te olvides del salvoconducto», dijo Sofía, plácidamente, escurriéndose por la otra banda del lecho hacia el escritorio donde se guardaban los formularios: «Espera: no hay tinta en el tintero». Acabando de alisarse las medias, arreglando lo que de su ropa quedaba desarreglado, tomó un pomo, mojó la pluma y la tendió a Víctor. Y siguió descolgando cosas, atendiendo a que el otro, con mano rabiosa, terminara de llenar el papel. «¿Así que eso es todo? —preguntó todavía el hombre—. ¿No nos queda nada?» «Sí. Algunas imágenes», respondió Sofía. El Mandatario anduvo hasta la puerta. Tuvo una horrible sonrisa conciliadora: «¿No vienes? —Y ante el silencio de ella—: ¡Buen viaje!» Y marcó el sonido de sus pasos en la escalera. Abajo lo esperaba un coche para llevarlo al embarcadero... Sofía quedó sola, frente a sus vestidos esparcidos. Más allá de los rasos y encajes quedaba el traje de Comisario de la Convención que Víctor tanto le hubiera mostrado en los días de su ceguera. Colocado como estaba, sobre una butaca de tapicerías rotas, con las bragas en su lugar, la casaca con banda tricolor terciada, el sombrero puesto sobre muslos ausentes, parecía una reliquia de familia de las que hablan, por sus formas vacías de osamenta y carne, de la estampa de un hombre desaparecido que, en un tiempo, hubiese desempeñado un gran papel. Así se exhibían, en ciudades de Europa, las vestimentas de ilustres personajes del pasado. Ahora que el mundo estaba tan cambiado que el «érase una vez» de los narradores de recuerdos había sido sustituido por los términos de «antes de la Revolución» y «después de la Revolución», los museos gustaban muchísimo. Aquella noche, para irse acostumbrando nuevamente a la soledad, Sofía se entregó al joven oficial de Sainte-Affrique, que la amaba con wertheriano

CAPÍTULO SÉPTIMO

esa canalla por la escalera de servicio... Apartando al fámulo, el viajero subió las anchas escaleras que conducían al salón. Allí, en medio de muebles movidos de sus sitios, sobre un piso cuyas alfombras estaban arrimadas a una pared, seguía la juerga, con un descocado bailoteo de manolas del rumbo y de mozos de la peor facha, que se vaciaban grandes vasos de vino en el gaznate, escupiendo a diestro y siniestro. Por la cantidad de botellas y frascos vacíos que yacían en los rincones, podía advertirse que la fiesta estaba en su punto. Pregonaba ésta unas castañas calientes que no se veían por ninguna parte; subida sobre un diván, desgañitábase una maja cantando la tonada del marabú; sobaba una hembra el de más allá; apretábase un corrillo de borrachos en torno a un ciego que acababa de rajarse la garganta perfilando melismas por soleares. Un «¡fuera de aquí!», clamado con tronitosa voz por el criado, desbandó a los presentes, que se echaron escaleras abajo, llevándose cuanta botella llena pudieron agarrar al vuelo, al ver que del hato de mantas escocesas emergía la cabeza de alguien que debía ser una persona de condición. Ahora, hilvanando lamentos inoperantes, el sirviente se apresuraba en colocar nuevamente los muebles en su lugar, extendiendo la alfombra y llevándose las botellas vacías con la mayor diligencia. Añadió varios leños al fuego que en la chimenea ardía desde temprano y, armándose de escobas, plumeros y paños, trató de borrar las huellas que había dejado el holgorio en las butacas, en los pisos y hasta en la tapa del pianoforte ensuciada por un líquido que olía a aguardiente. «Gente buena —gemía el fámulo—. Gente incapaz de llevarse nada. Pero gente de muy escasa educación. Aquí no pasa como en otros países, donde se enseña a respetar»... Por fin, librado de su última manta, el viajero se acercó al fuego, pidiendo una botella de vino. Cuando se la trajeron pudo comprobar que era del mismo que habían estado bebiendo los juerguistas. Pero no se dio por enterado: sus ojos acababan de tropezarse con un cuadro que harto conocía. Era el que representaba cierta *Explosión en una Catedral*, ahora deficientemente curado de la ancha herida que se le hiciera un día, por medio de pegamentos que demasiado arrugaban la tela en el sitio de las roturas. Seguido del fámulo que alzaba un gran candelabro con velas nuevas, pasó a la habitación contigua, que era la biblioteca. Entre los anaqueles de libros había una panoplia, rematada por yelmos y morriones de factura italiana, a la que faltaban algunas armas que parecían haber sido desprendidas con suma violencia, a juzgar por el retorcimiento de las escarpias. Dos butacones habían quedado en disposición de coloquio, a ambos lados de una estrecha mesa medianera, donde veíase un libro abierto y una copa medio bebida, cuyo vino de Málaga, al secarse, había dejado la marca de su color en el cristal. «Como tuve el honor de escribir al señor, nada se ha tocado desde entonces», dijo el fámulo, abriendo otra puerta. Ahora estaba el viajero en una habitación de mujer recién salida del sueño, donde nada hubiese sido recogido. Aún estaban revueltas las sábanas del desperezo mañanero, y se adivinaban las prisas de un rápido vestirse por la camisa de noche que estaba tirada en el suelo, y aquel desorden de trajes sacados de un armario, entre los cuales debió escogerse el que ahora faltaba. «Era como de color tabaco, con unos encajes», dijo el sirviente. Salieron los dos hombres a una ancha galería, cuyas ventanas exteriores estaban blanquecidas por la escarcha. «Este era el cuarto de él», dijo el criado, buscando una llave. Lo que pudo contemplar el forastero fue una estancia angosta, amueblada con casi austera sobriedad, sin más adorno que el de una tapicería fija en la pared opuesta a la de la cama, que representaba un gracioso concierto de monos, tocadores de clave, violas de gamba, flautas y trompetas. Sobre un velador, veíanse varios pomos de medicinas, acompañados de una jarra de agua y una cuchara. «El agua, hubo que vaciarla, porque se estaba pudriendo», dijo el criado. Todo aquí estaba ordenado y limpio como en celda de militar: «El siempre se arreglaba la cama y acomodaba sus cosas. No le agradaba que entraran gentes del servicio, aun cuando estaba enfermo». El viajero volvió al salón: «Cuénteme lo que pasó aquel día», dijo. Pero el relato del otro, a pesar de todo el afán que se daba en informar, tratando de hacer olvidar lo de la juerga y lo del vino con un exceso de palabras entreveradas de desmedidos elogios para la bondad, la generosidad, el señorío, de los amos, era muy poco interesante. Lo mismo quedaba dicho en una carta que el fámulo hubiese mandado antes, valiéndose de la letra de un memorialista público que, sin conocer el caso, había añadido acotaciones de propia tinta, mucho más esclarecedoras en sus hipótesis que las escasas verdades recordadas por el lacayo, quien, en suma, no sabía casi nada. Aquella mañana, arrastrada por el entusiasmo que llenaba las calles, la servidumbre había abandonado las cocinas, lavanderías, despensas y cocheras. Después, algunos regresaron; otros no... El viajero pidió papel y pluma, apuntando los nombres de todas las personas que, por algún motivo, hubiesen tenido tratos con los amos de la casa; médicos, proveedores, peinadoras, costureras, libreros, tapiceros, boticarios, perfumistas, comerciantes y artesanos, sin desdeñar el dato de que una abaniquera hubiese venido a menudo a ofrecer sus abanicos, ni que un barbero, cuya oficina estaba próxima, conocía la vida y milagros de toda la gente que hubiese vivido, desde hacía veinte años, en la calle de Fuencarral.

Así sucedió.
GOYA

Con lo sabido en tiendas y talleres; con lo oído en una taberna cercana, donde muchas memorias se refrescaban al calor del aguardiente; con lo narrado por personas de las más diversas condiciones y estados, empezó una historia a constituirse a retazos, con muchas lagunas y párrafos truncos, a la manera de una crónica antigua que parcialmente renaciera de un ensamblaje de fragmentos dispersos... La casa de la Condesa de Arcos —según contara un Notario que, sin saberlo, oficiaba de prologuista del centón— había quedado deshabitada durante mucho tiempo, desde que en ella se hubiesen producido extraños y sonados sucesos de fantasmas y aparecidos. Transcurría el tiempo y permanecía la hermosa mansión en abandono, aislada por su propia leyenda, añorándose, entre los comerciantes del barrio, los días en que las fiestas y saraos ofrecidos por sus dueños promovían rumbosas compras de adornos, luces, finos manjares y vinos delicados. Por lo mismo, la tarde en que pudo observarse que las ventanas de la casa se iluminaban, fue saludada como un acontecimiento. Acercáronse los vecinos, curiosos, observando un tráfago de sirvientes, desde las cocheras hasta el desván, subiendo baúles, cargando bultos, colgando arañas nuevas de los cielos rasos. Al día siguiente, aparecieron los pintores, los empapeladores, los yeseros, con sus escaleras y andamios. Corrió un aire fresco por las estancias, disipando embrujos y sortilegios. Claras cortinas alegraron los salones, en tanto que dos soberbios alazanes, traídos por un caballerizo de librea, se instalaron en las cuadras, que volvían a oler a heno, avena y almorta. Se supo entonces que una dama criolla, poco temerosa de espantos y duendes, había alquilado la mansión... Aquí la crónica pasaba a la boca de una encajera de la Calle Mayor: Pronto la señora de la Casa de Arcos fue conocida por «La Cubana». Era una hermosa mujer, de grandes ojos oscuros, que vivía sola, sin recibir visitas ni buscar tratos con la gente de la Villa y Corte. Una constante preocupación ensombrecía su mirada y, sin embargo, no buscaba el consuelo de la religión, notándose que nunca iba a misa. Era rica, a juzgar por el número de sus sirvientes y el boato de su tren de casa. No obstante era afecta a vestirse sobriamente, aunque cuando compraba un encaje o elegía un paño, exigía siempre lo mejor, sin poner reparos en el precio... De la encajera, no podía sacarse más, pasándose a los chismes de Paco, el barbero guitarrista, cuya oficina se contaba entre los buenos mentideros de la ciudad: «La Cubana» había venido a Madrid para realizar una delicada gestión: solicitar el indulto de un primo suyo que estaba encarcelado, desde hacía años, en el presidio de Ceuta. Se decía que aquel primo «suyo» había sido conspirador y francmasón en las tierras de América. Que era un afrancesado, adicto a las ideas de la Revolución, impresor de escritos y canciones subversivas, destinados a socavar la autoridad real en los Reinos de Ultramar. «La Cubana» también debía tener alguna tacha de conspiradora y de atea, con aquel retraimiento en que vivía; con aquel desentendimiento de procesiones que podían pasar, frente a la Casa de Arcos, llevando al mismísimo Santísimo, sin que se dignara asomarse a alguna ventana de la mansión. Llegóse a decir que dentro de la Casa de Arcos se habían alzado las columnas impías de una Logia, y que hasta se daban misas negras. Pero la policía, puesta sobre aviso por las habladurías, luego de vigilar la mansión durante algunas semanas, había tenido que reportar que no podía ser sitio de reuniones de conspiradores, impíos ni francmasones, puesto que allí no se reunía nadie. La Casa de Arcos, casa del misterio a causa de sus espantos y trasgos de antaño, seguía siendo una Casa del Misterio, ahora que en ella moraba una mujer hermosa muy requerida por los hombres cuando alguna vez iba a pie hasta una tienda cercana o salía a comprar, en vísperas de Navidades, mazapanes de Toledo en las inmediaciones de la Plaza Mayor... Ahora pasaba la palabra a un viejo médico que a menudo había visitado durante un tiempo, la Casa de Arcos: Había sido llamado para atender a un hombre de sana constitución, pero cuya salud estaba sumamente quebrantada por la permanencia en el presidio de Ceuta, de donde acababa de salir, luego de verse liberado por indulto real. En las piernas llevaba la marca de los grillos. Padecía de fiebres intermitentes y también de un asma de infancia que lo atormentaba, a veces, aunque las crisis se le aliviaban al fumar cigarrillos liados con pétalos de la *Flor de Campana* que a Cuba encargaba un apotecario del barrio de Tribulete. Sometido a un tratamiento revitalizador, había recobrado la salud lentamente. El médico no volvió a ser llamado a la Casa de Arcos... Ahora tocaba hablar a un librero: Esteban no quería saber de filosofía, de trabajos de economistas, ni de escritos que trataran de la Historia de Europa en los últimos años. Leía libros de viajes; las poesías de Osián; la novela de las cuitas del joven Werter; nuevas traducciones de Shakespeare; recordándose que se había entusiasmado con *El Genio del Cristianismo,* obra que calificaba de «absolutamente extraordinaria», habiéndola mandado encuadernar en pasta de terciopelo, de las que tenían una pequeña cerradura de oro, destinada a guardar el secreto de acotaciones personales, hechas al margen del texto. Carlos, que había leído el libro de Chateaubriand, no acertaba a explicarse por qué Esteban, hombre descreído, podía haberse interesado tanto por un texto falto de unidad, farragoso a ratos, poco convincente para quien careciera de una fe verdadera. Buscando el libro en todas partes, acabó por encontrar uno de sus cinco tomos en la habitación de Sofía. Hojeándolo, advirtió con sorpresa que esa edición incluía, en su segunda parte, una suerte de relato novelesco, titulado *René,* que no figuraba en otra edición, más reciente, adquirida en la Habana. Y mientras las demás páginas del volumen estaban vírgenes de notas o marcas, una serie de frases, de párrafos, aparecían subrayados con tinta roja: «*Esta vida que al principio me había encantado, no tardó en serme insoportable. Me cansé de las mismas escenas y de las mismas ideas. Me puse a sondear mi corazón y a preguntarme lo que deseaba...*» «*Sin padres, sin amigos y, por decirlo así, sin haber amado aún sobre la tierra, estaba abrumado por una superabundancia de vida... Descendí al valle y subí a la montaña, llamando con todas las fuerzas de mi deseo al objeto ideal de una futura llama...*» «*Es necesario imaginarse que era la única persona en el mundo a quien yo había amado y que todos mis sentimientos venían a confundirse en ella con el dolor de los recuerdos de mi infancia...*» «*Un movimiento de piedad la había atraído hacia mí...*» Una sospecha se abría camino en la mente de Carlos. Y ahora interrogaba a una camarera que durante algún tiempo había servido a Sofía, usando de soslayadas preguntas que, sin revelar un mayor interés por el caso, pudiesen conducir la fámula hacia alguna confidencia reveladora: No podía dudarse de que Sofía y Esteban se tuvieran un gran afecto, viviendo en una apacible y cariñosa intimidad. En los crudos días del invierno, cuando se helaban las fuentes del Retiro, tomaban sus comidas en la habitación de ella, con las butacas arrimadas a un brasero. En verano, daban largos paseos en coche, deteniéndose para beber la horchata de los puestos. También se les había visto, alguna vez, en la Feria de San Isidro, muy divertidos por el holgorio popular. Se agarraban de la mano, así como pueden hacerlo dos hermanos. No recordaba que los hubiese visto reñir, ni discutir acaloradamente. Eso nunca. El la llamaba por su nombre a secas; y ella le llamaba Esteban, sin más. Jamás se habían desleído las malas lenguas —que siempre las hay, en las cocinas, en las despensas— en decir que acaso hubiese una intimidad excesiva entre ellos. No. En todo caso, no se había visto nada. Cuando él hubiera pasado malas noches, a causa de la enfermedad, ella, más de una vez, había permanecido a su lado hasta el alba. Por lo demás, ambos parecían como hermanos. Sólo sorprendía a las gentes que una mujer tan guapa no se resolviera a casarse, ya que, de haberlo deseado, no le hubiesen faltado pretendientes de calidad y alcurnia... «Imposible es sacar ciertas verdades en claro —pensaba Carlos, mientras releía las frases subrayadas en el libro encuadernado con terciopelo rojo, que podían ser interpretadas de tantas maneras distintas—. Un árabe diría que pierdo el tiempo, como lo pierde quien busca la huella del ave en el aire o la del pez en el agua».

Faltaba ahora por reconstruir el Día sin Término; aquel en que dos existencias habían parecido disolverse en un Todo tumultuoso y ensangrentado. Sólo un testigo quedaba de la escena inicial del drama: una guantera que, sin sospechar lo que iba a ocurrir, había ido temprano a la Casa de Arcos para entregar varios pares de guantes a Sofía. Se sorprendió al observar que sólo quedaba un criado viejo en la mansión. Sofía y Esteban se encontraban en la biblioteca, acodados a la ventana abierta, escuchando atentamente lo que de afuera les venía. Un confuso rumor llenaba la ciudad. Aunque nada anormal parecía suceder en la calle de Fuencarral, podía notarse que ciertas tiendas y tabernas habían cerrado sus puertas repentinamente. Detrás de las casas, en calles aledañas, parecía que se estuviera congregando una densa multitud. De pronto, cundió el tumulto. Grupos de hombres del pueblo, seguidos de mujeres, de niños, aparecieron en las esquinas, dando mueras a los franceses. De las casas salían gentes armadas de cuchillos de cocina, de tizones, de enseres de carpintería: de cuanto pudiese cortar, herir, hacer daño. Ya sonaban disparos en todas partes, en tanto que la masa humana, llevada por un impulso de fondo, se desbordaba hacia la Plaza Mayor y la Puerta del Sol. Un cura vociferante, que andaba a la cabeza de un grupo de manolos con la navaja en claro, se volvía de trecho en trecho hacia su gente, para gritar: «¡Mueran los franceses! ¡Muera Napoleón!» El pueblo entero de Madrid se había arrojado a las calles en un levantamiento repentino, inesperado y devastador, sin que nadie se hubiese valido de proclamas impresas ni de artificios de oratoria para provocarlo. La elocuencia, aquí, estaba en los gestos; en el ímpetu vocinglero de las hembras; en el irrefrenable impulso de esa marcha colectiva; en la universalidad del furor. De súbito, la marejada humana pareció detenerse, como confundida por sus propios remolinos. En todas partes arreciaba la fusilería, en tanto que sonaba por vez primera, bronca y retumbante, la voz de un cañón. «Los franceses han sacado la caballería», clamaban algunos, que ya regresaban heridos, asableados en las caras, en los brazos, en el pecho, de los encuentros primeros. Pero esa sangre, lejos de amedrentar a los que avanzaban, apresuró su paso hacia donde el estruendo de la metralla y de la artillería revelaba lo recio de la trabazón... Fue ése el momento en que Sofía se desprendió de la ventana: «¡Vamos allá!», gritó, arrancando sables y puñales de la panoplia. Esteban trató de detenerla: «No seas idiota: están ametrallando. No vas a hacer nada con esos hierros viejos». «¡Quédate si quieres! ¡Yo voy!» «¿Y vas a pelear por quién?» «¡Por los que se echaron a la calle! —gritó Sofía—. ¡Hay que hacer algo!» «¿Qué?» «¡Algo!» Y Esteban la vio salir de la casa, impetuosa, enardecida, con un hombro en claro y un acero en alto, jamás vista en tal fuerza y en tal entrega. «Espérame», gritó. Y armándose con un fusil de caza; bajó las escaleras a todo correr... Hasta aquí lo que pudo saberse. Luego fue el furor y el estruendo, la turbamulta y el caos de las convulsiones colectivas. Cargaban los mamelucos, cargaban los coraceros, cargaban los guardias polacos, sobre una multitud que respondía al arma blanca, con aquellas mujeres, aquellos hombres que se arrimaban a los caballos para cortarles los ijares a navajazos. Gentes envueltas por pelotones que desembocaban por cuatro calles a la vez, se metían en las casas o se daban a la fuga, saltando por sobre tapias y tejados. De las ventanas llovían leños encendidos, piedras, ladrillos; derramábanse cazuelas, ollas, de aceite hirviente, sobre los atacantes. Uno tras otro iban cayendo los artilleros de un cañón, sin que la pieza dejara de disparar —con la mecha encendida por hembras enrabecidas, cuando ya no quedaron hombres para hacerlo. Reinaba, en todo Madrid, la atmósfera de los grandes cataclismos, de las revulsiones telúricas —cuando el fuego, el hierro, el acero, lo que corta y lo que estalla, se rebelan contra sus dueños— en un inmenso clamor de Dies Irae... Luego vino la noche. Noche de lóbrega matanza, de ejecuciones en masa, de exterminio, en el Manzanares y la Moncloa. Las descargas de fusilería que ahora sonaban se habían apretado, menos dispersas, concertadas en el ritmo tremebundo de quienes apuntan y disparan, respondiendo a una orden, sobre la siniestra escenografía exutoria de los paredones enrojecidos por la sangre. Aquella noche de un comienzo de mayo hinchaba sus horas en un transcurso dilatado por la sangre y el pavor. Las calles estaban llenas de cadáveres, y de heridos gimientes, demasiado destrozados para levantarse, que eran ultimados por patrullas de siniestros mirmidones, cuyos dormanes rotos, galones lacerados, chacós desgarrados, contaban los estragos de la guerra a la luz de algún tímido farol, solitariamente llevado por toda la ciudad, en la imposible tarea de dar con el rostro de un muerto perdido entre demasiados muertos... Ni Sofía ni Esteban regresaron nunca a la Casa de Arcos. Nadie supo más de sus huellas ni del paradero de sus carnes.

Dos días después de saber lo poco que había de saber, Carlos mandó lacrar las cajas donde había guardado algunos objetos, algunos libros, algunas ropas, que aún hablaban —por sus formas, por sus colores, por sus pliegues— de la existencia de los idos. Abajo lo esperaban tres coches para llevarlo, con su equipaje, a la Oficina de Postas. Devuelta a sus dueños, la Casa de Arcos volvería a quedar deshabitada. Las puertas fueron cerradas con llaves, una tras otra. Y la noche se instaló en la mansión —era aquel un invierno de anticipados crepúsculos— en tanto que sus fuegos eran apagados, separándose los leños a medio arder, antes de verterse sobre ellos el agua de una garrafa de espeso y orfebrado cristal rojo. Cuando quedó cerrada la última puerta, el cuadro de la *Explosión en una catedral*, olvidado en su lugar —acaso voluntariamente olvidado en su lugar— dejó de tener asunto, borrándose, haciéndose mera sombra sobre el encarnado oscuro del brocado que vestía las paredes del salón y parecía sangrar donde alguna humedad le hubiese manchado el tejido.

La Guadalupe, Barbados,
Caracas, 1956-1958.

ACERCA DE LA HISTORICIDAD DE VICTOR HUGUES

Como Víctor Hugues ha sido ignorado por la historia de la Revolución Francesa —harto atareada en describir los acontecimientos ocurridos en Europa, desde los días de la Convención hasta el 18 Brumario, para desviar la mirada hacia el remoto ámbito del Caribe—, el autor de este libro cree útil hacer algunas aclaraciones acerca de la historicidad del personaje.

Se sabe que Víctor Hugues era marsellés, hijo de un panadero —y hasta hay motivos para creer que tuviese alguna lejana ascendencia negra, aunque esto no sería fácil de demostrar. Atraído por un mar que es —en Marsella, precisamente— una eterna invitación a la aventura desde los tiempos de Piteas y de los patrones fenicios, embarcó hacia América, en calidad de grumete, realizando varios viajes al Mar Caribe. Ascendido a piloto de naves comerciales, anduvo por las Antillas, observando, husmeando, aprendiendo, acabando por dejar las navegaciones para abrir en Port-au-Prince un gran almacén —o *comptoir*— de mercancías diversas, adquiridas, reunidas, mercadas por vías de compra-venta, trueque, contrabandos, cambios de sederías por café, de vainilla por perlas, como aún existen muchos en los puertos de ese mundo tornasolado y rutilante.

Su verdadera entrada en la Historia data de la noche en que aquel establecimiento fue incendiado por los revolucionarios haitianos. A partir de ese momento, podemos seguir su trayectoria paso a paso, tal como se narra en este libro. Los capítulos consagrados a la reconquista de la Guadalupe se guían por un esquema cronológico preciso. Cuanto se dice acerca de su guerra librada a los Estados Unidos —la que llamaron los yanquis de entonces

«Guerra de Brigantes»— así como a la acción de los corsarios, con sus nombres y los nombres de sus barcos, está basado en documentos reunidos por el autor en la Guadalupe y en bibliotecas de la Barbados, así como en cortas pero instructivas referencias halladas en obras de autores latinoamericanos que, de paso, mencionaron a Víctor Hugues.

En cuanto a la acción de Víctor Hugues en la Guayana Francesa, hay abundante material informativo en las «memorias» de la deportación. Después de la época en que termina la acción de esta novela, Víctor Hugues fue sometido en París, a un consejo de guerra, por haber entregado la colonia a Holanda, después de una capitulación que era, en verdad, inevitable. Absuelto con honor, Víctor Hugues volvió a moverse en el ámbito político. Sabemos que tuvo relaciones con Fouché. Sabemos también que estaba en París, todavía, a la hora del desplome del imperio napoleónico.

Pero aquí se pierden sus huellas. Algunos historiadores —de los muy pocos que se hayan ocupado de él accidentalmente, fuera de Pierre Vitoux que le consagró, hace más de veinte años, un estudio aún inédito— nos dicen que murió cerca de Burdeos, donde «poseía unas tierras» (?) en el año 1820. La Bibliografía Universal de Didot lleva esa muerte al año 1822. Pero en la Guadalupe, donde el recuerdo de Víctor Hugues está muy presente, se asegura que, después de la caída del Imperio, regresó a la Guayana, volviendo a tomar posesión de sus propiedades. Parece —según los investigadores de la Guadalupe— que murió lentamente, dolorosamente, de una enfermedad que pudo ser la lepra, pero que, por mejores indicios, debió ser más bien una afección cancerosa (1).

(1) *Nota del autor*: Estaban publicadas ya estas páginas al final de la primera edición que de este libro se hizo en México, cuando, hallándome en París, tuve oportunidad de conocer a un descendiente directo de Víctor Hugues, poseedor de importantes documentos familiares acerca del personaje. Por él supe

¿Cuál fue, en realidad, el fin de Víctor Hugues? Aún lo ignoramos, del mismo modo que muy poco sabemos acerca de su nacimiento. Pero es indudable que su acción hipostática —firme, sincera, heroica, en su primera fase; desalentada, contradictoria, logrera y hasta cínica, en la segunda— nos ofrece la imagen de un personaje extraordinario que establece, en su propio comportamiento, una dramática dicotomía. De ahí que el autor haya creído interesante revelar la existencia de ese ignorado personaje histórico en una novela que abarcara, a la vez, todo el ámbito del Caribe.

A. C.

que la tumba de Víctor Hugues se encuentra en un lugar situado a alguna distancia de Cayena. Pero con esto encontré, en uno de los documentos examinados, una asombrosa revelación: Víctor Hugues fue amado fielmente, durante años, por una hermosa cubana que, por más asombrosa realidad, se llamaba Sofía.

ÍNDICE

Impreso en el mes de enero de 1979
en I. G. Seix y Barral Hnos., S. A.
Avda. José Antonio, 134-138
Esplugues de Llobregat
(Barcelona)